POESÍA DE PROTESTA EN LA EDAD MEDIA CASTELLANA

BIBLIOTECA ROMÁNICA HISPÁNICA
Dirigida por Dámaso Alonso

VI. ANTOLOGÍA HISPÁNICA

JULIO RODRÍGUEZ - PUÉRTOLAS

POESÍA DE PROTESTA EN LA EDAD MEDIA CASTELLANA

HISTORIA Y ANTOLOGÍA

EDITORIAL GREDOS, S. A.

© JULIO RODRÍGUEZ-PUÉRTOLAS, 1968.

EDITORIAL GREDOS, S. A.
Sánchez Pacheco, 83, Madrid. España.

Depósito Legal: M. 16821 - 1968.

Gráficas Cóndor, S. A., Sánchez Pacheco, 83, Madrid, 1968. — 3150.

A Guillermo Díaz-Plaja y su hija Aurora, en recuerdo de una estancia común a orillas del Niágara.

EXPLICACIÓN HISTÓRICA Y LITERARIA

> Suele la indignación componer versos
>
> (CERVANTES, *Viaje del Parnaso*)

> El sabio no debe ignorar lo que comúnmente se dice.
>
> (CARO Y CEJUDO)

Generalmente se aplica el concepto de *literatura social* y más especialmente el de *poesía social* a nuestra época. En el siglo XX, en efecto, y unido sin duda al incontenible proceso y evolución de los problemas sociales, ha surgido, por primera vez orgánicamente estructurada, la idea de que la literatura y el arte representan un aspecto más de esos problemas, entendiendo por tales los de cada momento histórico, a veces muy desemejantes unos de otros en la superficie, pero siempre con un fondo común: el hombre y su radical situación en esta vida y en este mundo. En lo que se refiere a *poesía social* sobre todo, hemos asistido en nuestro propio país a un florecimiento exuberante del género, hasta tal punto que es difícil abrir una revista literaria sin encontrar algunos poemas de este estilo o ensayos críticos que resaltan —a favor o en contra— la importancia del hecho. Debe recordarse que ya Antonio Machado hablaba de "la palabra en el tiempo"[1], idea, sin duda, básica

---

[1] Cf. sobre este tema, Ramón de Zubiría, *La poesía de Antonio Machado*, Madrid, Gredos, 1959. También, J. López Morillas, "Antonio Machado's Temporal Interpretation of Poetry", en *The Journal of Aesthetics and Art Criticism*, 1947, pp. 161-171; R. L. Predmore, "El

para la correcta comprensión de lo que en verdad es *poesía social*. Porque normalmente no se define claramente este concepto, ni tampoco, en muchos casos, es adecuadamente interpretado. Para hacer sonar esa "palabra" en ese "tiempo" basta con reflejar la realidad que rodea al escritor con un criterio de autenticidad y de sinceridad. Y es auténtica toda obra que recoge verazmente algún aspecto del proceso histórico del cual es contemporánea; debe hundir sus raíces en la consciencia de una época, o bien hacerse eco del inconsciente colectivo de la misma, ya que, como ha dicho Claude Roy, "la literatura no debe ser el arte menospreciable de pensar en *otra cosa*"[2]. Y en este género antiescapista abunda la poesía española de todos los siglos. La tradición *social*, de protesta, de queja ante la injusticia, es casi tan vieja en la Península Ibérica como su misma literatura.

Es ya un axioma evidente, como decía José Martí, que "cada estado social trae su expresión a la literatura de tal modo, que por las diversas fases de ella pudiera contarse la historia de los pueblos con más verdad que por sus cronicones y sus décadas"[3]. Pero si solamente se tratase de esto, como afirma el patriota cubano, nos encontraríamos simplemente con que la literatura *social* no sería sino una especie de auxiliar de la historia. Y hay algo más. Es curioso que ya en 1872, en una época en que la crítica literaria española era ferozmente tradicional y conservadora, Amador de los Ríos escribiese que el verso político-social muestra "un principio de crítica trascenden-

---

tiempo en la poesía de Antonio Machado", *PMLA*, 1948, pp. 696-711, y Ricardo Gullón, "Lenguaje, humanismo y tiempo en Antonio Machado", *CHA*, 1949, pp. 567-581. Muy especialmente, M. Tuñón de Lanza, *Antonio Machado, poeta del pueblo*, Barcelona, 1967.

[2] Cf. *La critique littéraire*, en la colección "Que sais-je?", Presses Universitaires, París.

[3] *Obras completas*, t. XV, p. 195. La Habana, Trópico, 74 vols. (1936-1953).

tal"[4]. Es decir, algo que hoy nos es ya perfectamente conocido: la voluntad decidida por parte del escritor de intervenir directamente en el proceso histórico, no solamente de presenciarlo notarialmente o de "sufrirlo", como decía Unamuno. Hay que tener en cuenta, pues, que por encima y por debajo de muchas inevitables y lógicas diferencias, hay un trasfondo básico y común a la poesía *social* contemporánea y a la poesía *social* medieval. Aun a riesgo de pecar por exceso, considero imprescindible citar el pensamiento de otro erudito decimonónico, el conde de la Viñaza, que en su discurso de ingreso en la Real Academia Española y en 1895 se expresó así: "el poder de la poesía satírico-política es indispensable para contribuir a la destrucción de lo que es imperfecto y para transformar, rejuvenecer y crear lo verdadero y lo justo en medio de la eterna antítesis que en el fondo de toda sociedad se agita"[5]. Lo que es significativo es que este género poético existe ininterrumpidamente desde los más remotos tiempos y siempre con un anhelo insatisfecho y noble. Como se ha dicho, la literatura es la conciencia de la humanidad.

En este aspecto, como en otros, la influencia galaico-provenzal parece fundamental. En Galicia, las *cantigas de escarnio y maldecir* ofrecen un interesante campo de trabajo, fácilmente asequible desde la reciente y excelente edición de M. Rodrigues Lapa[6]. El género no falta en la zona oriental de la Península[7].

---

[4] José Amador de los Ríos, "La poesía política en el siglo XV, la privanza y el suplicio del Condestable Don Álvaro de Luna", en *Revista de España*, 1872, p. 364. Extenso trabajo publicado en varias partes: 1871, pp. 550-569; 1872, pp. 44-70 y 337-364, todas en la misma revista.

[5] *Discurso...*, Madrid, 1895, p. 12.

[6] *As Cantigas d'Escarnho e de Maldizer*, Vigo, 1965. Cf. Carolina Michaëlis de Vasconcelos, ed. *Cancioneiro da Ajuda*, II, Halle, 1904, pp. 836 y ss., y *Das origens da poesia peninsular*, Lisboa, 1931; E. López Aydillo, *Los cancioneros gallego-portugueses como fuentes históricas*, Nueva York-París, 1923.

[7] Cf. M. Milá y Fontanals, *De los trovadores en España*, Barcelona,

En Castilla, los trabajos de Menéndez Pidal han puesto de manifiesto una lírica popular primitiva [8]; "en las solemnidades públicas, en alegrías y duelos familiares, en las fiestas del año, en viajes y romerías, en el trabajo de los labradores, en el pastoreo, en el molino, en la vela de los guardas... la lírica popular brota como expresión espontánea siempre que la aridez de la vida se interrumpe por un momento de emoción" [9]. No es arriesgado pensar que también la poesía satírica, con uno u otro matiz, existía en la Castilla primitiva, pues tan humano es cantar el amor, el dolor y el trabajo como la injusticia, en sus varias manifestaciones. Como ha dicho S. Martínez-Risco, "homes e pobos rescibem na súa alma o reflexo das cousas materiaes i espritoaes que enchen o mundo esterior —o refrexo do *epos*—, en na sua alma as valoran e xusgan, e dela voltan a ceibales como reelaboradas, dándolles nova vida, pra infruir en, ó cabo, na súa conducta, e determinar as súas aititudes" [10]. Sin embargo, y debido a que todo lo referente a la primitiva poesía castellana no es sino —casi— pura hipótesis, debemos comenzar nuestro recorrido desde la gran piedra miliar del *Poema de Mío Cid*, puesto que las extraordinarias jarchas judeo-españolas y mozárabes no son material útil para este propósito.

Américo Castro ha señalado que en el cantar cidiano "la sociedad está vista desde abajo" [11]. El poema es, en verdad, la

---

1861; A. Jeanroy, *La poésie lyrique des troubadours*, 2 vols., París, 1934; Martín de Riquer, *Resumen de literatura provenzal trovadoresca*, Barcelona, 1948; J. Molas, *Literatura catalana antiga*, Barcelona, 1961.

[8] En *Estudios literarios*, Madrid, 1920, pp. 251-344. Visión de conjunto en la introducción a la *Antología de la poesía española. Poesía de tipo tradicional*, de Dámaso Alonso y José Manuel Blecua, Madrid, Gredos, 1956.

[9] *Estudios literarios*, ed. cit., p. 314.

[10] Sebastián Martínez-Risco y Macías, *O sentimento da xustiza na Literatura Galega*, discurso de ingreso en la Real Academia Gallega, Pontevedra, 1953, p. 13.

[11] *La realidad histórica de España*, México, 1954, p. 448, nota.

gesta de los infanzones de tercera fila que pugnan por ascender de categoría social, y que —y esto es lo importante— lo consiguen. Éste es uno más de los numerosos aspectos realistas del poema, aunque de los menos deslindados. Los dos problemas básicos con los que se enfrenta el Campeador son su *status* familiar y social y su situación irregular ante el rey de Castilla, y ambos van a ser resueltos por el héroe de idéntica forma y por idénticos procedimientos: la conquista, la riqueza, el poder, que le permitirán afrontar, directa o indirectamente, tales graves cuestiones. El choque del Cid con sus yernos los condes de Carrión y con los nobles cortesanos, entre los que destaca el poderoso García Ordóñez, no es sino la manifestación externa y caballeresca de lo ya aludido, la diferencia social. Por esto, los yernos de Rodrigo llegan a exclamar despectivamente, refiriéndose al Campeador:

> ¡Fosse a río d'Ovirna los molinos picar
> e prender maquilas commo lo suele far! [12].

¿Qué representa la insistencia del poema —que nos indica una y otra vez que lo que Rodrigo hace es "ganarse el pan"— sino el deseo de marcar una diferencia entre un tipo de hidalgos y otro? En este sentido hay que interpretar los versos 848-850, en los que el Cid

> A cavalleros e a peones fechos los ha ricos,
> en todos los sos non fallaríedes un mesquino.
> Qui a buen señor sirve, siempre bive en deliçio.

Aquí sí que la sociedad está siendo vista desde un ángulo bien concreto, y aquí sí que el juglar se identifica con "los de abajo". El desairado y ridículo papel de los condes de Carrión no hace sino corroborar decididamente esta intención social, que ya es posible calificar de *democratizante*. Marginalmen-

---

[12] Ed. de Menéndez Pidal, Clásicos Castellanos, Madrid, 1958, versos 3.379-3.380.

te, pero relacionado con este asunto mismo, el famoso verso número 20,

> Dios, ¡qué buen vassallo, sí oviesse buen señore!,

indica desde el comienzo del cantar el problema del Campeador. Menéndez Pidal, concretizando más, dice que del casamiento de las hijas del Cid con los condes de Carrión, es decir, de la unión de dos familias de diferente categoría social "nace la tragedia del Poema" [13]. De esta forma se halla ya en el *Poema del Cid* un elemento importante de descontento e incluso de protesta, aunque ésta aparezca velada por lo heroico y caballeresco, a modo de superestructura del cantar. Pero debajo de ella, latente, mas no tanto que no rompa ocasionalmente los moldes épicos tradicionales, yace un incipiente conflicto social y una evidente visión popular del problema. Como sucederá durante el resto de la Edad Media española, el pueblo se identificará con el rey o con la idea y fidelidad monárquica, intentando saltar por encima —cuando no eliminar— la alienación producida por la presencia, entre monarca y pueblo, de la alta y poderosa nobleza. Comienza una constante de la poesía de protesta medieval.

Don Ramón Menéndez Pidal fecha hacia 1280 el conocido debate de *Elena y María* [14], único en la literatura peninsular, en el que se discute algo común en Europa, las cualidades —o falta de ellas— de caballeros y clérigos, enfrentándolos simbólicamente por medio de sendas enamoradas, en nuestro caso Elena del caballero y María del clérigo. Se trata de un interesante documento sociológico, como ha llamado a este debate Guillermo Díaz-Plaja [15], cuya intención ideológica volverá a

---

[13] Ed. cit., p. 78. Cf. mi artículo "Un aspecto olvidado en el realismo del *Poema de Mío Cid*", PMLA, 1967, pp. 170-177.

[14] Cf. número 1 de esta antología.

[15] *Cuestión de límites*, Madrid, 1963, p. 72.

aparecer siglos después, comparando armas y letras, como en el clásico y noble ejemplo de Don Quijote. Pero el origen del problema, literariamente hablando, se encuentra en *Elena y María* —en España—. Caballero y clérigo son los discutidos, es decir, Nobleza (Hidalguía) e Iglesia, los dos fuertes pilares de la organización social. Con el Renacimiento, el clérigo será sustituido por el hombre de letras laico: la Iglesia ha pasado así a un segundo plano, al menos teóricamente, en los deseos de cierto número de intelectuales, necesariamente erasmistas [16]. En *Elena y María*, "la vida de un infanzón estante en cortes y la de un clérigo de misa y olla en el siglo XIII están vistas con ojos maliciosos, pintadas en sus incidentes más vulgares, como en ninguna parte se puede hallar durante esa centuria" [17]. Con todo, es el clérigo quien queda verdaderamente mal parado. Porque al hidalgo se le recuerda su molesta vida palaciega, su poca soldada, conseguida especialmente en dificultosas batallas —"la guerra è bella, ma incomoda", dice un realista proverbio italiano—, sus apuros pecuniarios... Pero el clérigo aparece con tintas sombrías y ferozmente críticas, no ya irónicas, cuando habla Elena:

> La batalla faz con sus manos
> cuando bautiza sus afijados;
> comer e gastar
> e dormir e folgar;
> fijas de homnes bonos enartar,
> casadas e por casar,

y aún es peor lo que María, su defensora, dice de él con el fin de presentarlo favorablemente frente al caballero:

---

[16] Para Ludovik Osterc, este intelectual quijotesco está muy concretizado, pues se trataría, simplemente, del magistrado, abogado, hombre de leyes... (*El pensamiento social y político del Quijote*, México, 1963, pp. 148-150). Incluso así, mi idea es válida: el clérigo medieval ha sido sustituido por el jurista, producto importante de la sociedad moderna.

[17] R. Menéndez Pidal, *Tres poetas primitivos*, Austral, p. 34.

> ca él vive bien honrado
> e sin todo cuidado;
> ha comer e beber
> e en buenos lechos yacer;
> ha vestir e calzar
> e bestias en que cabalgar,
> vasallas e vasallos,
> mulas e caballos;
> ha dineros e paños
> e otros haberes tantos.

María señala claramente el privilegiado poder de que goza, dentro de la sociedad de la época, el clérigo, su enamorado:

> Mas otra honra mejor
> ha el mío señor:
> se fueren reis o condes,
> o otros ricos homnes,
> o dueñas de linaje,
> o caballeros de paraje,
> luego le van obedescer
> e vanle ofrecer;
> bien se tiene por villano
> quien le non besa la mano.

Creo que ésta es la auténtica razón del debate, el punto fundamental de la discusión y, como consecuencia, lo que origina la interesante comparación entre un modo de vida y otro. El anónimo poeta, como echa de verse leyendo el texto conservado, se inclina decididamente por el caballero, por su vida heroica, aventurera y cortesana:

> Cuando del palacio llega,
> ¡Dios, qué bien semeja!
> Azores gritando,
> caballos reninchando,
> alegre vien e cantando,
> palabras de corte fabrando.

Sin embargo, los detalles críticos no faltan, según he anotado ya, detalles referentes sobre todo a la escasa hacienda del caballero, lo que nos lleva inmediatamente hasta el famoso episodio del hidalgo toledano en el *Lazarillo de Tormes*. Elena, en fin, exclama algo que a ella le parece incontrovertible, dejando a un lado ahora otro tipo de consideraciones:

> Créasme de cierto
> que más val un beso de infanzón
> que cinco de abadón.

Este debate, la oposición clérigo / caballero, será recogido y utilizado por Cervantes —de quien ya se ha señalado otra derivación renacentista, el discurso de las Armas y las Letras— en un episodio importante de su *Quijote*; me refiero a la violenta discusión del hidalgo manchego con el capellán de los duques. No estará de más recordar cuál fue la respuesta de don Quijote a los ataques del sacerdote, al menos en parte: "¿No hay más sino a troche y moche entrarse por las casas ajenas a gobernar sus dueños, y habiéndose criado algunos en la estrecheza de algún pupilaje, sin haber visto más mundo que el que puede contenerse en veinte o treinta leguas de distrito, meterse de rondón a dar leyes a la caballería, y a juzgar de los caballeros andantes? ¿Por ventura es asunto vano o es tiempo mal gastado el que se gasta en vagar por el mundo, no buscando los regalos dél, sino las asperezas por donde los buenos suben al asiento de la inmortalidad?... Unos van por el ancho campo de la ambición soberbia; otros por el de la adulación servil y baja, otros por el de la hipocresía engañosa, y algunos por el de la verdadera religión; pero yo, inclinado de mi estrella, voy por la angosta senda de la caballería andante, por cuyo ejercicio desprecio la hacienda, pero no la honra..." [18]. La situación es muy similar, aunque ha evolucionado el enfoque del

---

[18] II, cap. XXXIII, *Obras completas* de Cervantes, Madrid, Aguilar, 1960, p. 1.382.

problema desde una circunstancia plenamente medieval hasta el encuadre cervantino, lleno de renacentismo y de añoranza por unos tiempos en que don Quijote y Cervantes imaginaron existió una clara división de jurisdicciones sociales, políticas y religiosas. Quizá debe unirse todo esto con otro de los famosos discursos quijotescos, el de la teórica Edad de Oro; en todo caso, en el siglo XIII castellano esa época ideal tampoco existía ya. El debate de *Elena y María* así lo prueba.

Se encuentran hasta este momento, pues, dos tipos de crítica bien diferentes en sus objetos, contra la alta nobleza cortesana en el *Poema de Mío Cid* y contra los religiosos irresponsables en *Elena y María*. Pero ambas obras tienen algo en común, y es que las críticas están hechas desde una situación social de medianía, la de los infanzones castellanos; Elena y María son hermanas y también "fijas de algo".

La crítica poética en la literatura primitiva alcanza otros momentos interesantes que ya anuncian, en parte, algunos aspectos de la protesta del trescientos, aunque muy teñidos de religiosidad. Así sucede con el pequeño fragmento conservado de la *Disputa del Alma y el Cuerpo*, de finales del siglo XII según Menéndez Pidal [19], en el que el ataque se dirige especialmente contra los grandes señores de la tierra. Podría ser considerado como un precedente de las violentísimas diatribas de fray Íñigo de Mendoza contra los poderosos:

> dim, ¿ó son tus dineros que tu misist en estero?,
> ¿ó los tos maravedís, azarís et melequís
> que solíes menear et a menudo contar?

El poema parece ser una traducción del francés, pero es interesante notar —como en el caso de *Elena y María*— la adaptación del tema a una circunstancia más castellana, que en

---

[19] Por razones de espacio, no he incluido la *Disputa* en esta antología.

este caso viene dada por las monedas que ejemplifican la riqueza y avaricia del muerto.

Para terminar este primer grupo de poemas anteriores al siglo XIV, debe citarse una de las obras menores de Gonzalo de Berceo, *De los signos que aparescerán ante del Juicio,* en que el autor, utilizando la imaginería metafórica y simbólica del Apocalipsis, aprovecha la ocasión para tronar contra las injusticias de este mundo. Esta vez la crítica se ha diluido en el contexto puramente religioso, y se reduce a una serie de observaciones muy genéricas sobre los diversos estamentos sociales, lo que acerca el pequeño poema a las *Danzas de la Muerte* de comienzos del siglo XV. Pero, conviene insistir, aquí falta una intención de queja o protesta; se trata, simplemente, de un tópico religioso, bien expuesto, sobre los "omnes cudiçiosos", "falsos" menestrales y labradores, malos obispos y gobernantes... Aquel terrible día, en fin,

> ardrá todo el mundo, el oro e la plata,
> balanquines e púrpuras, xamit e escarlata... [20].

Más adelante, el franciscanismo predicará la destrucción de toda riqueza mundana sin esperar al Juicio Final.

Conviene hacer una digresión, que creo pertinente, antes de hacer ninguna referencia a la poesía de protesta castellana en la Baja Edad Media, pues será entonces cuando aparezca el "artista consciente", que subjetivamente se manifestará a sí mismo mientras pondrá de relieve, al propio tiempo, las opiniones colectivas de la comunidad, o al menos de una buena parte de ella. Y muchas cosas han tenido que ocurrir para que llegue a producirse este nuevo tipo de escritor y el florecimiento de esta poesía *social.* Es necesario, pues, tratar de analizar los factores ideológicos y político-sociales que provocaron el desarrollo pleno del género.

---

[20] Cf. número 2 de esta antología.

El crítico austríaco Ernst Fischer ha descrito muy adecuadamente los motivos ideológicos: en esta época surgen "una tremenda riqueza de formas y medios de expresión, resultantes de un nuevo contenido social y del auge de nuevas clases sociales. El proceso había comenzado incluso antes, durante el final del período románico... Cristo sufriente y atormentado, Cristo identificado con el pueblo común en su pobreza y miseria, desplazó el orden feudal hacia el cielo. La Virgen María, abogada de los oprimidos e injuriados, llegó a ser la Reina de los Cielos, rodeada de esplendor. Y en la última escultura románica, Lázaro era ya una figura central, una acusación contra la arrogancia de los ricos y poderosos. La muerte de los señores se describe con una furia de fantasía vengadora..." [21]. Sería absurdo pensar que las inquietudes y preocupaciones del común condujesen a una revuelta social de tipo moderno. La sociedad medieval había sido instituida por Dios mismo; no era posible, por tanto, destruir su organización, pero sí desplazarla jerárquicamente hacia lo religioso, manteniendo al mismo tiempo la idea monárquica como fundamental. Los poderosos, tanto seglares como eclesiásticos, serán quienes pagarán básicamente las consecuencias. "La preocupación por las cosas divinas era demasiado intensa entonces para no esperar del mismo Dios el remedio del mal que afligía a las almas y el consuelo de la vida terrestre" [22]. No se debe al azar, pues, que todos los movimientos de protesta medievales estén impregnados de religiosidad, especialmente del deseo de una vuelta al cristianismo original. Conviene tener en cuenta que el Sermón de la Montaña es un auténtico manifiesto contra los poderosos de este mundo y un alegato en favor del pueblo humilde. Solamente así es posible comprender la enorme extensión que en toda Europa alcanzó la predicación franciscana. Se tiende a lo afectivo, a lo ingenuo, a un cristia-

---

[21] Ernst Fischer, *The Necessity of Art*, Penguin Books, 1963, páginas 143-144.
[22] Emile Gebhart, *La Italia mística*, Buenos Aires, s. a., p. 14.

nismo social y utópico, precedente también de otras ideas más modernas, de las cuales el erasmismo —por intermedio de la *devotio moderna*— no está muy lejos. San Francisco de Asís, San Bernardino de Siena, San Antonio de Padua..., por no citar sino los nombres más conocidos del movimiento franciscano, se encargaron de expandir el mismo por Italia, pasando de aquí al resto de la Europa cristiana [23]. Sin embargo, como ha señalado M. J. Aragoneses, "el exclusivismo de la clase preponderante, su espíritu de incomprensión y de desdén para los demás, su falta de visualidad social, es una constante histórica" [24]. Así, el nuevo reformismo será terriblemente atacado por los voceros del orden tradicional, como el humanista Colucio Salutati: "gens illa paupa et inops, plebs, infida, ignobilis, et rerum novarum avida" [25]. La versión castellana aparece en Rodrigo Sánchez de Arévalo, cuando se refiere a "los mercaderes y aquisteros de riqueza que bollician y levantan al pueblo y hacen aliganzas y sediciones" [26]. Quizá esta incomprensión hiciese más explosivo el problema; se llegó a la creación de sectas y organizaciones más radicales, como las de los cátaros, "fraticelli" y husitas, entre otras muchas de menor importancia. La muerte de Savonarola en la Florencia de 1498 puede servir como corolario a todos estos episodios [27]. Incluso dentro de los

---

[23] C. J. von Hefelé, *Der h. Bernardin von Siena und die Franciskanische Wanderpredigt in Italien*, Friburgo, 1912; Hans Baron, "Franciscan Poverty and Civic Wealth", en *Speculum*, XIII, 1938. Para España, cf. el número especial del *Archivo Ibero-Americano*, 1957: "Introducción a los orígenes de la Observancia en España".

[24] M. J. Aragoneses, *Los movimientos y luchas sociales en la Baja Edad Media*, Madrid, 1949, p. 54.

[25] Cito por M. J. Aragoneses, *op. cit.*, p. 58.

[26] En la *Suma de la Política*; cito por M. J. Aragoneses, ibidem, pp. 106-107.

[27] Cf. P. Beuzart, *Les hérésies pendant le Moyen Âge*, París, 1935; R. Manselli, *Spirituali e beghini in Provenza*, Roma, 1959. Véase también, como curiosidad, R. Allier, *Des anarchistes au Moyen Âge*, París, 1894.

reinos peninsulares no faltan durante los siglos XIV y XV esta clase de utopistas, especialmente en la Corona de Aragón —el más caracterizado es el famoso Arnaldo de Vilanova— y más tarde en Durango [28].

Pero sería ingenuo creer que solamente hubo motivaciones religiosas durante los inquietos siglos XIV y XV. En realidad, lo anotado más arriba es fundamental, pero no es sino una vía —la única posible entonces— para manifestar el descontento y la protesta ante las injustas condiciones sociales. Por debajo de tales expresiones, llenas de sincera religiosidad, existe una estructura y un condicionamiento económico-social que es imprescindible conocer para situar adecuadamente el problema. En primer lugar, la economía medieval es básicamente agrícola. Pero hay una evidente "evolución de la constitución agraria", como dice M. J. Aragoneses [29]: comenzará, incipientemente, el absentismo, "sustituyendo el sistema de explotación señorial y servil por el de explotación contractual", al mismo tiempo que "para proveerse el señor de dinero líquido entra al servicio del Estado, desempeñando funciones civiles o militares; ensaya el comercio..." [30]. Por esto, fray Íñigo de Mendoza podrá escribir por los años de 1467-68:

---

[28] Cf. P. José María Pou y Martí, *Visionarios, beguinos y fraticelos catalanes, siglos XIII-XV*, Vich, 1930; J. Mata Carriazo, *Precursores españoles de la Reforma: los herejes de Durango (1442-1445)*, en Memoria XXV, tomo IV, de la Sociedad Española de Antropología, Etnografía y Prehistoria, 1925. Excelente y reciente estudio es el de J. B. Avalle-Arce, "Los herejes de Durango", en *Homenaje a Rodríguez-Moñino*, I, Madrid, 1966, pp. 39-55. Y, naturalmente, M. Menéndez Pelayo, *Historia de los heterodoxos españoles* (he utilizado la edición de Buenos Aires, 1945, II, pp. 124-156 —Vilanova— y 201-224 —Durango—).

[29] *Op. cit.*, pp. 71-80. Cf. también M. Ballesteros, "Los factores económico-sociales en la transformación del mundo medieval", en *Estudios de Historia Social de España*, dirigidos por C. Viñas y Mey, I, Madrid, 1950.

[30] M. J. Aragoneses, *op. cit.*, pp. 75 y 73, respectivamente.

> circunciden los señores
> el tornarse mercaderes,
> que no son de unos colores
> virtudes, gracias, honores,
> y los flamencos aferes [31].

Lo que esto indica no es otra cosa sino el comienzo de la burguesía ciudadana de comerciantes, cambistas, rentistas. Y comienza también el éxodo campesino hacia los burgos, atraído, lo mismo que hoy día, por las deslumbrantes posibilidades que la ciudad parece ofrecer. Éste es un nuevo elemento de desequilibrio social, que ha sido provocado inicialmente —no se olvide— por el absentismo señorial y posteriormente por las nacientes industrias urbanas. Ahora, "el ciudadano está ligado a su ciudad rigurosamente, como el colono a la gleba. El poder anónimo del cual depende es una valla más estrecha que el antiguo pacto feudal. El contrato que une al hombre al señor reposa sobre un interés permanente y recíproco, mientras que el señorío arbitrario de la comuna, a la vez irresponsable y cambiante, modifica veinte veces por siglo, según la necesidad o el peligro del día, el acuerdo social y torna la suerte del individuo tanto más difícil cuanto más incierta... Parece que sólo escaparán a esta reglamentación del derecho individual el aire y el sol" [32]. Éste es el principio del fin: desde aquí, la alienación del hombre con respecto a su medio —su tierra, su ciudad— seguirá un ritmo pavorosamente progresivo. ¿Cuál es la solución, inconsciente solución, buscada ansiosamente en la Baja Edad Media? Escapar a esta condición por medio de la ideología religiosa o de la ideología monárquica, intentando remover los obstáculos que cierran el paso: los grandes señores de la nobleza y de la clerecía;

> somos siempre los clérigos errados e viciosos,
> los perlados maores, ricos e poderosos,

---

[31] *Vita Christi,* cf. número 32 de esta antología.
[32] E. Gebhart, *op. cit.,* p. 26.

exclama el autor del *Libro de Alexandre* [33]. El caso de Fuenteovejuna ilustra meridianamente el primer aspecto; el de los visionarios y reformadores mendicantes, el segundo [34].

En el siglo XIV aparecen, como es sabido, los primeros grandes testimonios poéticos castellanos de protesta o crítica social. Es interesante que los dos principales tengan por autores a bien diferentes tipos humanos y sociales, como el arcipreste de Hita y el canciller Ayala. Quizá este mismo hecho sirva para aproximarse a comprender la extensión y gravedad del mal atacado. Como dice agudamente Guillermo Díaz-Plaja, "sin llegar al criticismo que informó el siglo XV, va surgiendo, junto a la estimación de lo que España *es*, la reflexión acerca de lo que *debiera ser*. El elemento didáctico, tan visible en este período, dice bien claramente la medida de lo que hay de diagnóstico de una enfermedad y de su posible receta curativa" [35]. Y el rey Alfonso XI (1312-1350) parecía conocer bien enfermedad y remedio —nunca faltaron en España espíritus superiores que comprendiesen nuestros problemas, aunque casi nunca pudiesen llevar a cabo la regeneración del país [36]—. Comenzó dominando violentamente a la nobleza alborotada de su minoridad, aliándose con burguesía y pueblo, que ya en dos ocasiones se había

---

[33] C. 1662, BAE, LVII, p. 198.

[34] No deben dejarse a un lado ciertos factores naturales que conmovieron también el orden medieval, como las hambres periódicas y, especialmente, las enfermedades epidémicas, sobre todo la famosa peste negra de 1348-49, que hizo desaparecer un tercio de los habitantes de Europa. Cf. M. J. Aragoneses, *op. cit.*, p. 60; J. Vicens Vives, *Historia de España y América*, II, Barcelona, 1961, pp. 53-54, y especialmente Ch. Verlinden, "La grande peste de 1348 en Espagne. Contribution à l'étude de ses conséquences économiques et sociales", en *Revue Belge de Philologie et d'Histoire*, XVII, 1938.

[35] *Antología mayor de la literatura española*, I, Barcelona, 1958; prólogo, p. XLII.

[36] Cf. Américo Castro, *La realidad histórica de España*, México, 1954, p. 101.

enfrentado en revuelta social contra los señores, en 1312 (Córdoba) y 1331 (Úbeda), y promulgó una serie de ordenaciones contra la intromisión eclesiástica en asuntos civiles; así, en las cortes de 1328 y 1329, celebradas en Medina del Campo y Madrid, respectivamente, se prohibió a los sacerdotes el actuar como abogados y escribanos públicos. Finalmente, en 1347, Alfonso XI alentó el nacimiento de la después todopoderosa Mesta con el fin de apoyarse en esta organización para luchar contra particularismos y localismos, es decir, para unificar y centralizar el reino [37]. Es revelador el hecho de que Alfonso procurase identificarse con los deseos populares frente a los de la nobleza, así como limitar los privilegios y poder de la Iglesia. Una vez más, los grandes señores, laicos y eclesiásticos, constituyen un grave problema. Y el *Poema de Alfonso Onceno* refleja, necesariamente, las dificultades del momento:

> En este tiempo los señores
> corrían a Castiella;
> los mesquinos labradores
> pasaban gran mansiella.
> Los algos les tomaban
> por mal e por codicia;
> las tierras se yermaban
> por mengua de justicia,

así como el deseo real de acabar con esta situación:

> Yo tengo pesar fuerte;
> siempre habré mansiella:
> yo moriré de muerte
> o seré rey de Castiella [38].

Los propósitos de Alfonso se cumplieron, pero su desastrada enfermedad y muerte frente a Gibraltar —no sin antes haber vencido en la gran batalla del Salado a los benimerines— que-

---

[37] Cf. Vicens Vives, *op. cit.*, pp. 143, 167, 212, 279.
[38] Cf. número 4 de esta antología.

braría trágicamente las mejoras sociales y políticas logradas. La lucha intestina que terminará en Montiel con el reinado y la vida del heredero de Alfonso XI, Pedro I —*el Cruel* o *el Justiciero*, según las diferentes versiones— será algo mucho más serio que una contienda dinástica: significará el triunfo de la nobleza sublevada que apoya las ambiciones personales de Enrique de Trastamara. Así, "el proceso político ascensional de la burguesía castellana, si no se trunca, sí se debilita considerablemente", afirma M. J. Aragoneses, que añade, debemos "subrayar el fondo profundamente social de aquella primera guerra civil nacional española entre las grandes fuerzas históricas de la nobleza y de la burguesía"[39]. Por otro lado, ya en 1350-51, en los mismos comienzos del reinado de Pedro I, hace su aparición un gran problema campesino, secuela de la despoblación producida por la peste de 1348-50: ante las nuevas posibilidades, los *villanos* "demandaban tan grandes precios et soldadas et jornales, que los que avían las heredades non las podían conplir et por esta razón... las heredades avían fincar yermas et sin labrar"[40]. Quizá por esto hacia 1356 se da fuerza legal a algunas antiguas costumbres, entre ellas la siguiente: "al solariego puede el señor tomarle el cuerpo e todo quanto en el mundo oviere"[41]. Todas estas dificultades se agravarán por la actitud más y más exigente de la nobleza, que provocará ahora una guerra civil y un cambio de dinastía. El latifundio se consolidará —y no desaparecerá en toda la historia española— gracias a las mercedes de Enrique II (muerto en 1379) en favor de los nobles que le llevaron al trono, los cuales "en lo sucesivo harían imposible, con su egoísmo y ambiciones desorbitadas, la realización de todo gran ideal político exterior por parte de los

---

[39] *Op. cit.*, p. 107.
[40] Ordenamiento de 1351, cit. en Vicens Vives, *op. cit.*, II, p. 230.
[41] Según Vicens Vives, *op. cit.*, II, p. 256: *Fuero de Alvedrío, de las Fazañas* o *de Fijosdalgo*, Libro I, Título VII, Ley I.

escasos gobernantes enérgicos con que contó el país durante los últimos años medievales"[42].

Pero las guerras civiles, por desgracia, no eran nuevas en Castilla. Alfonso X se había visto amargamente depuesto por su propio hijo, y, como consecuencia, el Rey Sabio dejaría una serie de admoniciones senequistas para el porvenir, simbólica e inquietamente unidas a sus hermosos loores de España: "todos deben por esto aprender que non se deba ninguno preciar: nin el rico en riqueza, nin el poderoso en su poderío, nin el fuert en su fortaleza, nin el sabio en su saber, nin el alto en su alteza, nin en su bien..."[43]. Y el rey Alfonso, buscando las causas más profundas de los problemas de su época, va más lejos y llega a hacer una completa interpretación de la historia, muy realista por cierto, que servirá para ilustrar correctamente la situación de Castilla bajo los Trastamara algunos años más adelante. Ya se ha visto que el móvil de los grandes señores será, crudamente, el poder social y material. Alfonso el Sabio escribe: "e estonces começaron ya las gentes a aver heredades conoscudas, e partirlas por términos, e fazer casas, e estaiar regnos, e appartar sennores, e mercar, e vender, e comprar, et arrendar, e allegar, e fazer fiaduras, e otras tales cosas como estas. Et dallí començaron la cobdicia, que es madre de toda maldad, e la envidia, e la malquerencia, et fazerse los omnes sobervia e querer lo ageno, dón vinieron contiendas, e peleas, et lides, e feridas, e esto viníe por las culpas de los pueblos, e non de los reyes"[44].

---

[42] Ibidem, p. 352.

[43] *Crónica general de España,* ed. R. Menéndez Pidal, Madrid, 1955, cap. DLVIII.

[44] *Grande e general estoria,* ed. A. G. Solalinde, Madrid, 1930, I, XXXII, 199. El tema aparece en el quijotesco discurso de la Edad de Oro.

Alfonso X hace una interesante definición de *pueblo* (*Partidas* X, I) y *tirano* (*Partidas*, I, X), muy útil para estudiar los problemas sociales y políticos de la Baja Edad Media.

Es en el siglo XIV, pues, cuando el absceso del mal señalado en la *General Estoria* se abre violentamente. El arcipreste de Hita en su *Libro de Buen Amor* —la *Comedia Humana* de la época, según Menéndez Pelayo [45]— abre el fuego con sus satíricos alegatos. De una manera genérica exclama:

> Como dize Aristótiles, cosa es verdadera,
> el mundo por dos cosas trabaja: la primera
> por aver mantenencia; la otra cosa era
> por aver juntamiento con fembra plazentera [46],

para luego ofrecer un largo e interesante *enxiemplo de la propiedat quel dinero ha* (coplas 490-527). El episodio puede verse en los textos de esta antología; interesa ahora anotar en qué forma el arcipreste comienza el tema, que desembocará, andando los siglos, en el conocido estribillo de Quevedo, "poderoso caballero es don Dinero":

> Mucho faz el dinero, mucho es de amar:
> al torpe faze bueno e ome de prestar,
> faze correr al coxo e al mudo fablar,
> el que non tiene manos, dineros quier tomar.
>   Sea un ome nescio e rudo labrador,
> los dineros le fazen fidalgo e sabidor,
> cuanto más algo tiene, tanto es de más valor;
> el que non ha dineros, non es de sí señor.
>   Si tovieres dineros, habrás consolación,
> plazer e alegría e del Papa ración,
> comprarás Paraíso, ganarás salvación:
> do son muchos dineros, es mucha bendición.

Ha comenzado el análisis directo y sangriento de las condiciones sociales y espirituales de Castilla. Recordemos que las redacciones del *Libro de Buen Amor* corresponden a 1330 y 1343, es decir, a los tiempos de Alfonso XI, en que este mo-

---

[45] *Antología de poetas líricos castellanos*, I, Santander, 1944, p. 258.
[46] Ed. J. Cejador, Clásicos Castellanos, I, c. 71.

narca lucha contra la supremacía absoluta de la nobleza y contra la inmoralidad y privilegios sociales de la Iglesia. Conviene señalar ahora, como Guillermo Díaz-Plaja ha hecho, "la sospechosa coincidencia en la sátira contra el poder del dinero"[47] que existe entre el arcipreste y don Pedro López de Ayala, canciller de Castilla desde 1398. A pesar de que Ayala y su padre son inicialmente seguidores del rey don Pedro, ambos, según declara de forma tan cínica como conocida el hijo, diéronse cuenta en cierto momento de que "de tal guisa iban ya los fechos, que todos los más que dél se partían avían acuerdo de non volver más a él"[48]. Ayala, con todo, pretenderá justificar su actitud de forma erudita y, evidentemente, hipócrita. En su *Crónica del rey don Pedro*, escribirá en una supuesta carta dirigida al monarca: "e sabed que las ocasiones de los dañamientos de las faziendas de los Reyes son muchas, pero nombraré algunas dellas: e la principal es tener en poco a las gentes, e la segunda es auer grand codicia en allegar los algos, e la tercera es complir sus voluntades e la quarta es despreciar los omes de la ley, e la quinta es usar la crueldad"[49]. La contradicción de Ayala es también la contradicción de su época: coexiste "un violento y extremadamente osado realismo junto a una ferviente búsqueda de vida espiritual, no material, para escapar de este 'Valle de Lágrimas' hacia el más allá"[50]. En el *Rimado de Palacio*, el canciller presenta esta otra cara de la ambigüedad de la Baja Edad Media: tras una confesión general de sus pecados —más o menos auténtica y sincera, quizá únicamente un puro artificio retórico[51]— Ayala se refiere violentamente a los desórdenes e inmoralidades de todo tipo reinantes a la sazón en Castilla, acentuando las tintas negras en el aspecto social. Pasa

---

[47] *Op. cit.*, p. XLIII.
[48] *Crónica de Pedro I*, BAE, LXVI, año 1366, p. 540.
[49] Ibidem, año 1367, p. 568.
[50] E. Fischer, *op. cit.*, p. 146.
[51] Cf. Menéndez Pelayo, *Antología...*, I, p. 358.

revista airada a mercaderes, letrados, cortesanos, nobles... Esta vez la visión crítica alcanza a todos los estados. El mal, sin duda, avanza progresivamente conforme nos acercamos al siglo XV. Los abogados hacen su agosto en tiempos revueltos; si quien acude a la justicia

> ...es muy pobre e non tiene algún caudal,
> non le valdrán las *Partidas* nin ningún *Decretal:*
> "Crucifige, crucifige", todos dicen por el tal,
> "ca es ladrón manifiesto e meresce mucho mal" [52].

Cuando Ayala trata de los "fechos de Palacio", el rey queda implícitamente malparado, como ignorante de lo que en el país ocurre, mientras confía neciamente en sus privados; tampoco en la corte existe la justicia. El hidalgo que acude al monarca expone así sus cuitas:

> Señor —digo yo—, merced, queredme agora oir:
> yo só vuestro vasallo, e mandásteme venir
> aquí a vuestra guerra, e agora mandásteme ir.
>   De sueldo de tres meses non puedo ser pagado;
> de la tierra de antaño dos tercios no he cobrado;
> he perdido mis bestias, mis armas empeñado;
> ha dos meses que yago doliente, muy lazrado.

Y lo que es más importante: aparece de forma clara y consciente una idea tan vieja como el cristianismo, síntoma de un deseo vehemente de justicia democratizante, aunque, desde luego, dentro del marco establecido feudal:

> De un padre e de una madre con ellos descendemos,
> una naturaleza ellos e nos habemos,
> de vivir e morir por una ley tenemos,
> salvo obediencia que les leal debemos.

Lo característico del momento es que estos versos han sido escritos precisamente por el canciller Ayala, de quien ya se co-

---

[52] Cf. número 6 de esta antología.

nocen sus actitudes éticas. Citando una vez más a Díaz-Plaja, debemos tener en cuenta que "la presencia progresiva de una literatura moralizante no significa, casi nunca, la de una sociedad mejor, sino, con toda seguridad, la de una colectividad más corrompida"[53]. Todo, pues, se mueve ahora con la poderosa palanca del dinero y del poder material. Y a esta regla no escapa la Iglesia, o al menos buen número de sus representantes[54]. El arcipreste de Hita, en uno de los más conocidos pasajes de su *Libro de Buen Amor*, la "Cántica de los clérigos de Talavera", fustiga la inmoralidad de sacerdotes y frailes, lo mismo que en otros lugares, como en el episodio titulado "De cómo clérigos e legos e frailes e monjas e dueñas e joglares salieron a recebir a Don Amor", o en "De cómo Trotaconventos consejó al Arcipreste que amase alguna monja e de lo que le acontesció con ella". De nuevo la contradicción interna de la época: al arcipreste, hombre jocundo, alegre, vital y despreocupado, que cuenta desenfadadamente su vida y mundanidad, es también capaz de satirizar a los otros clérigos y dejar su libro entreverado de auténtica religiosidad. Juan Ruiz no oculta tampoco el otro vicio que corroe a la Iglesia del momento, de grandísima relajación de la disciplina eclesiástica, "en la época del llamado cautiverio babilónico", según Menéndez Pelayo[55]:

> Yo vi allá en Roma, do es la santidat,
> que todos al dinero fazían l'omilidat,
> grand honra le fazían con gran solenidat:
> todos a él se homillan como a la majestat,

y más concretamente:

---

[53] *Op. cit.*, p. XLII.
[54] Cf. Vicens Vives, *op. cit.*, II, pp. 168-175. En la primera de estas páginas se dice que "los siglos XIV y XV, en efecto, señalan tal vez la época de mayor corrupción del bajo clero hispánico, sobre todo del de la Corona castellana".
[55] *Antología...*, I, p. 264.

> Monjes, clérigos e frailes, que aman a Dios servir,
> si barruntan que el rico está para morir
> cuando oyen sus dineros, que comienzan reteñir,
> cuál dellos lo llevará comienzan a reñir.

Y otra vez aparece una coincidencia sintomática entre el arcipreste de Hita y el canciller Ayala. Este último, entre otras muchas invectivas, exclama en su *Rimado:*

> Agora el Papadgo es puesto en riqueza;
> de le tomar cualquier non toman pereza;
> maguer sean viejos, nunca sienten flaqueza,
> ca nunca vieron Papa que muriese en pobreza,

y descendiendo a la situación de Castilla, el panorama se ensombrece más y más:

> Si estos son ministros, sonlo de Satanás,
> ca nunca buenas obras tú fazer les verás:
> gran cabaña de fijos siempre les fallarás
> derredor de su fuego, que nunca í cabrás.
>
> Prelados que sus iglesias debían gobernar
> por codicia del mundo allí quieren morar,
> e ayudan revolver el reino a más andar
> como revuelven tordos un negro palomar.

Nada mejor para situar convenientemente estos versos que acudir a lo que Menéndez Pelayo dijo al propósito: "eran tiempos de desolación apocalíptica: los buenos y piadosos se cubrían la cabeza con el manto y lloraban en silencio: en pos del cautiverio de Aviñón había venido el cisma de Occidente; un nuevo género de barbarie, menos ingenua y menos creyente que la del siglo x, se paseaba triunfante por Europa; la ola de la simonía y de la concupiscencia había llegado a salpicar las frentes más altas, y a favor del general escándalo, un enjambre de herejías groseras fermentaba en las masas populares..." [56]. En

---
[56] Ibidem, p. 361.

estas masas, la religiosidad, bien o mal entendida, era una forma de escape y de refugio de los males e injusticias de este mundo, como ha sido señalado más arriba. Comenzaba también, y decididamente, la clara protesta social, a veces con una extraña semejanza con épocas más modernas en su expresión y preocupación. El anónimo *Libro de miseria de omne* presenta ya, de forma incontrovertible, un problema puramente social en la parte titulada "De miseria Dominorum et Servorum", que termina con estos significativos e inquietantes —teniendo en cuenta las circunstancias de entonces— versos, resumen y corolario de esta ejemplificación medieval de las diferencias sociales:

> Onde dice gran verdad el rey sabio Salomón:
> el siervo con su señor non andan bien a compañón,
> nin el pobre con el rico non partirán bien quiñón,
> nin será bien segurada oveja con el león.

Aquí, como ha dicho Dámaso Alonso, el autor muestra "su sentido del arte y de la justicia" [57].

Puede concluirse esta visión rápida del siglo XIV afirmando que la inseguridad es el rasgo pertinente del mismo, inseguridad que se agudizará seriamente en el XV, hasta que los Reyes Católicos estabilicen su régimen. Sin embargo, otro elemento aparecerá entonces, que llevará a la sociedad hispánica un nuevo aspecto de intranquilidad: el problema de los conversos, al que habré de referirme brevemente en su momento. Basta también señalar ahora que en el siglo XIV castellano se encuentra un antecedente: comienza de forma perceptiblemente organizada el odio contra los judíos, que estallará trágica y sangrientamente en los *pogroms* de 1391. La voz del rabí Sem Tob parece advertir proféticamente a los castellanos, mientras invoca la comprensión y la tolerancia, que pronto iban a saltar en pedazos:

---

[57] *Poesía de la Edad Media y poesía de tipo tradicional*, Buenos Aires, 1942, p. 162. Cf. el texto del poema en el número 7 de esta antología.

> Por nascer en el espino
> non val la rosa cierto
> menos, nin el buen vino
> por salir del sarmiento.
>
> Non val el azor menos
> por nascer de mal nido,
> nin los enxemplos buenos
> por los decir judío [58].

El siglo XV es fundamental para la vida española. Todas las características sociales y morales que hemos visto anteriormente progresan, especialmente los síntomas del feudalismo en descomposición. La influencia pre-humanista prepara el campo a las críticas más severas, y el movimiento franciscano continúa, en parte, propugnando una vuelta a la pobreza evangélica igualatoria, mientras que la ideología judeo-conversa, en su inseguridad, intervendrá activamente en este nuevo criticismo del cuatrocientos. Por otro lado, la situación política de Castilla, regida por los últimos Trastamara, no podía ser peor: la figura de Juan II, unida a la trágica de don Álvaro de Luna, parece indicar lo que ha de suceder después bajo Enrique IV. Si del primer reinado, tan importante en el orden cultural [59], pudo decir Menéndez Pelayo que "un velo de hipocresía y de mentira oficial lo cubre todo", y que "todos los lazos de la organización social parecían flojos y próximos a desatarse" [60], del segundo pudo escribir las siguientes palabras: "nunca la justicia se vio tan hollada y escarnecida; nunca imperó con mayor desenfreno la anarquía; nunca la voz de la conciencia moral estuvo tan a punto de apagarse en las almas... Inerme el brazo de la justicia; poblados los caminos de robadores; enajenada con insensatas mercedes la mayor parte del territorio y de las rentas;

---

[58] Cf. número 5 de esta antología.
[59] Como ejemplo, cf. María Rosa Lida, *Juan de Mena, poeta del prerrenacimiento español*, México, 1950.
[60] *Antología...*, II, pp. 8-9.

despedazada cada región, cada comarca, cada ciudad, por bandos irreconciliables; suelta la rienda a todo género de tropelías y desmanes, venganzas privadas, homicidios y rapiñas, pareció que todos los ejes de la máquina social crujían a la vez, amagando con próxima e inminente ruina"[61]. Sólo la autoridad de los Reyes Católicos habría de terminar con este estado de cosas, creando, prácticamente, una España moderna, que llevaba en sí, sin embargo, el germen corrosivo del centralismo burócrata de los siglos XVI y XVII.

En esta época, en que la conciencia del pueblo estaba todavía sin formar colectivamente, surgen, con todo, manifestaciones literarias que critican la situación del momento, unas veces de forma puramente política, otras declaradamente social, de acuerdo con la idea de que la literatura es la conciencia de la humanidad. Al lado, pues, de la poesía palatina y cortesana, aduladora y servil muchas veces, consta esta otra, violenta y dura, realista y eficaz, que coincide en gran parte con el concepto actual de *poesía social*. No se limita este tipo de literatura al reinado de Enrique IV, aunque en éste surge principalmente, como es lógico dadas las circunstancias; recordemos las sátiras del arcipreste y del canciller en la centuria anterior.

Ya en los albores del siglo aparecen las versiones peninsulares de la *Danza de la Muerte*, con una evidente protesta social y un claro deseo de nivelación. Se trata de una manifestación más de la crisis espiritual de la Edad Media: surge la preocupación por la muerte, considerando a ésta no ya como el tránsito a otra vida, sino, precisamente, como la negación de la misma vida. La *Danza general de la Muerte* castellana tiene innegable parentesco con obras similares francesas, pero es original en dos aspectos muy importantes: la igualdad social democratizante y el amonestamiento senequista y moralista, ambos muy hispánicos. Pedro Salinas ha escrito muy adecuada-

---

[61] Ibidem, pp. 285-286.

mente sobre este macabro poema, y con referencia a su sentido social, lo siguiente: "la idea del poder igualitario, arrasador, de la muerte, que a todos convoca a su siniestro festival, al Papa, al mercader, a la dama de la corte y al ermitaño, para ponerlos a todos al mismo ras, no había encontrado en la Edad Media más feliz traslación imaginativa. Todos iguales. Es la justicia final, que sin aparato judicial, so capa de siniestra fantasía y de juego espeluznante, viene a borrar las distinciones y desigualdades que a los hombres se les imponen en esta tierra. De seguro que el anhelo de mejor trato social, de humana equidad, que sordamente debía de latir en muchas almas, se lanzó sobre esta gran metáfora con un gozo un tanto vindicativo"[62]. La psicología de la época, dominada por lo tétrico, queda patente en la primera llamada a la danza con que comienza el poema, contraste de la juventud y belleza, de la vida, en suma, en choque brutal con la fría y silenciosa segadora de vidas. Su realismo conduce hasta el barroco del siglo XVII: aparecen dos "doncellas que vedes fermosas", a las cuales

...non les valdrán flores e rosas,

pues han de servir para que los gusanos

...coman de dentro su carne podrida [63].

El rey, opresor e injusto; el obispo enriquecido y codicioso, el deán avariento..., ninguno se resigna a morir, excepto dos personajes, que confían en la misericordia divina y son representantes, precisamente, de las clases inferiores: un monje oscuro y pobre, que se salvará por sus buenas obras, y un humilde labrador, por sus trabajos:

---

[62] Pedro Salinas, *Jorge Manrique o tradición y originalidad*, Buenos Aires, 1947, pp. 51-52.
[63] Cf. número 9 de esta antología.

> ¿Cómo conviene danzar al villano,
> que nunca la mano sacó de la reja?
>
> ....
>
> E es mi oficio, trabajo e afán,
> arando las tierras para sembrar pan.

Más adelante, en el siglo XVI, este importante tema evolucionará hacia un tipo de crítica aún más libre, típicamente erasmista, como en la trilogía *das Barcas* de Gil Vicente y en el *Diálogo de Mercurio y Carón* de Alfonso de Valdés.

También en tiempos de Juan II aparecen las anónimas *Coplas de la Panadera* a propósito de la cobardía de muchos de los caballeros que intervinieron en la primera batalla de Olmedo (1446), donde las tropas del rey y del condestable Luna vencieron a las de los nobles sublevados contra el poder de este último. Surge así la crítica personal y directa, sin excesivo contenido social, sin embargo, el cual ha de lograrse en el siguiente reinado de Enrique IV. Los nobles cortesanos y feudales, los altos dignatarios de la Iglesia, pasan en burlesco desfile ante el lector, mientras se dibujan caricaturescamente las acciones poco marciales y aguerridas de los personajes aludidos. El poema permite observar cómo el viejo espíritu caballeresco de los siglos anteriores se ha perdido y cómo se origina, en cambio, la figura del noble señor que confía más en su habilidad para la intriga cortesana. La historia de Juan II y don Álvaro de Luna no es sino la de la pérdida de las virtudes tradicionalmente medievales, al mismo tiempo que la de la ascensión al poder de una clase hasta entonces poco importante, la alta burguesía, que forma así una nueva línea de nobleza. Las luchas por el poder y la débil voluntad real entre la vieja y la nueva nobleza, las ambiciones de unos y otros, la figura apagada del monarca y la personalidad fuerte del condestable, caracterizan este reinado de Juan II. Y todo esto, en parte, se refleja en las citadas *Coplas de la Panadera* a través de la burla y el ridículo. El entonces obispo de Sigüenza, por ejemplo, aparece tratado de esta irreverente forma:

> Por más seguro escogiera
> el obispo de Sigüenza
> estar, aunque con vergüenza,
> junto con la cobijera,
> mas tan gran pavor cogiera
> en ver huir labradores,
> que a los sus paños menores
> fue menester lavandera.

Y el poderoso mayordomo mayor, Ruy Díaz de Mendoza:

> Ruy Díaz el mayordomo
> tan velloso vientre y lomo
> como osa colmenera;
> si la fe que prometiera
> la guardase según fallo,
> no comiera su caballo
> en el real la cibera [64].

Interesantísimo es notar la referencia casi continua que el poema hace a villanos, campesinos y labradores, y a los intentos de los mismos para escapar a las escaramuzas de una batalla sin duda poco atractiva para ellos; el anónimo autor, en fin, en cierto momento expresa su deseo de que

> ...ya, Señor, siquiera
> hayamos paz algún rato.

En relación con don Álvaro de Luna, lo que realmente es un impacto para el siglo XV es su caída vertical y lastimosa. Se convertirá en tópico hablar de la muerte del condestable; se utilizará el caso como ejemplo moralizante y se extraerán consecuencias políticas y sociales importantes, siempre con continuas alusiones a la voltaria rueda de la Fortuna [65].

---

[64] Cf. número 29 de esta antología.
[65] Sobre el tema de la caída del condestable, cf. nota 4. Sobre el

Al movimiento de protesta poética no pertenecen sólo los autores anónimos; desde ahora y hasta los Reyes Católicos, proliferan las obras de grandes y pequeños, preocupados, en todo o en parte, con los problemas políticos, sociales y humanos. Uno de los más interesantes poemas es el titulado *Decir que fue fecho sobre la justicia e pleitos e de la gran vanidad deste mundo,* de Gonzalo Martínez de Medina [66]. Es una digna continuación del trecentista *Rimado de Palacio,* en el que se "apostrofa, execra, zahiere y lamenta" [67] toda clase de injusticias, bien concretizadas, y para las cuales el autor no encuentra otra solución que la intervención directa del rey. Ésta es otra de las constantes medievales, la búsqueda de las soluciones político-sociales en el monarca, por encima de la nobleza y de los grandes señores:

> Pues de abogados e procuradores,
> e aun de otras cien mil burlerías,
> e de escribanos e de recaudadores,
> que roban el reino por extrañas vías,
> yo non vi tantos en todos mis días;
> e tanto padesce este reino cuitado,
> que es maravilla non ser asolado
> si el señor rey non quiebra estas lías.

La desconfianza popular contra la frialdad de la justicia burocrática y contra sus representantes, alguaciles, leguleyos, escribanos, pleitos, aparece evidente; en los Siglos de Oro llegará a ser tópico: Cervantes y Quevedo son buenos ejemplos de ello.

---

tema de Fortuna, especialmente María Rosa Lida, *Juan de Mena...,* pp. 20-21; también H. R. Patch, *The Godess Fortuna in the Mediaeval Literature,* Harvard, 1927; Ramiro Ortiz, *Fortuna Labilis: Storia di un motivo poetico da Ovidio al Leopardi,* Bucarest, 1927; A. van der Vyver, "Les traductions du *De Consolatione Philosophiae* de Boèce...", en *Humanisme et Renaissance,* 1939, pp. 268 y ss. El origen del tema, desde el punto de vista cristiano, en Boecio, *De Consolatione...,* libro 2, prosa 2.

[66] Cf. número 15 de esta antología.
[67] Menéndez Pelayo, *Antología...,* I, pp. 402-403.

Continúa la crítica contra nobles y poderosos, contra eclesiásticos demasiado mundanos... Ni siquiera el erudito y cortesano Juan de Mena dejará de pagar tributo al género de la protesta literaria; su *Laberinto de Fortuna* está empedrado de pasajes agudamente quejosos; sus *Coplas contra los Pecados Mortales*, tras el barniz moralista, esconden un fuerte descontento y malestar totalmente histórico, así como otros poemas menores; lo mismo sucede en el *Cancionero de Baena* con Villasandino, Sánchez de Calavera, fray Migir, Páez de Ribera...; algunos de ellos escriben ya de esta forma durante el reinado de Enrique III.

Pero el mejor y más interesante poema compuesto —dentro del género— bajo Juan II es, sin duda, uno de los famosos sonetos "fechos al itálico modo" por el marqués de Santillana. La situación del país —y nótese que el marqués utiliza el término *España* de una forma bien consciente— unida a los sentimientos del autor contra don Álvaro de Luna, lo enmarca. La sincera emoción que el texto revela hace del mismo una pequeña obra maestra de la poesía de protesta medieval, de interés extraordinario [68]. Es un caso claro de poesía *social*, a pesar de que en su composición haya intervenido básicamente la parcialidad política de Santillana. Superando esto, el marqués retrata fiel, convincente y amargamente, la situación de Castilla, que ha abandonado la lucha religiosa nacional de la Reconquista para perderse en inútiles discusiones internas, precursoras de las más graves aún del reinado siguiente.

Efectivamente, es en tiempos de Enrique IV, sucesor de Juan II, cuando la literatura crítica alcanza un punto culminante, como es bien sabido. Los errores personales del monarca; los increíbles desafueros cometidos por los grandes, no sólo contra la autoridad real, sino también y especialmente contra el pueblo humilde que sufría las consecuencias directas de sus ambiciones;

---

[68] Cf. número 22 de esta antología.

la inmoralidad general que se extendía por el reino..., todo hizo posible el gran desarrollo de la literatura de protesta. Así, las famosas *Coplas de Mingo Revulgo* ofrecen ya una evidente intención social y general más allá de particularismos individuales. Su propósito es claro, aunque velado por la alegoría que evita nombrar directamente al rey y a los nobles. Enrique IV aparece así como el pastor Candaulo, encargado de la guarda de un rebaño; Mingo Revulgo, otro pastor, representa el pueblo; los cuatro perros que vigilan el ganado son las cuatro virtudes que han desaparecido de Castilla: Justicia, Fortaleza, Prudencia y Templanza —lo mismo había sido señalado tristemente por Santillana en el soneto citado anteriormente—; los nobles, por último, entre los cuales se cuentan también las altas jerarquías de la Iglesia, son, sin duda, los lobos que atacan y causan estragos en el rebaño. El poema presenta así al monarca:

> ándase tras los zagales
> por estos andurriales,
> todo el día embebecido,
> holgazando sin sentido,
> que no mira nuestros males [69].

Y continúan las coplas diciendo del rey:

> Uno le quiebra el cayado,
> otro le toma el zurrón,
> otrol' quita el zamarrón,

aludiendo a los numerosos bandos, sublevaciones y desacatos que sufrió durante toda su vida por parte de los grandes de Castilla: la farsa y el destronamiento de Ávila —año de 1465— en que fue proclamado rey el príncipe don Alonso, constituyó la culminación de todo este proceso. Pero *Mingo Revulgo* va más lejos; no se limita a describir cómo es el rey, sino que añade:

---

[69] Cf. número 30 de esta antología.

> La soldada que le damos
> y aún el pan de los mastines
> cómeselo con ruines,
> ¡guay de nos que lo pagamos!

Aquí la intención puramente social es clara: el pueblo sufre en sí mismo las consecuencias de la situación. Y de los poderosos, representados como lobos, ha de decir:

> Vienen los lobos finchados
> y las bocas relamiendo;
> los lomos traen ardiendo,
> los ojos encarnizados...
> Abren las bocas rabiando
> de la sangre que han bebido.

Aunque el sentido es fácil de comprender, nada mejor que citar el comentario que Hernando del Pulgar hace de este pasaje: "estos tiranos que habemos dicho, dice que tienen las bocas abiertas, rabiando de la sangre que bebieron. Y por cierto, bien se puede decir de la sangre quando del sudor y trabajo de los populares allegan riquezas"[70]. A pesar de esta violencia de fondo, las *Coplas de Mingo Revulgo* presentan un aspecto digno y serio, muy de acuerdo con la personalidad de su muy posible autor, fray Íñigo de Mendoza, conocido por sus *Coplas de Vita Christi*[71].

Por el contrario, el aspecto personal, en que se resaltan, llegando al ataque ofensivo y sangriento, los vicios de unos personajes y de una corte corrompida hasta inconcebibles alturas, aparece en las tantas veces citadas y pocas leídas *Coplas del Provincial* bajo la ingenua alegoría de un convento de frailes

---

[70] Glosa a la copla 16, edición de J. Domínguez Bordona, Clásicos Castellanos, t. 99.
[71] Estudio esta atribución en mi trabajo *Sobre el autor de las Coplas de Mingo Revulgo*, presentado al II Congreso Internacional de Hispanistas, Holanda, agosto de 1965, y publicado en *Homenaje a Rodríguez-Moñino*, II, Madrid, 1966, pp. 131-142.

y monjas que recibe visita de inspección. La crítica literaria tradicional ha venido considerando a estas coplas como un simple panfleto, y quizá con cierta justificación. Como Menéndez Pelayo señaló, en cada una de sus 149 estrofas "hay, por lo menos, un nombre propio, sobre el cual recae con odiosa monotonía el sambenito de sodomita, cornudo, judío, incestuoso, y, tratándose de mujeres, el de adúltera o el de ramera. Los apellidos más ilustres de Castilla están infamados allí..."[72]. Todo esto es verdad, hasta un cierto punto. En efecto, la nobleza castellana aparece injuriada violentísimamente, puestos al descubierto sus vicios y maldades. Pero, a pesar de esto, estas coplas son un valioso documento para conocer el ambiente moral del reinado de Enrique IV. Si puede haber exageración en ciertos ataques antisemitas, por ejemplo, no la hay en otros muchos, y está claro que las acusaciones están bien fundadas si comparamos el texto de las coplas con el de las crónicas y obras en prosa contemporáneas. Citaré aquí un par de estrofas solamente. Don Pedro Girón, maestre de Calatrava, y don Beltrán de la Cueva, conocidos favoritos de Enrique IV, son tratados así:

> ah, frailes, ¿quién está allá?
> Sodoma con Abirón
> y toda la sodomía,
> fray don Pedro Girón,
> don Beltrán con su valía[73].

Si se tienen en cuenta las malévolas palabras con que el cronista Alonso de Palencia trata en sus *Décadas* a estos personajes, se entenderá mejor el alcance de la alusión citada[74]. Puede afirmarse que las *Coplas del Provincial* —naturalmente anónimas— no hicieron sino recoger y utilizar unos materiales

---

[72] *Antología...*, II, p. 289.
[73] Cf. número 31 de esta antología.
[74] *Décadas*, traducción del original latino y edición de A. Paz y Melia, I, Madrid, 1904, *passim*.

que existían al alcance de la mano, sin necesidad, en muchos casos, de inventar ni acudir a la difamación. El valor de este pasquín —así han sido llamadas las coplas— es grande, pues da la medida necesaria para valorar muy aproximadamente el inmoral poder de aquella clase dominante. Se trata de un momento en que, de acuerdo con la observación de Julián Marías, "el espíritu de abyección es correlato normal del despotismo"[75]. Se han resumido así, en fin, las características de la época: "los grandes de Castilla movilizan recursos enormes, poseen lotes territoriales equivalentes a provincias enteras, detentan una parte muy considerable de las rentas reales, monopolizan los cargos más lucrativos, y se combaten entre sí a través de poderosas ligas con absoluto desprecio de la autoridad monárquica, que en teoría continúa siendo mucho más sólida que en la Corona de Aragón. No les mueve ningún gran ideal, ni tan sólo un ideal particularista de clase, como a los barones aragoneses de la Unión, sino la persecución del logro de riqueza y honores personalísimos..."[76]. En cuanto a la jerarquía eclesiástica, no presentan las cosas mejor aspecto. Los rasgos poco evangélicos que hemos visto arriba se destacan más y más durante los años de Enrique IV, y en las *Coplas del Provincial* hay abundantes y brutales testimonios de ello. Poco después, fray Íñigo de Mendoza dejará luminosas indicaciones sobre el asunto. En la primera de las redacciones de su *Vita Christi* —1467-1468— el franciscano intercala numerosos y extensos pasajes en los que alude a hechos y personas concretas, sin omitir al propio rey: don Pedro Girón, maestre de Calatrava; don Juan Pacheco, marqués de Villena; don Beltrán de la Cueva, maestre de Santiago; don Álvaro de Estúñiga, conde de Plasencia... El origen de todas estas invectivas se halla en el ejemplo previo y trágico de don Álvaro de Luna. Mendoza comienza de forma bellamente retórica:

---

[75] Julián Marías, *Los españoles*, Madrid, 1962, p. 66.
[76] Vicens Vives, *Historia...*, II, p. 117.

> ¡Ay de vos, emperadores!,
> ¡ay de vos, reys poderosos!,
> ¡ay de vos, grandes señores,
> que con ajenos sudores
> traéis estados pomposos! [77].

Fray Íñigo habla así de los grandes **personajes de la Iglesia**:

> son agora los prelados
> obispos d'espada y capa.

La vida de don Alonso Carrillo, Primado de las Españas, que concuerda plenamente con esta definición de Mendoza, es básica para la interpretación del desorden social y político de la época [78], y el franciscano se refiere a él directamente en otro lugar de su *Vita Christi*. Fray Íñigo escribe también contra las simonías de los clérigos y las "hipocresías" de los frailes, pero reserva sus más acerbas críticas para las monjas. Finalmente, describe la situación general de Castilla de la siguiente significativa forma:

> ¡Oh castellana nación,
> centro de abominaciones!
> ¡Oh cristiana religión,
> ya de casa de oración
> hecha cueva de ladrones!
> ¡Oh mundo todo estragado!
> ¡Oh gentes endurescidas!
> ¡Oh templo menospreciado!
> ¡Oh Paraíso olvidado!
> ¡Oh religiones perdidas!

---

[77] Cf. número 32 de esta antología.

[78] Para una relación, incompleta, de los prelados que intervinieron en la guerra civil entre Enrique IV y don Alfonso, su hermano, cf. por ejemplo Diego de Valera, *Memorial de diversas hazañas*, BAE, LXX, p. 34, cap. 30. También F. Esteve Barba, *Alfonso Carrillo, autor de la unidad de España*, Barcelona, obra que aunque favorable al arzobispo de Toledo, no muestra sino la continua intervención del mismo en los asuntos políticos del momento.

Fray Íñigo de Mendoza, por último, consciente y noblemente, se hace a sí mismo una pregunta cuya respuesta no puede ser más obvia y reveladora de un estado espiritual y social:

> ¿cuáles fueron causadores
> deste comienzo de bando?
> ¿si fueron los labradores
> o endiablados señores
> con su soberbia de mando?

Tampoco otros poetas religiosos, como Fray Ambrosio Montesino y Juan de Padilla, callarán ante las injusticias y abusos, pero sus quejas serán siempre más apagadas.

La triste época que Castilla atraviesa bajo Enrique IV, en los momentos más agudos de la crisis peninsular del siglo XV, influye notablemente en el pensamiento de intelectuales y escritores; muchos de éstos, haciéndose eco, además, de las predicaciones franciscanas y convencidos por el feroz desorden social, piensan en la igualdad de todos los hombres, aunque, naturalmente, siempre con un trasfondo religioso. Así, un poeta como Álvarez Gato pudo escribir un poema con título y contenido harto significativo; el primero dice: *Al pie de un crucifijo que está en Medina sobre una pared hecha de huesos de difuntos puso esta copla para que veamos claramente cómo somos todos de una masa, y que esos deben ser habidos por mejores que tuvieren más virtudes, pues que linaje, disposición y fama y riqueza, todo perece* [79]. Como a principios de la centuria, la muerte será ahora la predilecta incitadora contra la injusticia, y el tema será utilizado prácticamente por todo poeta medianamente importante, de una forma u otra [80]. Hasta en un autor

---

[79] Cf. número 36 de esta antología.
[80] Jorge Manrique es el más complejo de todos ellos. Por un lado, en las famosas *Coplas* a la muerte de su padre utiliza, como los demás, el macabro asunto para hacer una invocación igualitaria; por otro, define claramente el deseo de una vida nueva y eterna, la de la Fama,

tan fríamente moralista como Gómez Manrique pueden encontrarse versos cuyo sentido de protesta social se trasluce por debajo de la trama admonitoria y el disimulo de ponerlos en boca de un envidioso:

> Todos somos de una masa
> a la cual nos tornaremos,
> pues, ¿por cuál razón seremos
> desiguales en la tasa?
> En ver uno que me pasa
> en los bienes naturales,
> con muy grandes puñales
> la mi ánima traspasa.
>   Pues en ver mal repartidos
> estos bienes de Fortuna,
> mi lecho fago laguna
> con lágrimas y gemidos... [81].

Por todo lo visto hasta aquí puede comprenderse con cuánta razón pudo decir J. Huizinga que "a través de la literatura y de las crónicas de aquel tiempo, desde el refrán hasta el tratado de piedad, resuena por todas partes el acre odio a los ricos, el clamor contra la codicia de los grandes... Hay a veces como un oscuro presentimiento de la lucha de clases expresado por los medios de la indignación moral" [82]. Es muy posible que si Enrique IV hubiera vivido unos años más o si los Reyes Católicos no se hubieran mostrado tan diferentes a su antecesor en energía y capacidad organizadora, Castilla hubiera conocido una época precursora, en cierto modo, de las revoluciones modernas, similar quizá a la de las revueltas sociales de los campesinos del centro de Europa en tiempos del emperador Carlos. Los testimonios literarios parecen indicarlo, y apoyan esta hipótesis los

---

que, en última instancia, servirá también para acabar con esa "igualdad" mortuoria inicial. Cf. Pedro Salinas, *op. cit.*
[81] Continuación de las *Coplas contra los Pecados Mortales* de Juan de Mena, número 25 de esta antología.
[82] *El otoño de la Edad Media*, Madrid, 1930, p. 42.

datos históricos y económicos que de esos años se conservan [83].

He aludido anteriormente a otro elemento importante dentro del sistema histórico castellano: la presencia de los conversos en el cuerpo social peninsular. El bautismo en 1390 del rabí Salomón Leví, conocido desde entonces como Pablo de Santa María, marca un hito en la historia de los judíos españoles, así como el terrible *pogrom* del año siguiente, 1391 [84]. El judaísmo castellano entra en crisis, crisis que terminaría, sólo aparentemente, con el decreto de expulsión de 1492. Es en el siglo XV cuando —precisamente a causa de conversiones y persecuciones— comienza en verdad el "problema judío" en su forma típicamente hispánica: "el espíritu atormentado y deformado del judío hecho cristiano tomó posesión del alma española y no ha abandonado aún su presa" [85]. La sensación de inseguridad propia de la época se exacerba, y continuará más y más patente durante los siglos XVI y XVII. Los magistrales estudios de Américo Castro así lo demuestran, y en su explicación del concepto del honor se evidencia la importancia de esa

---

[83] Literariamente basta anotar la existencia de un *Provincial Segundo* (cf. R. Foulché-Delbosc, *Revue Hispanique*, 1899, pp. 417-446) y de una imitación de *Mingo Revulgo* (cf. conde de la Viñaza, discurso de ingreso en la Real Academia Española, Madrid, 1895, pp. 34-35), publicada recientemente por A. D. Kossoff, "Herrera, editor de un poema", en *Homenaje a Rodríguez-Moñino*, I, Madrid, 1966, pp. 283-290. Datos de otro tipo: el ya citado alzamiento de Fuenteovejuna, en 1476; el de los Comuneros —muy distinto— en tiempos de Carlos V; por otro lado, la pobreza "parece ser, pues, la tónica general de grandes masas de labradores del campo castellano" (J. Vicens Vives, *Historia...*, II, p. 466), mientras que ocurren sublevaciones campesinas en 1484 —Cataluña— y 1507-17 —Aragón— (Vicens Vives, ibidem, pp. 467-469).

[84] Cf. F. Cantera Burgos, *La conversión del célebre talmudista Salomón Leví (Pablo de Burgos)*, Santander, 1933. Sobre la importancia posterior de la familia, cf. Luciano Serrano, *Los conversos Don Pablo de Santa María y Don Alfonso de Cartagena*, Madrid, 1942, y F. Cantera Burgos, *Álvar García de Santa María. Historia de la judería de Burgos y de sus conversos más egregios*, Madrid, 1952.

[85] A. Fernández Suárez, *España, árbol vivo*, Madrid, 1961, p. 335.

inseguridad, parte ya de la forma de ser hispánica [86]. En el siglo XV los escritores conversos coinciden en varias características comunes, entre las que destacan el uso de refranes y proverbios populares, de la metáfora iluminista, de la divinización de temas profanos y de la crítica social... En fray Íñigo de Mendoza, Álvarez Gato y Fernando de Rojas —los tres conversos— se halla todo lo anotado, si bien con caracterización personal en cada caso. Me interesa resaltar aquí, únicamente, la sensibilidad hipercrítica del converso, que, respirando por su propia herida, intenta mejorar la sociedad en que le ha tocado vivir. La actitud de los conversos será, por tanto, elemento muy activo en la protesta literaria; no olvidemos, como ha señalado Américo Castro, que "las obras satíricas del siglo XV suelen atribuirse a conversos" [87].

La subida al trono de los Reyes Católicos en 1474 marca una nueva época totalmente diferente en la historia de Castilla, como es del dominio común. Un viento modernista y renacentista se lleva muchos de los viejos elementos puramente medievales. Sin embargo, durante un cierto tiempo, el estado de cosas ya conocido persiste: el desorden social no desaparece radicalmente, continúa la guerra civil provocada por las ambiciones de nobles y grandes, con pretexto ahora de la legitimidad de *la Beltraneja*, guerra agravada por la intervención portuguesa. Y en estos primeros momentos, todavía indecisos, algu-

---

[86] Cf. *La realidad histórica de España*, México, 1954; *De la edad conflictiva*, Madrid, 1961. Buen complemento documental es el libro de Albert A. Sicroff, *Les controverses des status de 'păreté de sang' en Espagne du XVe au XVIIe siècle*, París, 1960. Cf. también A. Domínguez Ortiz, "Los cristianos nuevos. Notas para el estudio de una clase social", en *Boletín de la Universidad de Granada*, 1949, pp. 249-297, y "Los conversos de origen judío después de la expulsión", en *Estudios de historia social de España*, dirigidos por C. Viñas y Mey, III, Madrid, 1955.

[87] Américo Castro, *La realidad...*, p. 531, nota, y también cf. pp. 22 y 53.

nos de los poetas citados, además de otros, dirigen a los nuevos reyes obras en las que, recordando males anteriores y presentes, aconsejan para que los monarcas no caigan en errores semejantes, como son falsos consejeros y privados, nobles alborotadores, tiranía, injusticia. Así sucede con el *Sermón Trobado* dedicado al rey Fernando por fray Íñigo de Mendoza, donde pueden leerse cosas como éstas:

> Cuanto más nuestra Castilla,
> un reino tan especial,
> ca nos debe dar mancilla
> cuando nos vemos regilla
> por esta justicia tal.
> Oh, pues, rey muy virtuoso,
> si queréis bien gobernalles,
> poned freno al que es brioso
> y espuelas al perezoso,
> que sabed que los vasallos
> se rigen como caballos [88].

Continúan los consejos al nuevo rey a través de buen número de estrofas, en forma similar a los que constan en el *Dechado* dirigido a la reina Isabel, donde Mendoza presenta también sus ideas sobre la gobernación, teniendo siempre en cuenta los males del reinado anterior, que todavía duran en el momento de ser compuestos estos poemas, como vemos en la siguiente estrofa:

> Pues si no queréis perder
> y ver caer
> más de cuanto es recaído
> vuestro reino dolorido,
> tan perdido
> que es gran dolor de lo ver,
> emplead vuestro poder
> en hacer

---

[88] NBAE, XIX, número 2, p. 59. La obra es anterior a la batalla de Toro, dada en 1476, según se desprende del texto. Impresa por Centenera, en Zamora, 1482.

>   justicias mucho cumplidas,
>   que matando pocas vidas
>   corrompidas,
>   todo el reino, a mi creer,
>   salvaréis de perecer [89].

Es manifiesto cómo ha cambiado el estilo de lo que vengo llamando *poesía social,* lo cual indica bien la sensibilidad de la misma para recoger el pensamiento, ideas y preocupaciones de cada momento histórico. Si durante el reinado de Enrique IV la crítica alcanzó caracteres enormemente violentos —y no sólo en las *Coplas del Provincial,* sino, como dije, en autores y obras más importantes—, en los primeros años de los Reyes Católicos comienza una nueva forma: la crítica acoge benévolamente el advenimiento de los nuevos monarcas, pero no es capaz de evitar la desconfianza y el recuerdo de los sucesos pasados, cuya secuela aún se percibe. Por ello, fray Íñigo de Mendoza, Antón de Montoro, Gómez Manrique, Álvarez Gato y otros varios pusieron, en frase de Menéndez Pelayo, "su musa al servicio de la causa de la justicia y del orden social contra el anárquico desconcierto de que con mano durísima iba triunfando la Reina Católica" [90]. Estos poetas representan, por tanto, los intereses políticos de Fernando e Isabel, como lógica reacción contra los causantes de los males sociales, es decir, contra la alta nobleza y poderosos señores. El éxito en la lucha contra estos elementos, la derrota portuguesa, la paz política, el castigo de injusticias junto a la comprensión y buena voluntad de los monarcas respecto al pueblo y a los humildes, todo esto hizo que la crítica poética sufriera un nuevo cambio. Ahora se elogiará a los reyes sin reservas, declaradamente. El título de otro poema de fray Íñigo de Mendoza es revelador a este respecto: *Coplas*

---

[89] NBAE, XIX, número 5, pp. 73-74. Debido a una serie de datos textuales, la obra parece contemporánea del cambio de reinado, aunque no fue impresa hasta 1483-84, también por Centenera, en Zamora.
[90] *Antología...,* III, pp. 53-54.

compuestas al muy alto e muy poderoso rey... don Fernando... e a la muy esclarescida reina doña Ysabel... en que declara cómo por el advenimiento destos muy altos señores es reparada nuestra Castilla [91]. La poesía social ha cambiado de rumbo. En realidad, ha desaparecido. La espectacularidad de los cambios efectuados en Castilla, la unión de los reinos peninsulares, el radicalmente nuevo aspecto del panorama político, hacen que los poetas se preocupen menos de los problemas puramente sociales que de los esencialmente políticos. La literatura castellana comienza así a parecer *nacional*, anticipando la literatura imperialista del siglo XVI. Multitud de autores pretenden animar a los reyes a empresas de mayor envergadura, una vez establecida la paz interior: abundan las exhortaciones a la conquista de Granada, y, conseguida ésta, la recuperación de Jerusalén y el sepulcro de Cristo para la Cristiandad. Un ejemplo del poeta Cartagena, extraído del *Cancionero General*, ilustra bien lo dicho:

> Porque se concluya y cierre
> vuestra empresa comenzada,
> Dios querrá, sin que se yerre,
> que rematéis vos la R
> en el nombre de Granada;
> viendo ser causa por quien
> llevan fin los hechos tales,
> no estarés contenta bien
> hasta que en Jerusalén
> pinten las armas reales [92].

---

[91] NBAE, XIX, número 4, pp. 63-72. Aunque impresa en 1483-84, otra vez por Centenera y en Zamora, debió de ser compuesta por los años de 1476-79. Cf. mi trabajo "Notas sobre un poema poco conocido de fray Íñigo de Mendoza", próximo a aparecer en *Symposium*.

[92] *Coplas a la reyna Doña Ysabel, Cancionero General*, fol. LXXXVII vuelto-LXXXVIII, edición de A. Rodríguez-Moñino, Madrid, 1958, facsímil de la de Valencia, 1511. Gonzalo Martínez de Medina, Villasandino, Diego de Valencia, el comendador Román, etc., también incitarán poéticamente a la conquista de Granada. Sobre la de Jerusalén, cf. M. Bataillon, *Erasmo y España*, I, México, 1950, pp. 60-68. El origen mesiánico-profético de estos poemas se remonta al movimiento joaquinista-fran-

Las condiciones históricas han cambiado, y la *poesía social* se transforma en *poesía nacional*. Puede observarse así hasta qué punto están unidas literatura y sociedad, literatura e historia. Un paso más en el proceso de pérdida social de la poesía castellana de finales del siglo XV lo constituye su adaptación a simple poesía cortesana y oficial, aduladora muchas veces, especialmente la dirigida a la reina Isabel, a la cual se le dedica un elogio que llegará a convertirse en tópico: su comparación con la madre de Cristo. El conocido y blasfemo poema de Antón de Montoro es una buena ilustración:

> Alta reina soberana,
> si fuérades antes vos
> que la hija de Sant'Ana,
> de vos el Hijo de Dios
> recibiera carne humana [93].

El siglo XVI verá el triunfo de una monarquía absoluta y cada vez más centralizadora, así como el de la idea imperial. Todo ello moverá el deseo, el pensamiento y la pluma de Hernando de Acuña para escribir su extraordinario soneto dedicado a Carlos V, con el famoso y representativo verso:

> un monarca, un imperio y una espada.

A pesar de esto no conviene olvidar que la tradición social de la literatura española no se pierde; simplemente cambia su forma de expresión, y es en ese mismo siglo XVI cuando surge

---

ciscano de los siglos XIII y XIV; cf. sobre este asunto J. Bignanni-Odier, *Études sur Jean de Roquetaillade*, París, 1952, así como R. Manselli, *La "Lectura in Apocalypsim" di Pietro di Giovanni Olivi*, Roma, 1955, y *Spirituali e beghini in Provenza*, Roma, 1959. Y sobre el profetismo político del siglo XV castellano, cf. Ch. F. Fraker, *Studies on the Cancionero de Baena*, Chapel Hill, 1966, pp. 65-66.

[93] Cf. María Rosa Lida, "La hipérbole sagrada en la poesía castellana", *RFH*, 1946, pp. 121-130, así como R. O. Jones, "Isabel la Católica y el Amor Cortés", *Revista de Literatura*, XXI, 1962, pp. 55-64.

una muestra tan importante y original como la novela picaresca. Pero debe recordarse que las primeras ediciones del *Lazarillo de Tormes* que han llegado a nosotros —dejando a un lado problemas bibliográficos— son de 1554. La crítica social literaria se había refugiado en el teatro de Torres Naharro y Gil Vicente y en la prosa, mientras que la poesía italianizante y cortesana se había alienado del criticismo realista, a pesar de que en Garcilaso, como ejemplo máximo, "se juntan la realización de ese nuevo idioma castellano, la realización más clara, más nítida, más suave y próxima a nosotros, y una nueva sensibilidad, una autenticidad de voz poética" [94]. Al retiro monacal del César, en 1556, habían precedido sucesos importantes, tales como la desaparición lamentable, tras rápido, eficaz y prometedor desarrollo, del erasmismo español, representado por las señeras figuras del inquisidor Alonso Manrique, de Luis Vives, de los hermanos Valdés [95]. El reinado de Felipe II señala una nueva etapa histórica. Y será Miguel de Cervantes quien irónica y amargamente a la vez lleve de nuevo a la poesía castellana —y naturalmente a la prosa— la nota doliente de preocupación por la situación del país; baste el recuerdo de su soneto dedicado al túmulo de Felipe II en la catedral de Sevilla, poema éste que, junto con otros de su autor, debiera ser más tenido en cuenta cuando se discute, todavía hoy, la actitud renacentista o barroca de Cervantes. En todo caso, la Edad Media ya está muy atrás. Volviendo a ella para terminar, la idea sartriana de que "el escritor proporciona a la sociedad una conciencia inquieta" [96] es aplicable perfectamente a la época de referencia tanto como a la moderna. El deseo de un mundo mejor es algo inseparable del ser humano, y el primer paso para ver realizado tal

---

[94] Dámaso Alonso, *Cuatro poetas españoles*, Madrid, Gredos, 1962, p. 25.
[95] *Erasmo y España*, obra ya citada de M. Bataillon, es fundamental para el tema, y ya clásica.
[96] *Situations*, II, París, 1948, p. 129.

deseo, para transformar el mundo, consiste en crear esa conciencia a la que Sartre alude. Si la literatura, la poesía, contribuye a esa tarea, en un sentido o en otro, habrá llevado a cabo una de sus más útiles y nobles funciones. Creo sinceramente que la poesía de protesta de la Edad Media castellana cumplió muy adecuadamente con ese papel [97].

---

[97] Los textos incluidos en esta antología han sido tomados de reconocidas ediciones existentes, o, en su caso, de los correspondientes manuscritos. Hago constar siempre la procedencia de los poemas. Las grafías han sido conservadas especialmente en los textos más primitivos; he modernizado aquellas formas que, al hacerlo, no estropean el sentido original.

TEXTOS

1

DEBATE DE ELENA Y MARÍA

...Elena la cató,
de su palabra la sonsañó,
gravemientre la respondió.
Agora oíd cómo fabró:
"Calla, María,
¿por qué dices tal folía?
Esa palabra que fabreste
al mío amigo denosteste;
mas se lo bien catas
e por derecho lo asmas,
non eras tú para conmigo
nin el tu amigo para con el mío;
somos hermanas e fijas de algo,
mais yo amo el mais alto,
ca es caballero armado,
de sus armas esforzado;
el mío es defensor,
el tuyo es orador:
que el mío defende tierras
e sufre batallas e guerras,
ca el tuyo yanta e yaz
e siempre está en paz".
María a tan por arte
respuso de la otra parte:
"¡Ve, loca, trastornada,
ca non sabes nada!

Dices que yanta e yaz
porque está en paz;
ca él vive bien honrado
e sin todo cuidado;
ha comer e beber
e en buenos lechos yacer;
ha vestir e calzar
e bestias en que cabalgar,
vasallas e vasallos,
mulas e caballos;
ha dineros e paños
e otros haberes tantos.
De las armas non ha curar
e otrosí de lidiar,
ca más val seso e mesura
que siempre andar en locura,
como el tu caballerón
que ha vidas de garzón.
Cuando al palacio va
sabemos vida que le dan:
el pan a ración,
el vino sin sazón;
sorríe mucho e come poco,
va cantando como loco.
Como tray poco vestido,
siempre ha fambre e frío;
come mal e yace mal
de noche en su hostal,
ca quien anda en casa ajena
nunca sal de pena.
Mientre él está allá,
lacerades vos acá;
parades mientes cuándo verná
e catádesle las manos qué adurá,
e se non tray nada,
luego es fría la posada".

   Elena con ira
luego dixo: "Esto es mentira.
En el palacio anda mi amigo,
mas non ha fambre nin frío;
anda vestido e calzado

e bien encabalgado;
acompáñanlo caballeros
e sírvenlo escuderos;
danle grandes soldadas
e abasta a las compañas.
Cuando al palacio vien
apuesto e muy bien,
con armas e con caballos
e con escuderos e con vasallos,
siempre trae azores
e con falcones de los mejores.
Cuando vien riberando
e las aves matando,
butores a abtardas
e otras aves tantas;
cuando al palacio llega,
¡Dios, qué bien semeja!
Azores gritando,
caballos reninchando,
alegre vien e cantando,
palabras de cortés fabrando.
A mí tien honrada,
vestida e calzada;
vísteme de cendal,
e de ál que más val.
Creásme de cierto
que más val un beso de infanzón
que cinco de abadón,
como el tu barbirrapado,
que siempre anda en su capa encerrado,
que la cabeza e la barba e el pescuezo
non semeja senon escuezo.
Mas el cuidado mayor
que ha aquel tu señor
es su salterio rezar
e sus molaciellos enseñar.
La batalla faz con sus manos
cuando bautiza sus afijados;
comer e gastar
e dormir e folgar;
fijas de hommes bonos enartar,

casadas e por casar.
Non val nenguna ren
quien non sabe de mal e de bien;
que el mío sabe de ello e de ello,
e val más por ello".
  María tan irada
respuso esa vegada:
"Elena, calla,
¿por qué dices tal palabra?
ca el tu amigo
após el mío non val un mal figo.
Cuando él es en palacio
non es en tal espacio,
oras tien algo, oras tien nada,
que aína falla ela soldada.
Cuando non tien qué gastar
tórnase luego a jogar,
e joga dos veces o tres,
que nunca gana una vez.
Cuando torna a perder,
aína sal el su haber:
joga el caballo e el rocín
e las armas otrosín,
el mantón, el tabardo
e el vestido e el calzado;
finca en ávol guisa
en pañicos e en camisa.
Cuando non tien qué jogar
nin ál a qué tornar,
vay la siella empeñar
a los francos de la cal;
el freno e el albardón
dalo al su rapagón
que lo vaya vender
e empeñar para comer;
sé que hay horas
que allá van las esporas;
a pie vien muchas vegadas
desnudo e sin calzas.
E sequier a su amiga
nin conseja nin la abriga;

ca homne con rancura
fría es la posada,
que así faz do non ha vino
nin abrigo nin farina nin tocino,
e haberedes por ello a empeñar
el mantón e el brial.
Otro día así se mucho dura
cada día sacará sobrel vestido
fasta que sea comido;
cuando comido for,
¿qué será del señor?
Querrá ir a furtar,
mas si lo hobieron a tomar
colgarlo han de un palero,
en somo de un otero.
Ca el mío amigo, bien te lo digo,
ha mucho trigo e mucho vino;
tien buenos celleros
de plata e de dineros;
viste lo que quier,
se quier mantón, se quier piel;
non ha fambre nin frío,
nin mengua de vestido.
En la mañana por la hilada
vieste su capa encerrada
e empeñada en corderines
e vase a sus matines;
diz matines e misa
e tiene bien su eglisa,
e gana diezmos e primencias
sin pecado e sin fallencia,
e cuando quier bebe e come
e ha vida de rico homne.
E yo que esto digo,
a Dios grado e al mío amigo,
non he fambre nin frío,
nin mengua de vestido,
nin estó deseosa
de ninguna cosa".

  Elena, do sedía,
cató contra María;

Elena, do sedía,
diz: "¡Ve, astrosa!
¿e non has hora vergonza?
¿Por qué dices tal maldat
avuelta con torpedat?
Querrieste alabar
se te yo quesiese otorgar.
Ca tú no comes con sazón
esperando la oblación;
lo que tú has a gastar
ante la eglisa honrada lo ha a ganar;
vevides como mesquinos,
de alimosna de vuestros vecinos.
Cuando el abad misa decía
a su mojer maldecía;
en la primera oración
luego le echa la maldeción.
Si tú fueres misa escuchar,
tras todos te has a estar;
ca yo estaré en la delantera
e ofreceré en la primera;
a mí levarán por el manto,
e tú irás tras todas arrastrando;
a mí levarán como condesa,
a ti dirán como monaguesa".

 Cuando María oyó esta razón
pesól de corazón;
respondió muy bien:
"Todo esto non te prista ren;
a nos, ¿qué nos val
por ambas nos denostar?
Ca yo bien sé asaz
el tu amigo lo que faz:
se él va en fonsado,
non es de su grado;
se va combater,
non es de su querer;
non puede refuir
cuando lo va otro ferir,
lacerar lo ha ý
se non tornar sobre sí.

Se bien lidia de sus maños
es una vez en treinta años;
se una vez vien descuidado
e vien aparejado
s...... vedes v......
endurades más de tres.
Muchas vegadas queredes comer
que non podedes haber.
Ca bien te lo juro por la mi camisa
ne siempre estó de buena guisa,
se bien yanto e mejor ceno,
que nunca lazdro nin peno,
ca hora he grand vicio
e vivo en grand delicio,
ca bien ha mío señor
que de la eglisa, que de su labor,
que siempre tien riqueza e bondat e honor.
Cuando él misa dice
bien sé que a mí non maldice;
ca quien vos amar en su corazón
non vos maldicerá en nulla sazón;
ca si por vero lo sopiesen
e en escripto lo liesen,
que así se perdía la mojer que el clérigo toviese,
non faríen otro abad
senon el que toviese castidat;
ca non debe clérigo ser
el que alma ajena faz perder.
Mas otra honra mejor
ha el mío señor:
se fueren reis o condes,
o otros ricos homnes,
o dueñas de linaje,
o caballeros de paraje,
luego le van obedescer
e vanle ofrecer;
bien se tiene por villano
quien le non besa la mano.
Villanía fablar
es así me denostar;
se a mí dicen monaguesa,

a ti dicen cotaifesa.
Mas se tú hobieses buen sen
bien te debías conoscer,
ca do ha seso de prior,
conóscese en lo mejor.
Mas tú non has amor por mí
nin yo otrosí por ti;
vayamos ambas a la corte de un rey
que yo de mejor non sey;
este rey e emperador
nunca julga senon de amor.
Aquel es el rey Oriol,
señor de buen valor...".
Ambas se avenieron,
al camino se metieron...
  "Salvet'el Criador
e vos dé el su amor.
Dueñas somos de otras tierras
que venimos a estas sierras
a vos, señor, demandar
por un juicio estremar:
¡Señor, por Aquel que nos fizo,
departid este juicio!".
Esa hora dixo el rey:
"Yo vos lo departirey".
  Elena de primero
tovo la voz del caballero:
"Señor, cudado se for de morte,
allí ha el abad grand conhorte;
luego lo va vesitar,
con su calce comulgar.
Faz la casa delibrar,
mándalo manefestar,
e valo consejar
que le dé su haber para misas cantar.
Ca diz que non ha tan buen oficio
como de sacrificio,
de salterios rezar
e de misas cantar.
No manda dar a les portes
nin a hospitales de los pobres;

tal cosa nunca vi,
todo lo quier para sí.
Mas se lo ve quexar
para el siegro pasar,
veredes ir para la casa
cruz e agua sagrada,
e los molacinos rezando,
requien eternan cantando,
los otros por las campanas tirando,
los unos a repicar
e los otros a encordar.
Mas estas bondades
han todos los abades:
leen bien sus glosas
e cantan *kirios* e prosas,
crismar e bautizar
e homnes muertos soterrar.
Mas esto han los mesquinos,
siempre sospiran por muerte de sus vecinos;
mucho les plaz
cuando hay muchas viudas e viudos
por levaren muchas obradas e muchos bodigos.
Bien cura su panza
que lo non fierga la lanza.
Ca el mío señor
caballero es de grand valor,
non vi nunca otro mejor
que más faga por mi amor.
Por a mí fazer placer,
de veluntad se va combater;
non quier su escudo vedar
a ningund homne, se quier con él justar.
Ha castillos do yaz
e muchas cibdades otro tal;
gana muchos haberes por su barraganía
e por su caballería,
gana mulas e caballos
e otros haberes tantos,
oro e plata e escarlata
de que soy preciada...".

GONZALO DE BERCEO

2

De los signos que aparescerán antes del Juicio

...El día cuarto décimo será fiera barata,
ardrá todo el mundo, el oro e la plata,
balanquines e púrpuras, xamit e escarlata;
non fincará conejo en cabo nin en mata...
    Serán puestos los justos a la diestra partida,
los malos a sinistro, pueblo sines medida,
el Rey será en medio con su haz revestida,
cerca de la Gloriosa de caridat cumplida...
    Tornará a siniestro sannoso e irado,
decirles ha por nuevas un esquivo mandado:
"Idvos, maldictos ministros del pecado,
id con vuestro maestro, vuestro adelantado;
    id arder en el fuego que está avivado
para vos e a Lucifer e a todo su fonsado:
acorro non habredes, esto es delibrado:
a cual señor serviestes recibredes tal dado.
    Quando fambre había, andaba muy lazdrado,
oírme non quisiestes, nin darme un bocado;
si yo grant sed había, non habíades cuidado,
e muy bien vos guardastes de darme hospedado.
    Si vos alguna cosa me hobiésedes dada,
yo bien vos la ternía agora condessada,
mas fuestes tan crúos que non me diestes nada:
¡yo la vuestra crueza non la he olvidada!
    Cuando el pobreciello a vuestra puerta vino
pidiendo en mi nombre con hábito mezquino,
vos dar non le quisiestes nin del pan nin del vino:
hoy, si vos dél pensásedes, él vos sería padrino...
    Levarlos han al fuego, al fuego infernal,
do nunca verán lumbre, sinon cuita e mal,
darlis han sendas sayas de un áspero sayal,
que cada una dellas pesará un quintal.

Haberán fambre e frío, temblor e callentura,
ardor vuelto con frío, sed fiera sin mesura;
entre sus corazones haberán muy grant ardura,
que creer non quisieron la Sancta Escriptura.

Comerlos han serpientes e los escorpiones
que han amargos dientes, agudos aguijones:
meterlis han los rostros fasta los corazones,
nunca habrán remedio en ningunas sazones.

Darlis han malas cenas et peores yantares,
grant fumo a los ojos, grant fedor a las nares,
vinagre a los labros, fiel a los paladares,
fuego a las gargantas, torzón a los ijares.

Colgarán de las lenguas los escatimadores,
los que testiguan falso, e los escarnidores;
non perdonarán a reyes nin a emperadores,
habrán tales servientes cuales fueron señores.

Los omnes cudiciosos del haber monedado,
que por ganar riqueza non dubdan fer pecado,
metránlis por las bocas el oro regalado:
dirán que non hobiesen atal haber ganado.

Los falsos menestrales e falsos labradores
allí darán emienda de las falsas labores;
allí prendrán emienda de los falsos pastores
que son de fer cubiertas maestros sabidores.

Algunos ordenados que llevan las obladas,
que viven seglarmente, tienen sucias posadas,
non lis habrán vergüenza las bestias enconadas:
darlis han por ofrenda grandes aguisonadas.

Los omnes soberbiosos que roban los mezquinos,
que lis quitan los panes, así facen los vinos,
andarán mendigando corvos como encinos:
contecerá eso mismo a los malos merinos.

Los que son invidiosos, aqueos malfadados,
qui por el bien del prójimo andan descolorados,
serán en el infierno de todos coceados,
ferlis han lo que facen madrastras a antenados.

Las penas del infierno de dur serían contadas,
ca destas son muchas e mucho más granadas:
Ihesu Christo nos guarde de tales pescozadas,
qui guardó a Sant Pedro en las ondas iradas...

3

Libro de Buen Amor

ENXIEMPLO DE LA PROPIEDAT QUEL DINERO HA

Mucho faz el dinero, mucho es de amar:
al torpe faze bueno e ome de prestar,
faze correr al coxo e al mudo fablar,
el que non tiene manos, dineros quier tomar.
 Sea un ome nescio e rudo labrador,
los dineros le fazen fidalgo e sabidor,
cuanto más algo tiene, tanto es de más valor;
el que non ha dineros, non es de sí señor.
 Si tovieres dineros, habrás consolación,
plazer e alegría e del Papa ración,
comprarás Paraíso, ganarás salvación:
do son muchos dineros, es mucha bendición.
 Yo vi allá en Roma, do es la santidat,
que todos al dinero fazían l'omilidat,
grand honra le fazían con gran solenidat:
todos a él se homillan como a la majestat.
 Fazíe muchos priores, obispos e abades,
arzobispos, dotores, patriarcas, potestades,
a muchos clérigos nescios dábales denidades;
fazíe verdat mentiras e mentiras verdades.
 Fazíe muchos clérigos e muchos ordenados,
muchos monjes e monjas, religiosos sagrados:
el dinero les daba por bien esaminados;
a los pobres dezían que non eran letrados.
 Daba muchos juicios, mucha mala sentencia:
con malos abogados era su mantenencia,
en tener malos pleitos e fer mal avenencia;
en cabo, por dineros había penitencia.
 El dinero quebranta las cadenas dañosas,
tira cepos e grillos, presiones peligrosas;
al que non da dineros, échanle las esposas:
por todo el mundo faze cosas maravillosas.

Vi fazer maravillas a do él mucho usaba;
muchos merescían muerte, que la vida les daba;
otros eran sin culpa, que luego los mataba;
muchas almas perdía, muchas almas salvaba.

Faze perder al pobre su casa e su viña;
sus muebles e raíces, todo lo desaliña,
por todo el mundo cunde su sarna e su tiña,
do el dinero juzga, allí el ojo guiña.

Él faze caballeros de necios aldeanos,
condes e ricos omes de algunos villanos;
con el dinero andan todos omes loçanos,
cuantos son en el mundo le besan hoy las manos.

Vi tener al dinero las mayores moradas,
altas e muy costosas, fermosas e pintadas,
castillos, heredades, villas entorreadas:
al dinero servían e suyas eran compradas.

Comía muchos manjares de diversas naturas,
vestía nobles paños, doradas vestiduras,
traía joyas preciosas en vicios e folguras,
guarnimientos estraños, nobles cabalgaduras.

Yo vi a muchos monjes en sus predicaciones
denostar al dinero e a sus tentaciones;
en cabo, por dineros otorgan los perdones,
asuelven los ayunos e fazen oraciones.

Peroque lo denuestan los monjes por las plazas,
guárdanlo en convento en vasos e en tazas,
con el dinero cumplen sus menguas e sus razas:
más condedijos tienen que tordos nin picazas.

Monjes, clérigos e frailes, que aman a Dios servir,
si barruntan que el rico está para morir,
cuando oyen sus dineros, que comienzan reteñir,
cuál dellos lo llevará comienzan a reñir.

Como quier que los frailes non toman los dineros,
bien les dan de la ceja do son sus porcioneros;
luego los toman prestos sus omes despenseros:
pues que se dizen pobres, ¿qué quieren tesoreros?

Allí están esperando cuál habrá el rico tuero:
non es muerto e ya dizen *Pater noster;* ¡mal agüero!
Como los cuervos al asno cuando le tiran el cuero:
"Cras nos lo llevaremos, ca nuestro es por fuero".

Toda mujer del mundo e dueña de alteza
págase del dinero e de mucha riqueza;
yo nunca vi fermosa que quisiese pobreza:
do son muchos dineros í es mucha nobleza.

El dinero es alcalde e juez mucho loado,
este es consejero e sotil abogado,
aguacil e merino, bien ardit, esforzado:
de todos los oficios es muy apoderado.

En suma te lo digo, tómalo tú mejor:
el dinero del mundo es gran revolvedor,
señor faze del siervo e del siervo señor,
toda cosa del siglo se faze por su amor.

Por dineros se muda el mundo e su manera,
toda mujer, codiciosa del algo, es falaguera,
por joyas e dineros saldrá de carrera:
el dinero quiebra peñas, fiende dura madera,

derrueca fuerte muro e derriba gran torre,
a coita e a gran priesa el dinero acorre,
non ha siervo cativo quel dinero non l'aforre:
el que non tiene que dar, su caballo non corre...

CÁNTICA DE LOS CLÉRIGOS DE TALAVERA

Allá en Talavera, en las calendas de abril,
llegadas son las cartas del arzobispo don Gil
en las cuales venía el mandado non vil,
tal que si plugo a uno, pesó más que a dos mil.

Aqueste arcipreste, que traía el mandado,
bien creo que lo fizo más amidos que de grado.
Mandó juntar cabildo, a prisa fue juntado,
cuidando que traía otro mejor mandado.

Fabló este arcipreste y dijo bien ansí:
"Si pesa a vosotros, bien tanto pesa a mí;
¡ay, viejo mezquino, en qué envejecí,
en ver lo que veo e en ver lo que vi!".

Llorando de sus ojos comenzó esta razón;
diz: "El Papa nos envía esta constitución,
hévoslo a decir, que quiera o que non,
maguer que vos lo digo con rabia de corazón;

cartas eran venidas que dicen desta manera:
que clérigo nin casado de toda Talavera
que non toviese manceba, casada nin soltera,
cualquier que la toviese, descomulgado era".

Con aquestas razones que la carta decía
fincó muy quebrantada toda la clerecía.
Algunos de los clérigos tomaron acedía;
para haber su acuerdo juntáronse otro día.

A do estaban juntados todos en la capilla
levantóse el deán a mostrar su mancilla;
diz: "Amigos, yo querría que toda esta cuadrilla
apelásemos del Papa antel Rey de Castilla,

que maguer que somos clérigos somos sus naturales:
servímosle muy bien, fuémosle siempre leales,
demás que sabe el Rey que todos somos carnales;
creed, se ha de adolescer de aquestos nuestros males.

¿Que yo deje a Orabuena, la que cobré antaño?
En dejar yo a ella rescibiera yo gran daño:
dile luego de mano doze varas de paño,
e aún, para la mi corona, anoche fue al baño.

Ante renunciaría toda la mi prebenda
e desí la dignidad e toda la mi renda
que la mi Orabuena tal escatima prenda:
creo que otros muchos seguirán esta senda".

Demandó los apóstoles e todo lo que más vale
con gran afincamiento ansí como Dios sabe,
e con llorosos ojos e con dolor grande:
"*Vobis enim dimittere* —díjoles— *quam suave!*".

Fabló en pos daqueste luego el tesorero,
que era desta orden confrade derechero;
diz: "Amigos, si este son ha de ser verdadero,
si malo lo esperades yo peor lo espero,

e del mal de vosotros a mí mucho me pesa,
otrosí de lo mío e del mal de Teresa:
dejaré Talavera, irme he a Oropesa
antes que la partir de toda la mi mesa,

ca nunca fue tan leal nin Blanca Flor a Flores
nin es agora Tristán a todos sus amores,
que faze muchas vezes rematar los ardores,
e si de mí la parto nunca me dejarán dolores.

Porque suelen dezir que el can con gran angosto
e con rabia de la muerte su dueño traba al rostro,
si toviés al arzobispo en otro tal angosto
le daría tal vuelta que non vies el agosto".

Fabló en pos aquéste el chantre Sancho Muñós;
diz: "Aquest'arzobispo non sé qué se ha con nos,
él quiere acaloñarnos lo que perdonó Dios,
por end'apelo en este escripto: ¡avivadvos!

Que si yo tengo o tuve en casa una servienta,
non ha el arzobispo desto por qué se sienta.
¿Que non es mi comadre? ¿Que nin es mi parienta?
Huérfana la crié; ¡esto porque non mienta!

Mantener ome huérfana obra es de piedad,
otrosí a las viudas, esto es mucha verdad;
si el arzobispo tiene que es cosa de maldad,
dejemos a las buenas, a las malas vos tornad".

Don Gonzalo, canónigo, según que vo entendiendo,
es éste, que va de sus alfajas prendiendo,
e vanse las vecinas por el barrio deciendo
que la acoge de noche en casa, aunque gelo defiendo.

Pero non alonguemos atanto las razones:
apelaron los clérigos, otrosí los clerizones,
ficieron luego de mano buenas apelaciones
e dende en adelante ciertas procuraciones.

4

POEMA DE ALFONSO ONCENO

...En este tiempo los señores
corrían a Castiella;
los mesquinos labradores
pasaban gran mansiella.
Los algos les tomaban
por mal e por codicia;
las tierras se yermaban
por mengua de justicia.

Por fecho de la tutoría
non se podían avenir;
la reina doña María
este mal fiz departir.
En su consejo priso
de al rey dar tutores;
en Valladolid luego fiso
ayuntar los señores.
Cortes fiso honradas
por más comunal provecho;
compañas muy aprestadas
llegaron a este fecho.
Estando todos delante
luego por tutor fue puesto
don Felipe el infante,
e don Johan el Tuerto.
El otro fue don Johan,
fijo del infante don Manuel;
este fecho todos han
por firme e por fiel.
E que todos feziesen mandado
de la reina doña María,
el pleito fue otorgado
por toda la tutoría.
Los tutores a las tierras
se fueron cuanto podían;
non dejaron fazer guerras
bien así como solían.
Cadal día ases parando,
astragando los menores,
las tierras robando,
matando los labradores.
Despechando mercaderos
non se querían avenir,
e mataban los romeros
que venían a Dios servir...
A la reina pesó fuerte
de que vio tal pestilencia;
acuitóla de muerte
una fuerte dolencia...

Dios, por la su mesura,
al rey dio bondad,
muy apuesta criatura
de muy gran beldad...
Estando en su estrado
rico e bien paresciente,
dexieron: "Señor honrado,
acorred a vuestra gente.
Nos somos labradores
del mundo desamparados;
de los vuestros tutores
muy mal somos estragados.
Córrennos de cada día,
que parescer non podemos;
a Dios pesar debía
del mal que padecemos.
Tómannos los haberes
e fazen nos mal pesar;
los fijos e las mujeres
piensan de los cativar.
Puercos e vacas e ovejas
todos roban fieros;
non nos valen eglesias
más que fuésemos puercos.
Mucho mal fuimos sufriendo
e pasando mucha guerra,
por vos, Señor, atendiendo
que cobrásedes la tierra
e nos diésedes derecho,
que pasamos gran rancura:
Señor, ved este fecho;
por Dios e vuestra mesura,
non suframos más mansiella
de cuanta ya padecemos,
o dejaremos Castiella,
pues í vivir non podemos.
Non podemos padecer
cada día tantas penas,
nin nos hemos a perder
por estas tierras ajenas".
El rey hubo gran pesar

cuando esta razón oía,
e non podía fablar
con gran enojo que había.
Su noble color perdió,
asaz fermosa e alba,
e atal se le volvió
como foja de la malva.
Por el palacio salía
cuidando en este fecho,
e a Dios Padre pedía
que le diese buen derecho.
E andábase quejando
del dolor del corazón;
así andaba bramando
como un bravo león.
E a Dios Padre rogó
que viese el su estado;
su ayo luego llegó;
viol estar demudado;
dijo: "Señor, ¿qué habedes,
que veades buen plazer?
Vos negar non lo podedes,
ca quiérolo yo saber,
e del vuestro enojo fiero
a mí pesa muy sin arte,
que del vuestro bien quiero
e del enojo mi parte".
Dijo el rey: "Fago razón
de muy gran pesar haber:
toda Castilla et León
están para se perder.
Las villas e las ciudades
andan en bandería;
en todas las vecindades
ha mucho mal cada día.
Todos me fazen pesar,
pestilencia e gran guerra,
los que me debían ayudar,
esos me corren la tierra.
Yo tengo pesar fuerte;
siempre habré mansiella:

yo moriré de muerte
o seré rey de Castiella"...

SEM TOB, RABINO DE CARRIÓN

5

Proverbios Morales

...Si mi razón es bona
non sea despreciada
porque la diz persona
rafez, que mucha espada
de fino acero sano
sab de rota vaina
salir, e del gusano
se faz la seda fina.
 E astroso garrote
faze muy ciertos trechos;
e algún roto pellote
descubre blancos pechos;
e muy sotil trotero
aduze buenas nuevas,
e muy vil bozerro
presenta ciertas pruebas.
 Por nascer en el espino
non val la rosa cierto
menos, nin el buen vino
por salir del sarmiento.
Non val el azor menos
por nascer de mal nido,
nin los enxemplos buenos
por los decir judío...
 Quiero decir del mundo
e de las sus maneras,
e cómo de él dubdo
palabras muy certeras.

Que non sé tomar tiento
nin fazer pleitesía;
de acuerdos más de ciento
me torno cada día...

¿Eres rico? Not fartas
e tiéneste por pobre;
con cobdicia non catas
que lazras para otre,
e de tu algo tocas
para envolver tus güesos
abrás, e varas pocas
de algunos lienzos gruesos.

Lo ál heredará
alguno que non te ama:
para ti fincará
sola la mala fama
del mal que en tus días
e la mala verdad
en las plazas hacías
e en tu poridad...

El juez sin malicia
es afán e embargo;
el juez con cobdicia
más val que obispadgo.
Cobdicia e derecho,
esto es cosa cierta,
non entran so un techo
nin so una cubierta;

nunca de una camisa
amas non se vistieron,
jamás de una divisa
señores nunca fueron;
cuando cobdicia viene,
derecho luego sale;
donde éste poder tiene,
este otro poco vale...

Tres son los que más viven
cuitados, según cuido,
e de los que más deben
dolerse tod el mundo:

fidalgo que mester
ha al omre villano
e con mengua meter
se viene en su mano
 —fidalgo de natura,
usado de franqueza,
¡e traxól la ventura
a manos de vileza!—,
e justo, que mandado
de señor torticiero
ha de fazer forzado;
e el otro tercero:
 sabio que ha, por premia,
de servir señor necio;
toda otra laceria
ante ésta es gran vicio...

PEDRO LÓPEZ DE AYALA, CANCILLER DE CASTILLA

6

Rimado de Palacio

AQUÍ COMIENZAN LAS SIETE OBRAS ESPIRITUALES

...E por nuestra ventura acaesce todavía
que por nuestra maldad habemos peoría,
ca non nos enmendamos nin habemos mejoría,
mas doblamos querellas muy más de cada día.
 Está el mundo en queja e en tribulación;
los nuestros regidores son dello ocasión,
e así crescen los males, más muchos que son,
ca cobdicia les ciega todo su corazón.
 Los físicos lo dicen, si bien me viene miente,
si la cabeza duele, todo el cuerpo es doliente:
e agora, mal pecado, hoy es este accidente,
ca nuestro mayoral en todo mal se siente.

El obispo de Roma, que Papa es llamado,
que Dios por su vicario nos hubo ordenado,
el lugar de San Pedro a él fue otorgado,
está cual vos lo vedes, malo, nuestro pecado...

Agora el Papadgo es puesto en riqueza,
de le tomar cualquier non toman pereza;
maguer sean viejos, nunca sienten flaqueza,
ca nunca vieron Papa que muriese en pobreza.

En el tiempo muy santo non podían haber
uno que este estado se atreviese tener:
agora, mal pecado, ya lo podedes entender:
do se dan a puñadas, ¿quién podrá Papa ser?...

Aquí estorbaron mucho algunos sabidores
por se mostrar letrados e muy disputadores;
fizieron sus cuestiones como grandes dotores,
e por esto la Eglesia de sangre faz sudores.

Los moros e judíos ríen desta contienda,
e dizen entre sí: "Veredes qué leyenda
tienen estos cristianos, e cómo su facienda
traen bien ordenada, así Dios los defienda"...

Mas los nuestros prelados que lo tienen en cura
asaz han que fazer por la nuestra ventura,
cohechan sus súbdictos sin ninguna mesura,
e olvidan conciencia e la Santa Escriptura.

Los unos son muy flacos en lo que han de regir,
los otros, rigurosos, muy fuertes de sufrir;
non toman tempramiento como deben vivir;
aman al mundo mucho, nunca cuidan morir.

Desque la dignidad una vez han cobrado,
de ordenar la Iglesia toman poco cuidado;
en cómo serán ricos más curan, mal pecado,
e non curan cómo esto les será demandado.

El nombre Sacramento que Jesu Christo ordenó
cuando con sus deciplos en la cena cenó,
cuáles ministros tiene el que por nos murió
vergüenza es decirlo, quien esta cosa vio.

Unos prestes lo tratan que verlos es pavor,
e tómanlo en las manos sin ningún buen amor,
sin estar confesados e aún, ques lo peor,
que tienen cada noche consigo otro dolor.

Según dice el Apóstol, ellos se han a perder,
pues resciben tal cosa sin ellos dignos ser;
a todos quiera Dios por su merced valer,
que en gran peligro somos por tan mal defender.

Cuando van a ordenarse tanto que tienen plata
luego pasa el examen sin ninguna barata,
ca nunca el obispo por tales cosas cata:
luego les da sus letras con su sello e data.

Non saben las palabras de la consagración,
nin curan de saber nin lo han a corazón;
si pueden haber tres perros, un galgo e un furón,
clérigo de aldea tiene que es infanzón.

Luego los feligreses le catan casamiento
alguna su vecina, mal pecado, non miento,
e nunca por tal fecho resciben escarmiento,
ca el su señor obispo ferido es de tal viento.

Palabras del bautismo e cuáles deben ser
uno entre ciento non quieren saber;
ponen así en peligro e fazen perecer
así a otros muchos, por su poco entender.

Si estos son ministros, sonlo de Satanás,
ca nunca buenas obras tú fazer les verás;
gran cabaña de fijos siempre les fallarás
derredor de su fuego, que nunca í cabrás.

En toda el aldea non ha tan apostada
como la su manceba, nin tan bien afeitada:
cuando él canta misa, ella le da el oblada,
e anda, mal pecado, tal orden bellacada.

Non fablo en simonía nin en otros muchos males
que andan por la corte entre los cardenales;
quien les presenta copas buenas con sus señales
recaudará obispados e otras cosas tales.

Cómo son por obispos eglesias requeridas
de los sus ornamentos e cómo son servidas,
así les Dios aluengue los días de las vidas,
e después deste mundo las almas han perdidas...

DEL GOBERNAMIENTO DE LA REPÚBLICA

Los reyes e los príncipes e los emperadores,
los duques e los condes e los otros señores
gobiernan las sus tierras con los sus moradores
que a do moraban ciento fincan tres pobladores...
　Este nombre de rey de buen regir desciende;
quien ha buena ventura, bien así lo entiende;
el que bien a su pueblo gobierna e defiende
éste es rey verdadero; tírese el otro dende.
　De un padre e de una madre con ellos descendemos,
una naturaleza ellos e nos habemos,
de vivir e morir por una ley tenemos,
salvo obediencia que les leal debemos.
　Quiera por su merced Dios bien les ayudar
que puedan los sus pueblos regir e gobernar
con paz e con sosiego, que gran cuenta han de dar
a aquel Rey verdadero que la sabrá tomar.
　Dios les guarde de guerras e de todo bollicio,
puedan bien responder a Dios de su oficio,
mas, mal pecado, andan fuera de su quicio:
quien les dice el contrario non entienden qués perjuicio.
　Dios les dé buen consejo que lo quieran creer
e puedan en sus tierras justicia mantener:
según que yo lo entiendo mucho es menester,
que veo los sus pueblos suspirar e gemer.
　E Dios non menosprecia la pobre oración,
mas ante la rescibe e oye a toda sazón
quien humilmente le ruega e de buen corazón:
si justamente lo pide, oído es su sermón.
　Los huérfanos e viudas que Dios quiso guardar,
en su gran encomienda véoles voces dar:
"Acórrenos, Señor, non podemos durar
los pechos e tributos que nos fazen pagar".
　De cada día veo asacar nuevos pechos
que demandan señores demás de sus derechos,
e a tal estado son llegados ya los fechos
que quien tenía trigo non le fallan afrechos.
　Ayúntanse privados con los procuradores
de ciudades e villas, e fazen repartidores

sobre los inocentes, cuitados, pecadores:
luego que han acordado, llaman arrendadores.
 Allí vienen judíos, que están aparejados
para beber la sangre de los pobres cuitados;
presentan sus escritos, que tienen concertados,
e prometen sus joyas e dones a privados.
 Prelados que sus iglesias debían gobernar
por codicia del mundo allí quieren morar,
e ayudan revolver el reino a más andar,
como revuelven tordos un negro palomar.
 Allí fazen judíos el su repartimiento
sobre el pueblo que muere por mal defendimiento,
e ellos entre sí apartan luego medio cuento
que han de haber privados, cuál ochenta, cuál ciento.
 Dicen los privados: "Servimos de cada día
al rey; cuando yantamos es más de mediodía,
e velamos la noche, que es luenga e fría,
por concertar sus cuentas e la su atasmía:
 e así sin conciencia e sin ningún otro mal
podemos nos sacar de aquí algún caudal,
ca dize el Evangelio e nuestro Decretal
que digno es el obrero de llevar su jornal".
 Dicen luego al rey: "Por cierto vos tenedes
judíos servidores, e merced les faredes,
ca vos pujan las rentas por cima las paredes;
otorgádgelas, señor, que buen recaudo habredes".
 "Señor —dicen judíos—, servicio vos faremos;
tres cuentos más que antaño por ellas vos daremos,
e buenos fiadores llanos vos prometemos
con estas condiciones que escritas vos tenemos".
 Aquellas condiciones Dios sabe cuáles son:
para el pueblo mezquino negras como carbón.
"Señor —dicen privados—, faredes gran razón
de les dar estas rentas encima galardón."
 Dice luego el rey: "A mí place de grado
de les fazer placer, que mucho han pujado
hogaño en las rentas"; e non cata el cuitado
que toda esta sangre sale de su costado.
 Después desto llegan don Abrahén e don Simuel
con sus dulces palabras que vos parescen miel,

e fazen una puja sobre los de Israel
que monta en todo el reino cuento e medio de fiel.
  Desta guisa que oídes pasa de cada día
el pueblo muy lazrado llamando *pía-pía;*
Dios, por merced, nos guarde, e val Santa María,
non hayamos las penas que diz la profecía...
  Escúsanse los reyes con su gran menester,
ca dizen que han carga del reino defender:
fagan como quisieren Dios les dé a entender,
fazer a su servicio e a todo su plazer.
  Como los caballeros lo fazen, mal pecado,
en villas e logares quel rey les tiene dado
sobrel pecho que le deben otro piden doblado,
e con esto los tienen por mal cabo poblado.
  Do moraban mil omes non moran ya trescientos,
más vienen que granizo sobre ellos ponimientos;
fuyen chicos e grandes con tales escarmientos,
ca ya vivos los queman sin fuego e sin sarmientos.
  Tienen para esto judíos muy sabidos
para sacar los pechos e los nuevos pedidos:
non lo dejan por lágrimas que oyan nin gemidos,
demás por las esperas, aparte son servidos.
  E aun para esto mal peor lo fazer,
en las rentas del rey suelen parte tener,
porque non se les pueda el pobre defender
o de les dar lo que piden o todo lo poder.
  Maguer non tienen viñas, siempre suelen comprar
muchos vinos de fuera e í los encubar;
ciertos meses del año los suelen apartar
que lo beba el concejo a como lo suelen dar.
  Así es ello por cierto, muchas veces lo vi,
que lo que non vale dinero costar maravedí:
el vino agro, turbio, muy malo, baladí,
quien pasa y lo bebe nunca más torna í.
  Conviene que lo gasten los pobres labradores,
beberlo o verterlo, non les valdrán clamores,
e fagan luego pago a judíos traidores,
o lo sacan a logro de buenos mercadores.
  Así como es del vino, en carne es otro tal:
si el señor tiene algún buey viejo, cutral,

conviene que lo coman con bien o con mal,
e luego en la mollera tienen presta la sal.

Fazen luego castillos al canto de la villa,
grandes muros e fuertes torres a maravilla,
si quier sean altos como los de Sevilla,
por meter los mezquinos más dentro en la capilla.

Mas antes que no sea la tal obra acabada
viene luego la muerte e dale su mazada:
parte de aquél el alma asaz envergonzada
e sotierran el cuerpo en muy peor posada.

En el Evangelio nos dice el Señor:
non fagas injurias nin seas caloñador;
por Dios, paremos mientes de aquel fuerte temor
del día del juicio que espera el pecador.

Todas estas riquezas son niebla e rocío,
las honras e orgullos, e aqueste loco brío;
échase ome sano e amanesce frío,
ca nuestra vida corre como agua de río...

AQUÍ COMIENZA DE LOS LETRADOS

Si quieres parar mientes cómo pasan los doctores,
maguer han mucha ciencia, mucho caen en errores,
ca en el dinero tienen todos sus finos amores;
el alma han olvidado; della han pocos dolores.

Si quisieres sobre un pleito con ellos haber consejo,
pónense solemnemente e luego abajan el cejo;
dizen: "Gran cuestión es ésta e gran trabajo sobejo;
el pleito será luengo, ca atañe a todo el concejo;

yo pienso que podría aquí algo ayudar
tomando gran trabajo en mis libros estudiar,
mas todos mis negocios me conviene a dejar
e solamente en aqueste vuestro pleito estudiar".

E delante el cuitado sus libros manda traer;
veredes *Decretales, Clementinas* revolver,
e dice: "Veinte capítulos fallo para vos empecer,
e non fallo más de uno con que vos pueda acorrer.

Creed —dice—, amigo, que vuestro pleito es muy oscuro,
ca es punto de derecho si lo ha en el mundo, duro,

mas si tomo vuestra carga e yo vos aseguro,
fazed cuenta que tenedes espaldas en buen muro.

Pero non vos enojedes si el pleito se alongare,
ca non podrían los términos menos se abreviare;
veremos qué vos piden o qué quieren demandare,
ca como ellos tromparen, así conviene danzare.

Yo só un bachiller en leyes e decretales,
pocos ha en este reino tan buenos nin atales;
esto aprendí yo pasando muchos males
e gastando en la Escuela muchas doblas e reales.

Heredad de mi padre toda la fiz vender
por continuar el estudio e algún bien aprender;
finqué ende muy pobre del mueble e del haber,
e con esta ciencia me convien de mantener.

Yo non quiero convusco algún precio tajado:
como yo razonare, así me faredes pagado,
mas tengo un buen libro en la villa empeñado;
vos traedme veinte doblas o por ellas buen recaudo".

"Señor —dice el cuitado—, métenme pleitesía
que me deje deste pleito e darme han una cuantía,
e cuanto mi mujer en este consejo sería,
e a mí en confesión así mandan cada día".

"Sería gran vergüenza —le dice el bachiller—
que pudiendo vos algún tiempo lo vuestro defender
sin probar vuestros derechos o lo que puede ser,
así, baldíamente, vos ayades a vencer.

Los pleitos en sus comienzos todos atales son;
quien le cuida tener mal, después falla opinión
de algún doctor famado que sosterná su razón,
e pasando así el tiempo, nasce otra conclusión.

Solamente por mi honra, pues en esto me habés puesto,
non querría que vos viesen los otros mudar el gesto:
vos, amigo, esforzadvos, que con glosas e con texto
í será don Joan Andrés, e yo con él mucho presto".

Con estas tales razones el pleito se comienza
e pone en su abogado su fe e su creencia,
nin quiere pleitesía nin ninguna avenencia
e comienza el bachiller a mostrar la su ciencia.

Pero fíncale pagado lo que primero pidió
e luego un gran libelo de respuesta formó;

poniendo las ejecuciones, el pleito se alongó
e los primeros días la su parte esforzó.

   Duró el pleito un año, más non pudo durar;
el caudal del cuitado ya se va a rematar:
cada mes algo le pide, e a él conviene dar;
véndese de su casa los paños y el ajuar.

   Pasado es ya el tiempo e el pleito seguido,
e el cuitado finca dende condenado e vencido;
dice el abogado: "Por cierto fui fallido,
que en los primeros días non lo hube concluido.

   Mas tomadvos buen esfuerzo e non dedes por ende nada,
que aún vos finca ante el rey de tomar la vuestra alzada,
e dadme vuestra mula que tenedes folgada:
ante de veinte días, la sentencia es revocada.

   Pues lo ál aventurarse, non vos debe de doler
lo que aquí despendiéredes de todo vuestro haber,
e veremos los letrados cómo fueron entender
las leyes, que este pleito así hubieron a vencer".

   Non ha que diga el cuitado, ca non tiene corazón;
prometióle de dar la mula pora seguir la apelación.
Después dice el bachiller: "Prestadme vuestro mantón,
ca el tiempo es muy frío, non muera por ocasión.

   De buscarme mil reales vos debedes acuciar,
ca en esto vos va agora el caer o el levantar;
si Dios e los sus santos nos quieren ayudar
non ha leyes que vos puedan, nin sus glosas, dañar".

   El cuitado finca pobre, mas el bachiller se va:
si no es necio o pataco, nunca más le perderá;
así pasa, mal pecado, e pasó e pasará;
quien me creer quisiere, de tal se guardará.

   Por tal avaricia anda hoy día, mal pecado,
con poca caridad todo el mundo dañado;
non es este mal sólo en el tal mal abogado,
que allá anda todo omne e aún caballero armado.

AQUÍ FABLA DE LA GUERRA

   Codician caballeros las guerras cada día
por llevar grandes sueldos e llevar la cuantía,
e fuelgan cuando ven la tierra en robería
de ladrones e cortones que llevan en compañía.

Olvidado han a los moros las sus guerras fazer,
ca en otras tierras llanas asaz fallan que comer:
unos son capitanes, otros envían a correr,
sobre los pobres sin culpa se acostumbran mantener.

Los cristianos han las guerras, los moros están folgados,
e todos los más reinos ya tienen reyes doblados:
e todo aquesto viene por los nuestros pecados,
ca somos contra Dios en toda cosa errados.

Los que con sus bueyes solían las sus tierras labrar,
todos toman ya armas e comienzan a robar,
roban la pobre gente e la fazen hermar;
Dios sólo es aquel que esto podría emendar.

Non pueden usar justicia los reyes en la su tierra,
ca dizen que lo non sufre el tal tiempo de guerra:
asaz es engañado e contra Dios más yerra
quien el camino llano desampara por la sierra.

AQUÍ FABLA DE LA JUSTICIA

La justicia, que es virtud atán noble e loada,
que castiga los malos e la tierra tiene poblada,
débenla guardar reyes, e ya la tienen olvidada,
seyendo piedra preciosa de la su corona honrada...

Por el rey matar omnes no llaman justiciero,
ca sería nombre falso; más propio es carnicero:
ca la noble justicia su nombre tiene verdadero:
el sol de mediodía e de la mañana lucero.

El que en fazer justicia non tiene buen temperamiento
e por queja o por saña faze sobrepujamiento,
o porque sea loado que es de buen regimiento,
este atal non faz justicia, mas faz destruimiento.

Por los nuestros pecados en esto fallescemos:
los que han cargo de justicia e algún lugar tenemos
si algún tiempo acaesce que alguno enforquemos
esto es porque es pobre, e porque loados seremos.

Si tuviere el malfechor algunas cosas que dar,
luego fallo veinte leyes con que le puedo ayudar,
e digo luego: "Amigos, aquí mucho es de cuidar
si debe morir este omne o si debe escapar".

Si va dando o prometiendo algo al adelantado,
alongarse ha su pleito fasta que sea enfriado,
e después en una noche, porque non fue bien guardado,
fuyó de la cadena, nunca rastro le han fallado.

Si el cuitado es muy pobre e non tiene algún caudal,
non le valdrán las *Partidas* nin ningún *Decretal:*
"Crucifige, crucifige", todos dicen por el tal,
"ca es ladrón manifiesto e meresce mucho mal".

Danos el rey sus oficios por nos fazer merced,
sus villas e lugares en justicia mantener,
e cómo nos las regimos, Dios nos quiera defender,
e puedo fablar en esto, ca en ello tuve que fazer.

Con mujeres e con fijos í nos imos a morar,
e con perros e cabañas nuestras casas asentar,
las posadas de la villa las mejores señalar,
e do moren nuestros omnes, que sabrán bien furtar.

Sin el propio salario demandámosles ayuda;
dánnoslo de malamente a uno que la fruente suda:
el rey que buen juez en villa tener cuida,
tiene una mala yerba, que peor fiede que ruda.

E ponemos luego í en nuestro lugar teniente
que pesquiera e escuche si fallare accidente,
porque nos algo le vemos e será bien diligente,
e si algo estropezó, faga cuenta que es doliente.

Luego es puesto en la prisión cargado de cadenas,
que non vea sol nin luna, menazando d'aber penas:
pero si diese un paño de Melinas con sus trenas,
valerle ha piedad, non le pornían de las almenas.

Viene luego el concejo, dice: "Señor, esto,
esto es un omne llano, siempre le vimos de buen gesto,
dadlo sobre fiadores, cualquier de nos es presto
de tornarlo a la prisión". Digo yo: "Otro es el texto;

éste es un gran traidor, meresce ser enforcado,
días ha que lo conozco por omne mal enfamado;
si el rey ora lo supiese, por cierto serie pagado
por cuanto yo le tomara e lo tiengo recaudado".

Viene después a mí aparte a fablar un mercader;
diz: "Señor, dadme aqueste omne, pues só vuestro seguidor,
e tomad de mí en joyas, pora en vuestro tajador,
estos seis marcos de plata o en oro su valor".

Dígole: "Yo non faría por cierto tan mal fecho;
vos bien me conoscedes, non me pago de cohecho,
pero por vuestra honra, si entendedes, yo provecho:
llevadlo a vuestra casa, non vos salga del techo;
   non lo sepa ninguno, nin lo tengades en juego,
ca me perderían el miedo los malfechores luego;
decidle que se castigue de mi parte í vos ruego,
ca yo en amar la justicia así ardo como fuego".

DE LOS REGIDORES

   Si vienen los regidores e ponen la fieldad,
bien sabe que les él pone e tómales la verdad,
que guarden sobre sus almas al rey toda lealtad,
mas, aparte, a cada uno díceles: "Esto me dad".
   Nin valen Evangelios, nin juras nin Sacramento;
si el mes monta trescientos, nunca ellos dan los ciento,
los otros lleva el alcalde o los más, si non vos miento;
así anda la justicia con todo destruimiento.

DE LOS FECHOS DEL PALACIO

   ...Los reyes e los príncipes, maguer sean señores,
asaz pasan en el mundo de cuitas e dolores;
sufren de cada día de todos sus servidores
que les ponen en enojo, fasta que vienen sudores.
   En una hora del día nunca le dan vagar,
porque cada uno tiene los sus fechos de librar:
el uno lo ha dejado, el otro lo va tomar,
como si algún maleficio hubiese de confesar.
   Non ha rincón en el palacio do no sea apretado;
maguer señor lo llaman, asaz está quejado,
que atales cosas le piden que conviene forzado
que les diga mentiras que nunca hubo pensado.
   Con él son al comer todos al derredor,
paresce que allí tienen preso un malfechor:
quien trae la vianda o el su tajador,
por tal cabo allí llega que non puede peor...

Antes que haya comido nin mesa levantada,
llégale un mensajero, tráele una carta cerrada;
él calla con cordura e non muestra su gesto nada,
pero nuevas le vinieron que una villa le es alzada.

Después que ha comido viene el tesorero;
con él va a la cámara, entra luego primero;
Diz: "Señor, ¿qué faremos? Que ya non hay dinero
para pagar el sueldo de aqueste mes primero".

Ahí entran caballeros con grande afincamiento;
"Señor —dicen—, por cierto, somos en perdimiento;
non nos pagan el sueldo por veinte ni por ciento,
e están todas las gentes con gran estruimiento.

Si luego non mandades del sueldo acorrer,
un omne solo d'armas non podemos tener
que de aquí non se vaya a buscar de comer;
a cualquier parte irán; non lo podemos saber".

Saliendo de la cámara, está luego un concejo
diciendo a grandes voces: "Señor, si non pones consejo,
que nos roban del todo e non dejan pellejo,
la tierra que guardada estaba, como hombre de espejo.

Róbannos los ganados e los silos del pan,
e dicen claramente que si el pueblo non les dan,
que vivos con los fijos así nos comerán,
e quemarán las casas con fuego d'alquitrán".

Anda el rey en esto en derredor callado;
paresce que es un toro que anda garrochado.
"Amigos —dice a todos—, yo lo veré de grado":
Dios sabe cómo non tiene su corazón folgado.

¿Cuál estado puede en aqueste mundo ser
sinon con gran peligro e con poco placer?
E por ende, amigos, tornemos a querer
aquel bien cumplido que non ha fallescer...

Los bienes deste mundo vienen con gran cuidado,
si bienes pueden ser, ser dichos, mal pecado;
en ellos non ha firmeza, mas asaz anda quejado
el que los cobrar puede e muy mucho penado.

Veo un rey muy grande o un emperador
que es de muy gran tierra príncipe e señor,
e toda la su vida vive con gran dolor,
e después, cuando a la muerte, asaz va con pavor.

Fincan muchas guerras después de la su vida;
nin le pagan testamento nin su manda es cumplida;
antes que del cuerpo el alma sea ida,
tañen por su palacio y a todos da cogida.

Van luego cada uno a su tierra a robar
diciendo que quieren los sus castillos guardar;
bastécenlos robando e envían pleitear
con el nuevo heredero cómo podrán pasar.

Nin se les viene miente del padre nin de su buen **fecho**,
nin que es aguisado, lealtad nin derecho;
cada uno se cata e empieza su provecho,
e esperan dó irán las cosas por su trecho.

Antes que a él vengan fazen su pleitesía
que les paguen las deudas e doblen la cuantía,
e que sea perdonado lo que robado había;
los que fueron robados, que finquen con mal día.

Conviene que lo faga, que quiera o que no,
ca ha muy poco tiempo que sobrellos reinó;
dice a sus privados: "Aquí conviene que yo
otorgue todo esto", e sus cartas les dio.

"Mas a buena fe, maguer que m'an enojado
e cuidan agora que han bien pleiteado,
ellos lo pagarán con el doblo logrado,
todo cuanto han fecho después que yo he reinado".

Faze el rey sus cortes, vienen sus caballeros,
e vienen de ciudades e villas mensajeros;
todos dan grandes voces que quieren ser justicieros;
dicen: "Señor, merinos nos dad luego primeros,

mandad guardar justicia, vuestras leyes nos dad,
e que vivamos todos en buena igualdad;
firmemos en el reino todos la hermandad,
e desto nuevas leyes aquí nos otorgad".

Las cortes son ya fechas, las leyes ordenadas,
los ministros son puestos, hermandades firmadas,
e fasta los tres meses serán muy bien guardadas,
e dende adelante, robe quien más pudier aosadas.

Antes que dende parta el rey ha mensajeros
que un rey su vecino ha puesto ya fronteros
e quiere fazer guerra, e paga ya dineros;
tornan luego alegres todos los caballeros.

"Señor —dicen—, aosadas comencemos la guerra;
ante de cuatro meses tomar le hedes la tierra,
que non finque castillo en llano nin en sierra,
ca todos bien sabemos que sin razón vos yerra".

Faze el rey su consejo e manda llamar privados,
e vienen caballeros, doctores e prelados:
si farán esta guerra quieren ser avisados,
e han muchas porfías e a uno non son acordados.

E los letrados dicen: "Líbrense por derecho,
ca según que nos fallamos, por nos es este fecho,
e será por el reino uno muy gran provecho
antes que vos agora derramar nuevo pecho".

Dice el prelado: "Non querría uno baldón
que el reino rescibiese por aquesta razón:
cueste lo que costare í porné mi ración,
aunque venda el sombrero que traje d'Aviñón".

Dice el caballero: "Só omne de paraje,
nunca vos fizo mengua cierto el mi linaje;
de vos servir agora vos fago homenaje,
que vos non fallezca siquier con el mi paje".

Dicen los de la villa todos como en concejo:
"Señor, está el reino guardado como espejo;
non le busquedes guerra, que será mal sobejo,
e sobre esto, señor, habed otro consejo".

El rey es muy mancebo e la guerra quería,
codicia probar armas e ver caballería;
del sueldo non se acuerda, nin qué le costaría;
el que le conseja guerra, mejor le parescía.

Atanto que pudieron fazer los caballeros,
ayudando prelados, que partan fronteros,
mandan comprar caballos e dar a los guerreros,
mandan que fagan armas apriesa los ferreros.

Mandan armar galeas e nombran los patrones;
fazen el almacén, dardos e viratones;
suma deste consejo e fin de las razones:
llevan muchos dineros arlotes e ladrones.

Derraman el alcabala que se llama decena,
e al que la furtare pónenle muy gran pena:
que la peche doblada e vaya a la cadena;
para destruir el reino adóbase la cena.

Derraman galeotes, derraman ballesteros,
e bueyes e carretas, e otros omnes lanceros,
e para fazer piedras í vienen los pedreros,
e envían a Burgos, llaman los ingenieros.

Envían a la marisma las sus naves armar
e omnes que lo sepan fazer e acuciar;
lleve muchos dineros para la gente pagar;
perderse ha el armador, si Dios non le ayudar.

Todo esto la codicia lo trae así dañado,
destruye el reino e finca muy robado,
el rey non faz tesoro e el cuerpo tien lazrado,
el alma, en aventura la tiene, mal pecado.

Quien bien le aconsejare si lo puede fazer,
en consejar la paz faga a su poder:
ca esta puebla tierras e las finche de haber,
e los pueblos muchigua con bien e con placer...

Por ende, cristiano non debe ser llamado
el que la paz non quiere e está desheredado
del noble Testamento, que ahí fue ordenado
del Salvador que en paz nos ha dejado.

El que esperanza en paz non quiere haber,
en la muy gran fortuna su nave quiere poner;
en la arena quiere su simiente fazer;
cuando cuida que gana, ciento tanto va perder.

Ésta faze al pobre venir a gran alteza;
la paz faze al rico vivir en su riqueza;
ésta castiga al malo, sin ninguna pereza;
ésta faze al bueno durar su fortaleza.

Los reys que paz amaren su reino poblarán;
los moradores dél con esto enriquecerán;
a sus enemigos con paz espantarán;
tesoros bien ganados con esto allegarán.

Si quisiere el rey ser de todos temido,
haya paz en su reino, non lo ponga en olvido,
ca de los sus vasallos siempre será querido;
e si la guerra sigue, todo esto es perdido.

Cuando los sus vecinos al rey vieren estar
en paz asosegado, luego le van dudar,
ca le ven de tesoro e de todo allegar
con que él está muy presto para los guerrear.

Tiene muy gran tesoro, mucha caballería,
mucho pueblo rico que cresce cada día,
e muchas voluntades; e por ende sería
muy loco quien la guerra volviese, nin porfía.
 Tiene muchos dineros, mucho oro e plata,
todo muy bien ganado, sin ninguna barata,
de las sus propias rentas, ca de ál non se cata;
a quien lo guerreare, aína lo desata.
 Repáranse las villas e todas las ciudades,
de muchos buenos muros e muchas libertades;
toman buenas costumbres los omnes, e bondades,
ca tienen buen espacio de castigar maldades.
 Toman gran alegría los pueblos, e placer;
dicen: "Señor, tu quieras mantener
aqueste rey muy noble, que nos faze tener
en paz e en sosiego; non lo dejes caer".

7

LIBRO DE MISERIA DE OMNE

DE VARIIS STUDIIS HOMINUM

...Oísteis muchas razones del que quier mucho saber,
lo que ha estudiado cuánto le puede valer;
decirvos he, si vos place, del que quiere enriquecer:
ninguno non será rico omne por siempre al sol yacer.
 Por amor de ganar algo los omnes que son mortales
andan, corren e trastornan por oteros e por valles,
fazen vías e caminos por sierras e peñascales,
desende pasan la mar, en que sufren muchos males,
 e pónense a tronidas e a rayos muy mortales,
desende a pluvias e a vientos e a todas tempestades;
escudriñan todo el mundo e los fondones de los mares;
por ganar una meaja muchos pierden sus verdades.
 Tajan, duelan, urden, tejen, fazen muchas maestrías;
plantan viñas, fazen casas, huertas, fornos, pesquerías;

fazen furtos e engaños, que son malas mercaderías,
e por amor de los dineros otras muchas follías.

Muchas maneras cata omne por amor el dinero ganar,
porque haya dignidades que lo trayan a honrar;
por pecados a las buenas non se quieren acostar;
cuántas son buenas o malas non podría rezar,

pero quiero vos decir, e non vos lo olvidedes,
cuanto avedes ganado e cuanto que ganaredes
non es ál sinon lazeria si vos bien lo entendedes:
creedlo a Salomón si a mí non lo creedes.

El rey sabio Salomón así dijo sus afares,
fizo casa, fizo huertas, plantó viñas e pomares,
fizo pezinas de aguas pora regar las heredades,
en los ríos caudales, pora pescar, los cañales:

"De las tierras de los reyes fize oro allegar,
e de las mis posesiones mucho argent montonar;
de fize vasos preciados pora vino ministrar,
juglares e juglaresas pora delante mí cantar.

Hube siervos e ancilas e familias sin mesura;
hube bustos de ganados, non sabría contadura;
vencí en Jerusalén todos los de mi natura
e demás todos los otros en riqueza e ventura".

Aquestas cosas pensadas el sabio rey Salomón
levantósle un suspiro, echólo de corazón,
dijo: "Cuanto hoy he fecho non vale un pipión,
es vanidad e lazeria, todo va en perdición".

Cuando atán cuerdo omne, nunca hubo su par,
las riquezas deste mundo así las quiso aviltar,
¿qué fará el omne pobre que siempre ha de trabajar?
Non quiera otras riquezas; piénsese a Dios ganar.

DE DIVERSIS ANXIETATIBUS: DE MISERIA PAUPERUM

Dije vos de la riqueza cómo se puede ganar,
de los que la ganar quieren cuánto haben de lazrar,
después que la ha ganado, ¿cuánto les puede prestar?
Decir vos he de la pobreza cuánto mal ha de pasar.

El ombre empobrecido trae capa muy cativa,
cuando habe la camisa non puede haber la saya,

desfallécele la calza, trae rota la zapata,
por pecados, non ha bragas que pueda cubrir la nalga.

    La mujer empobrecida trae mezquino tocado,
habe rota la camisa e parécele el costado;
muchas son tan malastrugas e tan mezquino fado
que non tienen con que cubran el vergonzoso forado.

    Cuando viene el invierno, que faze malas heladas,
apriémelo el gran frío e fiere grandes quejaradas;
el que non trae dineros non puede trobar posadas,
si las entrare por fuerza darle han grandes palancadas.

    Aún vos quiero decir del pobre e del menguado:
por la su mala ventura de todos es olvidado
e de todos confundido e de todos despreciado;
lo que es mayor quebranto: de los suyos desechado.

    Si pidiere por las puertas, pidrá muy envergonzado;
si non quisiere pedir, non dormirá bien folgado,
mas aunque pida por las puertas, de fambre será aquejado:
a pedir habrá por fuerza maldiciendo el su fado.

    Cuando se ve en coyta e muy mala sazón
contúrbasele el seso, así faze el corazón;
tórnase contra Dios e dize atal razón:
que non parte bien las cosas cuantas en el mundo son.

DE MISERIA DOMINORUM ET SERVORUM

    Cuando en casa del siervo el señor quiere cenar,
envía su escudero que lo faga adobar:
el siervo malaventurado lo que habe quier negar,
mas con todo, negro día, hábelo de manifestar.

    El señor en este comedio por las viñas va cazar;
anda valles e oteros, caz non puede trobar;
trae cansada la bestia, los canes quieren folgar;
el azor anda gritando por amor de se cebar.

    El señor viene a posado, el su rocín muy cansado;
trae sus canes hambrientos e el azor non cebado;
cuando entra en el posado muéstrase muy airado:
el siervo está apremiado, como mur en el forado.

    Maguer quiera o non quiera haber se ha de demostrar,
como buey a la melena, va su mano a besar,

desende si habe gallina, si non, irla ha a buscar
pora comprarla como quier pora el azor cebar.
　E demás, si habe el siervo buey, o puerco, o pollino,
sacárgelo ha de casa e metrá í su rocino;
será desapoderado del su pan e del su vino,
e yazrá con sus fijuelos en casa de su vecino.
　Aún quiero vos decir sobre esta mezquina cena:
por la culpa del señor el siervo habe laceria,
e si el siervo habe culpa, el señor habe la prenda,
que quier canten los mayores, los menores han la pena.
　Onde dice gran verdad el rey sabio Salomón:
el siervo con su señor non andan bien a compañón,
nin el pobre con el rico non partirán bien quiñón,
nin será bien segurada oveja con el león.

8

PROVERBIOS DE SALOMÓN

　En el nombre de Dios e de Santa María, quiero decir una
　　razón
de las palabras que dijo Salomón;
fabla deste mundo e de las cosas que ahí son,
cómo son fallecederas a poca de sazón.
　¡Oh, mezquino deste mundo, cómo es lleno de engaños!
En allegar riquezas e averes tamaños,
mulas e palafreses, vestiduras e paños,
para ser fallecederas en tan pocos de años.
　Comer e beber e cabalgar en mula gruesa,
non se le miembra el tiempo que ha de yacer en la fuesa,
el cabello pelado e la calavera muesa.
　El bien de aqueste mundo la muerte lo destaja,
fallecen los dineros, el oro e la plata,
el pres e la bruneta, verdescur e escarlata.
　Morrán los poderosos, reyes e potestades,
obispos e arçobispos, clérigos e capellanes;
fincarán los averes en todas las cibdades,
las tierras e las viñas e todas las heredades.
　Atal es este mundo como en la mar los pescados:
los unos son menores, los otros son granados,

cómense los mayores a los que son menguados:
éstos son los reyes e los apoderados.

Ninguno por riqueza preciar non se debe:
maguera que es sano, bien come e bien bebe,
non se fíe en aqueste mundo, que la vida es breve:
también se muere el rico como el mezquino pobre.

Al que veyen rico tiénenlo por sesudo
porque cierra bien su puerta e métese en oscuro,
come buenos comeres e bebe bien a menudo;
poco ha por el pobre que está en la cal desnudo.

El rico que al pobre quiere ser avariento,
que lo tiene en desdén e en despreciamiento,
aquel que aquesto faze, darle ha Dios mal majamiento,
que por un dinero darte en aquel siglo ciento.

El que non quiere dar por Dios, faze muy gran locura,
desprescia el mandamiento que manda la escritura:
cuando vieres al pobre tú dale vestidura,
non desprecies a tu carne nin a tu misma natura.

Rico eres, si bueno fueres guárdate de maleza,
contra tu carne misma non fagas escaceza,
que si non dieres por Dios, que te dio la riqueza,
yazrás en aquel siglo en fondón de cabeza.

Mal partes el ordio, así fazes el trigo;
non quieres dar por Dios, non será contigo,
después que fueres muerto non te valdrá un figo,
serás en aquel siglo por siempre pobre e mezquino.

¡Oh mezquino pecador, en tan fuerte punto nado!
¿Qué cuenta podrás dar de lo que has ganado?
Que no condeses tesoros quel Señor te haya dado,
que el día del Juicio serte ha mal demandado...

9

LA DANZA DE LA MUERTE

Prólogo en la trasladación

Aquí comienza la Danza General, en la cual trata cómo la muerte dice [e] avisa a todas las criaturas que paren mientes

en la breviedad de su vida e que della mayor caudal non sea
fecho que ella meresce. E así mesmo les dice e requiere que
vean e oyan bien lo que los sabios predicadores les dicen e amo-
nestan de cada día, dándoles bueno e sano consejo que pugnien
en fazer buenas obras porque hayan complido perdón de sus
pecados. E luego siguiente mostrando por experiencia lo que
dice, llama e requiere a todos los estados del mundo que vengan
de su buen grado o contra su voluntad; comenzando, dice así:

DICE LA MUERTE:

Yo só la muerte cierta a todas las criaturas
que son y serán en el mundo durante;
demando y digo, oh omne, por qué curas
de vida tan breve en punto pasante,
pues non hay tan fuerte nin recio gigante
que deste mi arco se pueda amparar;
conviene que mueras cuando lo tirar
con esta mi flecha cruel traspasante.

¡Qué locura es ésta tan manifiesta,
que piensas tú, omne, que el otro morrá
e tú quedarás, por ser bien compuesta
la tu complisión, e que durará!
Non eres cierto si en punto verná
sobre ti a deshora alguna corrupción
de landre o carbunco, o tal inplisión
porque el tu vil cuerpo se desatará.

¿O piensas, por ser mancebo valiente
o niño de días, que a lueñe estaré,
e fasta que llegues a viejo impotente
la mi venida me detardaré?
Avísate bien, que yo llegaré
a tú a deshora, que non he cuidado
que tú seas mancebo o viejo cansado,
que cual te fallare tal te llevaré.

La plática muestra ser pura verdad
aquesto que digo, sin otra fallencia;
la Santa Escritura con certenidad
da, sobre todo, su firme sentencia

a todos, diciendo: "Fazed penitencia,
que a morir habedes, non sabedes cuándo".
Si non, ved el fraile que está predicando;
mirad lo que dice de su gran sabiencia.

DICE EL PREDICADOR:

Señores honrados, la Santa Escritura
demuestra e dice que todo omne nascido
gustará la muerte, maguer sea dura,
ca trujo al mundo un solo bocado;
ca Papa, o rey, o obispo sagrado,
cardenal, o duque e conde excelente,
o emperador con toda su gente,
que son en el mundo, de morir han forzado.

BUENO E SANO CONSEJO:

Señores, punad en fazer buenas obras,
non vos fiedes en altos estados,
que non vos valdrán tesoros nin doblas
a la muerte que tiene sus lazos parados.
Gemid vuestras culpas, decid los pecados
en cuanto podades con satisfacción,
si queredes haber cumplido perdón
de aquel que perdona los yerros pasados.
Fazed lo que digo, non vos detardedes,
que ya la muerte encomienza a ordenar
una danza esquiva de que non podedes
por cosa ninguna que sea escapar,
a la cual dice que quiere llevar
a todos nosotros lanzando sus redes:
abrid las orejas, que agora oiredes
de su charambela un triste cantar.

DICE LA MUERTE:

A la danza mortal venid los nascidos
que en el mundo soes, de cualquiera estado;

el que non quisiere a fuerza e amidos
fazerle he venir muy toste parado.
Pues que ya el fraile vos ha predicado
que todos vayáis a fazer penitencia,
el que non quisiere poner diligencia
por mí non puede ser más esperado.

PRIMERAMENTE LLAMA A SU DANZA A DOS DONCELLAS:

Esta mi danza traye de presente
estas dos doncellas que vedes fermosas;
ellas vinieron de muy malamente
oír mis canciones, que son dolorosas.
Mas non les valdrán flores e rosas
nin las composturas que poner solían;
de mí, si pudiesen, partirse querrían,
mas non puede ser, que son mis esposas.
    A éstas e a todas por las aposturas
daré fealdad, la vida partida,
e desnudedad por las vestiduras,
por siempre jamás muy triste aburrida,
e por los palacios daré por medida
sepulcros escuros de dentro fedientes,
e por los manjares, gusanos royentes
que coman de dentro su carne podrida.
    E porque el Santo Padre es muy alto señor,
que en todo el mundo non hay su par,
e desta mi danza será guiador;
desnude su capa, comience a sotar;
non es ya tiempo de perdones dar
nin de celebrar en grande aparato,
que yo le daré en breve mal rato:
danzad, Padre Santo, sin más detardar.

DICE EL PADRE SANTO:

¡Ay de mí, triste, qué cosa tan fuerte
a yo, que trataba tan gran prelacía,
haber de pasar agora la muerte
e non me valer lo que dar solía!

Beneficios e honras e gran señoría
tuve en el mundo, pensando vivir;
pues de ti, muerte, non puedo fuir,
valme, Jesucristo, e la Virgen María.

DICE LA MUERTE:

Non vos enojedes, señor Padre Santo,
de andar en mi danza que tengo ordenada;
non vos valdrá el bermejo manto:
de lo que fezistes habredes soldada;
non vos aprovecha echar la Cruzada,
proveer de obispados nin dar beneficios;
aquí moriredes sin fazer más bullicios.
Danzad, imperante, con cara pagada.

DICE EL EMPERADOR:

¿Qué cosa es ésta, que atán sin pavor
me lleva a su danza a fuerza sin grado?
Creo que es la muerte, que non ha dolor
de ome que grande es o cuitado.
Non hay ningún rey nin duque esforzado
que della me pueda agora defender;
¡acorredme todos! Mas non puede ser,
que ya tengo della todo el seso turbado.

DICE LA MUERTE:

Emperador muy grande, en el mundo potente,
non vos cuitedes, ca non es tiempo tal
que librar vos pueda imperio nin gente,
oro nin plata nin otro metal.
Aquí perderedes el vuestro caudal
que atesorastes con gran tiranía
faziendo batallas de noche e de día;
morid non curedes. Venga el cardenal.

DICE EL CARDENAL:

¡Ay, Madre de Dios! Nunca pensé ver
tal danza como ésta a que fazen ir;
querría, si pudiese, la muerte estorcer:
non sé dónde vaya, comienzo a tremer.
Siempre trabajé noctar y escribir
por dar beneficios a los mis criados;
agora mis miembros son todos turbados,
que pierdo la vista e non puedo oír.

DICE LA MUERTE:

Reverendo padre, bien vos avisé
que aquí habríades por fuerza a llegar
en esta mi danza, en que vos faré
agora aína un poco sudar.
Pensastes el mundo por vos trastornar
por llegar a Papa e ser soberano,
mas non lo seredes aqueste verano.
Vos, rey poderoso, venid a danzar.

DICE EL REY:

¡Valía, valía, los mis caballeros!
Yo non quería ir a tan baja danza;
llegad vos con los ballesteros,
amparadme todos por fuerza de lanza.
Mas, ¿qué es aquesto que veo en balanza,
acortarse mi vida e perder los sentidos?
El corazón se me quebra con grandes gemidos;
¡adiós, mis vasallos, que muerte me tranza!

DICE LA MUERTE:

Rey fuerte, tirano, que siempre robastes
todo vuestro reino e fenchistes el arca,
de fazer justicia muy poco curastes,
según es notorio por vuestra comarca.

Venid para mí, que yo só monarca
que prenderé a vos e a otro más alto:
llegad a la danza cortés en un salto.
En pos de vos venga luego el patriarca.

DICE EL PATRIARCA:

Yo nunca pensé venir a tal punto
nin estar en danza tan sin piedad;
ya me van privando, según que barrunto,
de beneficios e de dignidad.
¡Oh, ome mezquino, que en gran ceguedad
anduve en el mundo non parando mientes
cómo la muerte, con sus duros dientes,
roba a todo omne de cualquier edad!

DICE LA MUERTE:

Señor patriarca, yo nunca robé
en alguna parte cosa que non deba;
de matar a todos costumbre lo he,
de escapar alguno de mí non se atreva:
esto vos ganó vuestra madre Eva
por querer gustar fruta devedada;
poned en recaudo vuestra cruz dorada.
Sígase con vos el duque, antes que más viva.

DICE EL DUQUE:

¡Oh, qué malas nuevas son éstas, sin falla,
que agora me traen que vaya a tal juego!
Yo tenía pensado de fazer batalla:
espérame un poco, muerte, yo te ruego,
si non te detienes, miedo he que luego
me prendas o me mates; habré de dejar
todos mis deleites, ca non puedo estar
que mi alma escape de aquel duro fuego.

DICE LA MUERTE:

Duque poderoso, ardid e valiente,
non es ya tiempo de dar dilaciones,
andad en la danza con buen continente,
dejad a los otros vuestras guarniciones:
jamás non podredes cebar los halcones,
ordenar las justas nin fazer torneos;
aquí habrán fin los vuestros deseos.
Venid, arzobispo, dejad los sermones.

DICE EL ARZOBISPO:

¡Ay muerte cruel, que te merescí!
Oh, ¿por qué me llevas tan arrebatado?
Viviendo en deleites nunca te temí,
fiando en la vida quedé engañado:
mas si yo bien rigiera mi arzobispado
de ti non hubiera tan fuerte temor,
mas siempre del mundo fui amador;
bien sé que el infierno tengo aparejado.

DICE LA MUERTE:

Señor arzobispo, pues tan mal registes
vuestros súbditos e clerecía,
gustad amargura por lo que comistes,
manjares diversos con gran golosía;
estar non podredes en Santa María
con palo romano en pontifical;
venid a mi danza, pues soes mortal.
Pase el condestable por otra tal vía.

DICE EL CONDESTABLE:

Yo vi muchas danzas de lindas doncellas,
de dueñas fermosas de alto linaje,

mas, según me paresce, no es ésta dellas,
ca el tañedor trae feo visaje;
venid, camarero, decid a mi paje
que traiga el caballo, que quiero fuir,
que ésta es la danza que dicen morir:
si della escapo, tenerme han por saje.

DICE LA MUERTE:

Fuir non conviene al que ha de estar quedo;
estad, condestable, dejad el caballo,
andad en la danza alegre, muy ledo,
sin fazer ruido, ca yo bien me callo.
Mas verdad vos digo, que al cantar del gallo
seredes tornado de otra figura:
allí perderedes vuestra fermosura.
Venid, vos, obispo, a ser mi vasallo.

DICE EL OBISPO:

Mis manos aprieto, de mis ojos lloro,
porque soy venido a tanta tristura;
yo era abastado de plata y de oro,
de nobles palacios e mucha folgura:
agora la muerte con su mano dura
tráeme en su danza medrosa sobejo;
parientes, amigos, ponedme consejo,
que pueda salir de tal angostura.

DICE LA MUERTE:

Obispo sagrado que fuestes pastor
de ánimas muchas, por vuestro pecado
a juicio iredes ante el Redentor,
e daredes cuenta de vuestro obispado:
siempre anduvistes de gentes cargado,
en corte de rey e fuera de igreja,
mas yo gorsiré la vuestra pelleja.
Venid, caballero que estades armado.

DICE EL CABALLERO:

A mí non paresce ser cosa guisada
que deje mis armas e vaya danzar
a tal danza negra de llanto poblada
que contra los vivos quisiste ordenar.
Según estas nuevas, conviene dejar
mercedes e tierras que gané del rey,
pero a la fin sin duda non sey
cuál es la carrera que habré de levar.

DICE LA MUERTE:

Caballero noble, ardid e ligero,
fazed buen semblante en vuestra persona;
non es aquí tiempo de contar dinero,
oíd mi canción por qué modo cantona;
aquí vos faré correr la athaona,
e después veredes cómo ponen freno
a los de la banda que roban lo ajeno.
Danzad, abad gordo, con vuestra corona.

DICE EL ABAD:

Maguer provechoso só a los religiosos,
de tal danza, amigos, yo non me contento:
en mi celda había manjares sabrosos,
de ir non curaba comer a convento;
dar me hedes signado cómo non consiento
de andar en ella, ca he gran rescelo,
e si tengo tiempo, provoco y apelo,
mas non puede ser, que ya desatiento.

DICE LA MUERTE:

Don abad bendito, folgado, vicioso,
que poco curastes de vestir cilicio;
abrazadme agora, seredes mi esposo
pues que deseastes placeres e vicio:

ca yo só bien presta a vuestro servicio,
habedme por vuestra, quitad de vos saña,
que mucho me place con vuestra compaña.
E vos, escudero, venid al oficio.

DICE EL ESCUDERO:

Dueñas e doncellas, habed de mí duelo,
que fázenme por fuerza dejar los amores;
echóme la muerte su sotil anzuelo,
fázenme danzar danza de dolores.
Non traen, por cierto, firmalles nin flores
los que en ella danzan, mas gran fealdad.
¡Ay de mí, cuitado, que en gran vanidad
anduve en el mundo sirviendo señores!

DICE LA MUERTE:

Escudero polido, de amor sirviente,
dejad los amores de toda persona;
venid, ved mi danza e cómo se adona,
e a los que danzan acompañaredes:
mirad su figura, tal vos tornaredes
que vuestras amadas non vos querrán ver;
habed buen conhorte, que así ha de ser.
Venid vos, deán, non vos corrocedes.

DICE EL DEÁN:

¿Qués aquesto, que yo de mi seso salgo?
Pensé de fuir e non fallo carrera,
grand renta tenía e buen deanazgo,
e mucho trigo en la mi panera.
Allende de aquesto estaba en espera
de ser proveído de algún obispado;
agora la muerte envióme mandado;
mala señal veo, pues fazen la cera.

DICE LA MUERTE:

Don rico avariento, deán muy ufano,
que vuestros dineros trocastes en oro,
a pobres e a viudas cerrastes la mano,
e mal despendistes el vuestro tesoro.
Non quero que estedes ya más en el coro;
salid luego fuera sin otra pereza:
yo vos mostraré venir a pobreza.
Venid, mercadero, a la danza del lloro.

DICE EL MERCADERO:

¿A quién dejaré todas mis riquezas
e mercadurías que traigo en la mar?
Con muchos traspasos e más sutilezas
gané lo que tengo en cada lugar:
agora la muerte vínome llamar.
¿Qué será de mí? Non sé qué me faga.
¡Oh, muerte, tu sierra a mí es gran plaga!
Adiós, mercaderos, que voime a finar.

DICE LA MUERTE:

De hoy non curedes de pasar en Flandes,
estad aquí quedo e iredes ver
la tienda que traigo de bubas y landres:
de gracia las dó, non las quero vender,
una sola dellas vos fará caer
de palmas en tierra en mi botica,
e en ella entraredes, maguer sea chica.
E vos, arcediano, venid al tañer.

DICE EL ARCEDIANO:

¡Oh mundo vil, malo e fallescedero,
cómo me engañaste con tu promisión!
Prometísteme vida, de ti non la espero,
siempre mentiste en toda sazón;

faga quien quisiere la visitación
de mi arcedianadgo, por que trabajé.
¡Ay de mí, cuitado, gran cargo tomé!:
agora lo siento, que fasta aquí non.

DICE LA MUERTE:

Arcediano amigo, quitad el bonete,
venid a la danza suave e honesto,
ca quien en el mundo sus amores mete,
él mesmo le faze venir a todo esto.
Vuestra dignidad, según dice el texto,
es cura de ánimas, e daredes cuenta:
si mal las registes habredes afruenta.
Danzad, abogado, dejad el *Digesto*.

DICE EL ABOGADO:

¿Qué fue ora, mezquino, de cuanto aprendí,
de mi saber todo e mi libelar?
Cuando estar pensé, entonces caí;
cegóme la muerte, non puedo estudiar.
Rescelo he grande de ir al lugar
do non me valdrá libelo nin fuero;
peor es, amigos, que sin lengua muero:
abrazóme la muerte, non puedo fablar.

DICE LA MUERTE:

Don falso abogado prevaricador,
que de ambas las partes llevastes salario,
véngasevos miente cómo sin temor
volvistes la foja por otro contrario.
El *Chino* e el *Bartolo,* e el *Coletario*
non vos librarán de mi poder mero;
aquí pagaredes como buen romero.
E vos, canónigo, dejad el breviario.

DICE EL CANÓNIGO:

Vete agora, muerte, non quiero ir contigo,
déjame ir al coro ganar la ración,
non quero tu danza nin ser tu amigo;
en folgura vivo, non he turbación,
aún este otro día hube provisión
desta canongía que me dio el prelado:
desto que tengo só bien pagado,
vaya quien quisiere a la tu vocación.

DICE LA MUERTE:

Canónigo amigo, non es el camino
ese que pensades, dad acá la mano;
el sobrepelliz delgado de lino
quitadlo de vos e irés más liviano.
Dar vos he un consejo que vos será sano:
tornadvos a Dios e fazed penitencia,
ca sobre vos cierto es dada sentencia.
Llegad acá, físico, que estades ufano.

DICE EL FÍSICO:

Mintióme sin duda el fin de Avicena,
que me prometió muy luengo vivir,
rigiéndome bien a yantar y cena,
dejando el beber después del dormir.
Con esta esperanza pensé conquerir
dineros e plata enfermos curando,
mas agora veo que me va llevando
la muerte consigo: conviene sufrir.

DICE LA MUERTE:

Pensastes vos, físico, que por Galeno
o don Ypocrás con sus inforismos
seredes librado de comer del feno,
que otros gastaron de más silogismos:

non vos valdrá fazer gargarismos,
componer xaropes nin tener dieta;
non sé si lo oístes: yo só la que apreta.
Venid vos, don cura, dejad los bautismos.

DICE EL CURA:

Non quero exenciones nin conjugaciones,
con mis parroquianos quiero ir folgar,
ellos me dan pollos e lechones
e muchas obladas con el pie de altar:
locura sería mis diezmos dejar
e ir a tu danza, de que non sé parte,
pero, a la fin, non sé por cuál arte
desta tu danza pudiese escapar.

DICE LA MUERTE:

Ya non es tiempo de yacer al sol
con los parroquianos bebiendo del vino;
yo vos mostraré un re-mi-fa-sol
que agora compuse de canto muy fino:
tal como a vos quero haber por vecino,
que muchas ánimas tuvistes en gremio;
según las registes habredes el premio.
Dance el labrador que viene del molino.

DICE EL LABRADOR:

¿Cómo conviene danzar al villano
que nunca la mano sacó de la reja?
Busca si te place quien dance liviano;
déjame, muerte, con otro trebeja,
ca yo como tocino e a veces oveja,
e es mi oficio, trabajo e afán
arando las tierras para sembrar pan;
por ende, non curo de oír tu conseja.

DICE LA MUERTE:

Si vuestro trabajo fue siempre sin arte,
non faziendo furto de la tierra ajena,
en la gloria eternal habredes gran parte,
e por el contrario sufriredes pena.
Pero, con todo eso, poned la melena,
allegadvos a mí, yo vos buiré:
lo que a otros fize, a vos lo faré.
E vos, monje negro, tomad buen estrena.

DICE EL MONJE:

Loor e alabanza sea para siempre
al alto Señor que con piedad me lleva
a su santo reino, adonde contemple
por siempre jamás la su majestad.
De cárcel escura vengo a claridad,
donde habré alegría sin otra tristura;
por poco trabajo habré gran folgura:
muerte, no me espanto de tu fealdad.

DICE LA MUERTE:

Si la regla santa del monje bendito
guardastes del todo sin otro deseo,
sin duda tened que soes escrito
en libro de vida, según que yo creo.
Pero si fezistes lo que fazer veo
a otros que andan fuera de la regla,
vida vos darán que sea más negra.
Danzad, usurero, dejad el correo.

DICE EL USURERO:

Non quero tu danza nin tu canto negro,
más quero prestando doblar mi moneda:
con pocos dineros que me dio mi suegro,
otras obras fago que non fizo Beda.

Cada año los doblo; demás, está queda
la prenda en mi casa que está por el todo;
allego riquezas yaciendo de codo;
por ende, tu danza a mí non es leda.

DICE LA MUERTE:

Traidor usurario de mala conciencia,
agora veredes lo que fazer suelo:
en fuego infernal sin más detenencia
porné la vuestra alma cubierta de duelo;
allá estaredes do está vuestro abuelo,
que quiso usar según vos usastes:
por poca ganancia mal siglo ganastes.
E vos, fraile menor, venid a señuelo.

DICE EL FRAILE:

Danzar non conviene a maestro famoso
según que yo só en la religión;
maguer mendicante, vivo ocioso
e muchos desean oír mi sermón.
¡Decidme agora que vaya a tal son!
Danzar non querría si me das lugar.
¡Ay de mí, cuitado, que habré a dejar
las honras e grado, que quera o que non!

DICE LA MUERTE:

Maestro famoso, sotil e capaz,
que en todas las artes fuestes sabidor,
non vos acuitedes, limpiad vuestra faz,
que a pasar habredes por este dolor:
yo vos llevaré ante un sabidor
que sabe las artes sin ningún defecto;
sabredes leer por otro decreto.
Portero de maza, venid al tenor.

DICE EL PORTERO:

¡Ay del rey! ¡Barones, acorredme agora!
Llévame sin grado esta muerte brava;
non me guardé della, tomóme a deshora:
a puerta del rey guardando estaba;
hoy en este día al conde esperaba
que me diese algo porque le di la puerta;
guarde quien quisiere o fínquese abierta,
que ya la mi guarda non vale una faba.

DICE LA MUERTE:

Dejad esas voces, llegad vos corriendo,
que non es ya tiempo de estar en la vela;
las vuestras baratas yo bien las entiendo,
e vuestra codicia por qué modo suena:
cerrada la puerta de más cuando hiela
al ome mezquino que vien a librar,
lo que dél llevastes habrés a pagar.
E vos, ermitaño, salid de la celda.

DICE EL ERMITAÑO:

La muerte recelo maguer que só viejo;
Señor Jesucristo, a ti me encomiendo;
de los que te sirven tú eres espejo:
pues yo te serví, la tu gloria atiendo.
Sabes que sufrí laceria viviendo
en este desierto en contemplación,
de noche e de día faziendo oración,
e por más abstinencia las yerbas comiendo.

DICE LA MUERTE:

Fazes gran cordura; llamarte ha el Señor,
que con diligencia pugnastes servir:
si bien le servistes, habredes honor
en su santo reino, do habés a venir.

Pero con todo esto habredes a ir
en esta mi danza con vuestra barbaza:
de matar a todos aquesta es mi caza.
Danzad, contador, después de dormir.

DICE EL CONTADOR:

¿Quién podría pensar que tan sin disanto
había a dejar mi contaduría?
Llegué a la muerte e vi desbarato
que fazía en los omes con gran osadía:
allí perderé toda mi valía,
haberes y joyas y mi gran poder;
faga libramientos de hoy más quien quisier,
ca cercan dolores el ánima mía.

DICE LA MUERTE:

Contador amigo, si bien vos catades
como por favor e a veces por don
librastes las cuentas, razón es que hayades
dolor e quebranto por tal ocasión.
Cuento de alguarismo nin su división
non vos ternán pro, e iredes conmigo:
andad acá luego, así vos lo digo.
E vos, diácono, venid a lección.

DICE EL DIÁCONO:

Non veo que tienes gesto de lector,
tú que me convidas que vaya a leer;
non vi en Salamanca maestro nin doctor
que tal gesto tenga nin tal parescer.
Bien sé que con arte me queres fazer
que vaya a tu danza para me matar;
si esto así es, venga administrar
otro por mí, que yo vóme a caer.

DICE LA MUERTE:

Maravíllome mucho de vos, dizón,
pues que bien sabedes que es mi doctrina
matar a todos por justa razón,
e vos esquivades oír mi bocina:
yo vos vestiré almática fina
labrada de pino en que ministredes;
fasta que vos llamen en ella iredes.
Venga el que recauda e dance aína.

DICE EL RECAUDADOR:

Asaz he que faga en recaudar
lo que por el rey me fue encomendado,
por ende, non puedo nin debo danzar
en esta tu danza, que non he acostumbrado;
quiero ir agora apriesa priado
por unos dineros que me han prometido,
ca he esperado e el plazo es venido,
mas veo el camino del todo cerrado.

DICE LA MUERTE:

Andad acá luego sin más tardar,
pagad los cohechos que habés llevado,
pues que vuestra vida fue en trabajar
cómo robaríedes al ome cuitado.
Dar vos he un poyo en que estéis asentado
e fagades las rentas que tenga dos pasos;
allí darés cuenta de vuestros traspasos.
Venid, subdiácono, alegre e pagado.

DICE EL SUBDIÁCONO:

Non he menester de ir a trocar
como fazen esos que traes a tu mando,
antes de Evangelio me quero tornar
estas cuatro témporas que se van llegando.

En lugar de tanto veo que llorando
andan todos ésos, no fallan abrigo;
non quero tu danza, así te lo digo,
más quero pasar el salterio rezando.

DICE LA MUERTE:

Mucho es superfluo el vuestro alegar,
por ende, dejad aquesos sermones;
non tenés maña de andar a danzar,
nin comer obladas cerca los tizones;
non iredes más en las procesiones,
do dábades voces muy altas en grito,
como por enero fazía el cabrito.
Venid, sacristán, dejad las razones.

DICE EL SACRISTÁN:

Muerte, yo te ruego que hayas piedad
de mí, que só mozo de pocos días;
non conoscí a Dios con mi mocedad
nin quise tomar nin seguir sus vías.
Fía de mí, amiga, como de otros fías,
porque satisfaga del mal que he fecho,
a ti non se pierde jamás tu derecho,
ca yo iré si tú por mí envías.

DICE LA MUERTE:

Don sacristanejo de mala picaña,
ya non tenés tiempo de saltar paredes
nin de andar de noche con los de la caña
faziendo las obras que vos bien sabedes.
Andar a rondar vos ya non podredes,
nin presentar joyas a vuestra señora:
si bien vos quere, quítevos agora.
Venid vos, rabí; acá meldaredes.

DICE EL RABÍ:

Helohym a Dios de Abraham,
que prometiste la redención;
non sé qué me faga con tan gran afán,
mandadme que dance, non entiendo el son.
Non ha ome en el mundo de cuantos í son
que pueda fuir de su mandamiento;
veladme, dayanes, que mi entendimiento
se pierde del todo con gran aflicción.

DICE LA MUERTE:

Don rabí barbudo, que siempre estudiastes
en el *Talmud* e en los sus doctores,
e de la verdad jamás non curastes,
por lo cual habredes penas e dolores:
llegadvos acá con los danzadores
e diredes por canto vuestra *berahá*.
Darvos han posada con rabí acá,
venid, alfaquí, dejad los sabores.

DICE EL ALFAQUÍ:

Sí Alahá me vala, es fuerte cosa
esto que me mandas agora fazer;
yo tengo mujer discreta, graciosa,
de que he gasajado e asaz placer.
Todo cuanto tengo quero perder,
déjame con ella solamente estar,
de que fuere viejo mándame llevar,
e a ella conmigo, si a ti pluguier.

DICE LA MUERTE:

Venid vos, amigo, dejad el *zallá*,
ca el gameño predicaredes,
a los veintisiete vuestro capellá
nin vuestra camisa non la vestiredes;

en Meca nin en Layda í non estaredes
comiendo buñuelos en alegría;
busque otro alfaquí vuestra morería.
Pasad vos, santero, veré qué diredes.

DICE EL SANTERO:

Por cierto, más quero mi ermita vivir
que non ir allá do tú me dices:
tengo buena vida, aunque ando a pedir,
e como a las veces pollos e perdices;
sé tomar al tiempo bien las codornices,
e tengo en mi huerto asaz de repollos:
vete, que non quero tu gato con pollos;
a Dios me encomiendo y a señor San Helices.

DICE LA MUERTE:

Non vos vale nada vuestro recelar;
andad acá luego vos, don taleguero,
que non quisistes la ermita adobar:
feziste alcuza de vuestro garguero.
Non visitaredes la bota de cuero
con que a menudo solíades beber,
zurrón nin talega non podrés traer,
nin pedir gallofas como de primero.

LO QUE DICE LA MUERTE A LOS QUE NO NOMBRÓ:

A todos los que aquí non he nombrado,
de cualquier ley, estado o condición,
les mando que vengan muy toste priado
a entrar en mi danza sin excusación.
Non rescibiré jamás exención
nin otro libelo nin declinatoria:
los que bien fizieron habrán siempre gloria;
los quel contrario, habrán dañación.

DICEN LOS QUE HAN DE PASAR POR LA MUERTE:

Pues que así es que a morir habemos
de nescesidad sin otro remedio,
con pura conciencia todos trabajemos
en servir a Dios sin otro comedio,
ca Él es príncipe [sic], fin e el medio
por do, si le plaze, habremos folgura,
aunque la muerte con danza muy dura
nos meta en su corro en cualquier comedio.

ALFONSO ÁLVAREZ DE VILLASANDINO

10

Este decir dicen que fizo el dicho Alfonso Alvarez de Villa-
sandino al rey don Enrique, padre del rey nuestro señor, cuan-
do estaba en tutorías; pero non se puede creer que lo él feziese,
por cuanto va errado en algunas consonantes, non embargante
quel decir es muy bueno e pica en lo vivo

Noble vista angelical,
alto señor poderoso,
rey honesto, orgulloso,
de corazón muy real,
yo, vuestro natural,
vos presento este deitado,
porque veo este reinado
cada día andar con mal.
  Por el mucho mal que veo
en este reino cuitado,
tomé carga e cuidado
de fazer con gran deseo
este escripto, maguer feo,
para vos dar en presente,
porque veo ciertamente
muy flojo vuestro correo.

Hablaré primeramente
en los vuestros regidores,
porque son gobernadores
deste reino e de la gente:
a oriente e a occidente
nunca cesan de robar;
cuanto pueden alcanzar
tómanlo de buenamente.

Tienen ellos los dineros
más espesos que enjambre,
e matan a vos de fambre
e a los vuestros escuderos:
Señor, tales caballeros
non parescen regidores,
salvo lobos robadores,
codiciosos, manzilleros.

Fezieron repartimientos
por muy extraño arte;
cada uno tomó parte
de vuestros recaudamientos,
por lo cual los ponimientos
fasta hoy non son pagados;
vuestros vasallos cuitados
andan pobres e fambrientos.

Por muy gran contía de oro
vendieron estos oficios,
porque ellos hayan vicios
e lleguen mucho tesoro;
esto todo torna en lloro,
gran señor, a vuestra gente,
que combrién de buenamente
siquiera carne de toro.

Señor, estos que compraron
los oficios desta guisa,
según fallo por pesquisa,
todo el reino cohecharon,
pero a muchos non pagaron
porque non tenién dineros,
por cuanto los caballeros
la mayor parte tomaron.

Pero a los recaudadores,
Señor, non pongades culpa,
ca non les dejaron pulpa,
salvo cuitas e dolores:
aunque son cohechadores
fázenlo con gran derecho,
pues que pagaron buen pecho
a los dichos robadores.

   Los que usan de mercar
en alguna merchandía,
non la compran todavía
salvo ende por ganar:
pues estos fueron comprar
los dichos recaudamientos,
fuerza es los ponimientos
que se han de cohechar.

   Vuestro padre que heredado
con Dios sea en Paraíso,
en su vida siempre quiso
servidor noble, esmerado;
en lo tal fue su cuidado,
buscar hombre sin bollicio,
ca non venden el oficio
como judío renegado.

   Dieron oficios extraños
cuales nunca fueron dados,
nin los reyes ya pasados
nunca los dieron tamaños;
con estos tales engaños
anda el reino como anda:
algunos traen la banda
que querrién ser ermitaños.

   E poblaron de escribanos,
Señor, muy bien vuestra casa:
todos arden como brasa
por bullir con las sus manos;
tantos son e tan lozanos,
e creo sin toda falla
que podrién poner batalla
a todos reyes cristianos.

Otro oficio ya excusado,
Señor, dieron después desto,
a un prelado bien honesto
ques en Osma heredado:
porqués noble e letrado
le fezieron contador
sobre todos el mayor,
porque sea más honrado.

Diéronle de quitación
con que rece sus maitines
destos que llaman florines
seis mil de los de Aragón
a aqueste noble varón
cada año con el oficio,
porqués hombre sin bullicio
e fecho a buena intención.

Non serié gran maravilla
aqueste noble pastor
que fuese gobernador
d'Aragón e de Sezilla:
pues conquistó a Sevilla,
bien meresce de ser juez
de la mar fasta en Fez
con el reino de Castilla.

Señor, mucho más diría
si lo quisiese decir,
mas non lo podriá escribir
en dos noches e un día,
tanta es la burlería
que en la corte veo andar,
que non la podrié contar
un maestro en teología.

FRAY DIEGO DE VALENCIA

11

Este decir como a manera de pregunta fizo a Gonzalo López de Guayanes, pidiéndolo que le declarase por qué son los fidalgos

Gonzalo Guayanes, por amor de mí,
que Dios vos dé gracia del rey e del conde,
que vos me digades si sabedes dónde
fueron los fidalgos llamados así,
pues todos salimos de una raíz
fallida e menguada e muy pecatriz:
si leedes la Biblia, fallarlo hedes í.
Los sabios antigos de la polecía
fablando en fecho de vos, los fidalgos,
dicen que debedes partir vuestros algos
e ser liberales sin mala folía;
non traer al bueno que siempre demande,
decir e fazer obra es de grande,
señal verdadera de la fidalguía.

Membrot el primero, que fue poderoso,
según que se falla por el Genesí,
por dar fue loado e dar otrosí
leal sin fallencia, señor muy famoso,
e non por mentir, ca es gran mengua,
e todo fidalgo que usa su lengua
en esta follía será vergoñoso.

El rey Alejandre, señor reverendo,
que por su nobleza sojuzgó el mundo,
non hubo igual nin otro segundo,
por dar fue loado de toda la gente:
el dar es nobleza, cimiento de nobles;
pedir es tristeza, tormento de pobres,
e pena de muerte pedir al que miente.

FINIDA

Queriendo saber la cosa dudosa,
que me respondades a esta mi prosa,
ca bien entendedes si es conveniente.

FERRÁN MANUEL DE LANDO

12

Este decir fizo e ordenó cuando la reina doña Catalina mandó fazer en Valladolid un torneo muy grande e muy famoso por el nascimiento del rey nuestro señor el día de la fiesta de Santo Tomás de Aquino, el cual es bien fecho e muy bien ordenado

En el torneo campal
que fue fecho e aplazado,
muy valiente denodado
fuiste, señor mariscal,
pero burlaron vos mal
los que la fiesta rigieron,
pues de comer non vos dieron
de dentro del grande hostal.
Omes de noble caudal
llegastes larga docena,
pensando fazer estrena
en vino de Madrigal;
mas la verdad non fue tal:
antes vimos bien de llano
que non vino a vuestra mano
Toro nin Villa Real.
 Con esta mengua mortal
vos e toda la otra gente
comistes livianamente,
non muy bien nin comunal,
a voz de uno cada cual
mostrando triste su gesto;

lo que vino después desto
non fue muy fino metal.

A todos en general
vos vino mandado luego
que tornásedes al juego
e non faziésedes ál:
desque el fecho humanal
entendistes e escuchastes,
amarillos vos tornastes
como pico de doral.

"¡Oh, Santa María, val!",
dijo luego Juan Furtado,
"mucho me siento cansado,
quebrantado, desigual;
pero amigos, non min cal,
maguer que cansancio siento,
quiero cumplir mandamiento
de mi señor natural".

Pero Núñez, principal,
con flaqueza que sentía
dijo: "Armado non podría
moverme fasta el quicial:
que dentro en el gran corral,
entre grandes e menudos,
de armas e varascudos
me traigan de un quintal".

Luengo como aguñal
dijo triste Juan de Heredia:
"Si Dios aquí non remedia,
nihil es lo temporal:
mi arnés e mi brazal
está ya desguarnecido;
todo ando amodorrido,
sin sentido sustancial".

Con pesar potencial
fizo Diego promesa
que non reiría de esa
los de siglo mundanal,
que la virtud potencial
luego improviso perdiera,

cuando trujo por cimera
un gran ángel infernal.

Muy más feble que cendal
llegó Lope con ufana,
e otrosí Juan de Luxana,
tan ancho como el costal,
diciendo: "Gracia nin sal
non vemos en este fecho",
e pusiéronlo en derecho
por conclusión final.

Desque modo liberal
entendió í Pero Ruiz;
arrufó su gran nariz
e respondió personal
pues que en sala presencial
conviene que tornease,
a quien punta le lanzase
quel darie con un puñal.

Por manera angelical
Íñigo López loado
vino muy bien apostado,
con un jaque de sayal,
e pronunció figural
un lucero de oropel:
cuando fiere el sol en él,
más reluce que cristal.

El segundo mayoral,
cuando entendió la razón
tornósele el corazón
más chico que de un pardal,
e dijo: "Mala señal
es estar para ir sano,
e causar este verano
desque viniere el carnal".

En un balandrán papal
propuso Pero Manuel,
relleno como tonel
con sangre fremental:
"Deste juego capital
en que estuve trabajando,

juro a Dios, más flojo ando
que madeja sin condal".

Femenino, liberal,
Rodrigo fabló acucioso:
"Mucho anda peligroso
el mi yelmo sin camal,
e si otro artificial
non me dan mejor guardado,
bien podría, mal pecado,
comer con el cardenal".

Con título de oficial
Alfonso Ferrandes í vino,
su chapirete bien fino
atado con un ramal,
jurando que venial
algún pecado fiziera,
porque luego en la primera
le dieron en el frontal.

Muy espeso, material,
Gonzalo López venía
con pura malenconía,
más bermejo quel coral,
diciendo: "En el arrabal
mis espaldas trabajaban,
ca los golpes que me daban
sonaban como atabal".

Con un gran laúd tumbal
asomó Juan de Ajofrín
en el su rucio rocín,
con retrancas e petral,
faziendo jura especial
que ya muy cansado era,
ca el espada que trajera
pesaba como destral.

De dentro de Portogal
vino un noble caballero,
Ferrando Porto Carrero,
más redondo que costal,
cosida con seda real
una nave que traía,

en la cual non fallescía
levante nin vendaval.

So la pena criminal
fueron todos al torneo,
non muy ledos, según creo,
deste daño universal,
e un escudero leal,
Pero Coco, campesino,
con fortuna que le vino
ensució todo el visal.

Otro varón cardenal,
Garci Sánchez del Varado,
más por fuerza que de grado
paresció luego esencial:
con discreción mortal
fazía que torneaba,
pero mucho quedo estaba
asentado en un poyal.

Delgado como varal
traía Juan de Perea
un alheme por librea
ceñido por un hiscal,
e por fuera cordial
fizo el comenzamiento,
mas dio una e llevó ciento
pegado en el fastial.

Torneando festinal
Lope Sánchez en Palacio,
recrecióle tal cansancio
que dijo: "¡Dios divinal!,
si tu poder celestial
non viene que me confuerte,
reniego de mala suerte,
poséme en el bancal".

Sanguino e colorical
llegó Alfonso de las Eras
con muy lindas canilleras,
tan gordas como un tapial,
e diciendo todos "dal",
e cuando alguno le fería,

el caballero descreía
de tal burla maçorral.

 Tamaño como un zorzal
vino don Pedro bien tarde,
faziendo muy gran alarde,
e llegó fasta el umbral:
desque vio en el portal
sonaban los golpes todos,
apellidó por esos lodos
caballero en su chibal.

FINIDA

 E gran actor estorial
nos recuenta de los godos,
mas por esos simples modos
faze conclusión final.

RUY PÁEZ DE RIBERA

13

Este decir fizo e ordenó como a manera de proceso que hubieron en uno la dolencia e la vejez e el destierro e la pobreza. E allegando cada una dellas cuál era la más poderosa para destruir el cuerpo del omne, e después dio la sentencia por la pobreza

 ...E dijo Pobreza: "Non saben, señor,
aquestas que dizen para se igualar
conmigo en cuita nin gran dolor,
quel yo fago al omne sofrir e pasar;
el mal de dolencia se puede enmendar
habiendo salud, que todo es cobrado;
teniendo riqueza podrá ser curado
con física tanta que pueda sanar.

Maguer que vejez non pueda ser
por cosa del mundo jamás enmendada,
atanto se puede en ello fazer
alargarse la vida por ser bien curada,
e si riqueza tuviere ayuntada,
maguer viva lejos de do fue nascido
luego en punto será conoscido,
lo cual non faze si yo estó llegada.

La gran maldición, cruel, muy extraña,
que dio el Señor al pueblo en memoria,
cuando juró por la su gran saña
que nunca jamás entrase en su gloria,
aquesta comprende adonde la estoria
más es fablada de la pobredad,
así que veréis, señor, por verdad,
que peor es el pobre quel gafo de Soria.

Por mí es tenido siempre por loco
el ques pobre, encordo en todo lugar;
e el ques fidalgo, si tiene muy poco,
mejor le sería morir que penar,
ca yo muchas muertes le fago pasar,
pues que de rico lo torno a pobreza
e fágole obrar por fuerza vileza,
porque es esforzado quel manden matar.

Si mi cantidad bien fuere acatada
e mi escureza más que non de luna,
tu fallarás que non es igualada
con mi fiera cuita de otra ninguna,
ca Dios lo maldijo estando en la cuna
al omne que fizo muy pobre vivir;
mejor le sería por cierto morir
que non beber agua en tal vil laguna.

Mis graves dolencias e penas mortales,
esquivo dolor e fiero tormento,
con otras ningunas non son iguales
para destruir sin detenimiento;
en mí se concluyen sin departimiento
Dolencia e Vejez, Destierro muy fuerte,
e por mí se engendra la muy cruel muerte;
almas e cuerpos por mí han perdimiento.

Yo só la raíz, comienzo e cimiento
de todos los siete pecados mortales;
por mí es fecho el primer fundamento;
por mí son robados los grandes caudales;
por mí se roban los santos altares,
e toda maldad por mí es cometida,
por lo cual vine a ser rescibida
muertes e penas muy descomunales.

   Tan grande, esquiva es mi fortaleza
e muy cruel pena e fiero dolor,
que yo prevalezco a Naturaleza
e soy muy contraria al gran Criador;
ca lo que crió el nostro Señor
alegre, fermoso, de gentil aseo,
seyendo muy pobre lo fago ser feo,
triste e amargo, sin otro dulzor.

   El pobre tiene atal maldición,
e así lo verás de fecho pasar,
que si lo vieren en gran perdición
todos se juntan a lo condenar
e nunca ninguno para lo salvar,
aunque le sea pariente propinco;
lo cual por contrario fazen al rico,
ca todos le plazen de lo levantar.

   Arte nin seso nin buena costumbre
jamás contra mí no alcanza valor,
ca de sus ojos le privó la lumbre,
e dóle tormento, crueza e dolor;
la su buena vista e gran resplandor
en gran fealdad por mí es tornada,
e toda virtud por mí es demudada
de bueno a malo, de malo a peor.

   De todo buen pienso yo só turbación,
e de buenas obras só apartamiento;
por mí se enflaquece el gran corazón;
por mí se desvía el buen regimiento;
do quier que yo vivo non puede buen tiento
ser mucho firme nin mucho durar;
con muchos me ofrezco aquesto probar,
que son hoy feridos de tal cruel viento.

Yo robo donaire, la vista e aseo,
e tiro la fuerza, saber e sentido;
el gran esfuerzo, el gesto e meneo
todo lo tiene el pobre perdido;
de todos los fago que sea aborrido;
maguer vivo sea, por muerto es contado:
en vida le fago ser olvidado
como si nunca hubiese nascido.

El pobre sin fablas nunca es oído;
de cosa que diga non es escuchado,
e si ha parientes, non es conoscido,
mas de todos ellos es menospreciado
e en su razón será desechado,
pues nunca le vale su buena razón;
los suyos mismos non fazen mención
dél, pues que lo ven ser pobre lazdrado.

Con tal menosprecio por fuerza ha de ser
el pobre muy triste e desconortado,
e antes del tiempo ha de envejecer,
e vive de Dios muy mucho apartado;
nunca es su vida salvo en cuidado,
e non se le miembra de Dios su Señor,
así que su vida es siempre en dolor;
encima, la muerte le toma en pecado.

Razón acarrea morir en pecado
pues vive teniendo desesperación;
asaz es habido por desesperado
quien siempre su vida fue en tribulación
e hubo cumplida de Dios maldición;
quien siempre fue pobre en toda su vida
e viviendo muere muerte aborrida,
después tiene el alma en gran perdición.

E pues que por mí es muy acercado
al infierno e muerte e pena durable,
debe, señor, por ti sentenciado
ser mi valía muy más espantable,
ca esto que digo si es razonable
e pasa de fecho con pura esperanza,
e yo nunca tengo buena fianza
a ti e a otros dó en prueba notable.

Por ende, pues eres por juez escogido,
juzga derecho según tu conciencia,
e dame valor de mal conoscido
que tengo probado con clara experiencia:
ca pues se concluyen en mí Dolencia,
Vejez e Destierro e Muerte aborrida,
yo debo destas haber más valida
e así te lo pido librar por sentencia".

Seyendo yo puesto así por su juez
entre estas cuatro tan desvariadas,
hubiendo tal pleito más negro que pez
e vivas razones tan bien acordadas,
e habiéndolas yo ya todas probadas,
Dolencia, Destierro, Pobreza cumplida,
e veyendo a Vejez tan bien entendida,
juzgo a Pobreza por más abastada

de toda cuita e grave temor
más que las otras vida penada,
pues della depende muerte e dolor,
tormento, infierno e casa cuitada,
cumplida amargura, angustia abastada
para destruir la noble valía,
e mando que aquesta le den mejoría,
lo cual determino porque la he probada.

Aquesto que mando yo non puedo errar
si por ventura me fuere revocado,
ca yo me entiendo de todos salvar
por cuanto lo tengo de fecho probado,
sinon, por la vista sería demostrado
sin otro tardar ser más vagaroso:
yo nunca vi pobre que fuese donoso;
tampoco vi rico que fués desdonado.

14

Decir a la reina doña Catalina

Noble flor sin igualeza,
luz d'estrella matinal,

muy más clara quel cristal,
alta torre de fortaleza,
señora de gran alteza,
muro fuerte de gran villa,
acordad vos de Castilla,
que ha perdido su proeza.

Su proeza es perdida
por culpa de los señores
que della son regidores
e la tienen mal regida,
por lo cual muy abatida
escapa de toda guerra,
por la mar e por la tierra,
a do quier que fue movida.

Movida si fuere paz
o tregua o avenimiento,
o cualquier igualamiento,
a su gran daño se faz,
e a deshonra en que yaz
todo mal destruimiento:
pues, Señora, acorrimiento
ha menester de tu paz.

Paz, concordia e igualanza,
por la tu virginidad,
pon, Señora, en cristiandad,
que non tome más venganza
nin más fiera con su lanza
el diablo a tus sirvientes,
porque los non merescientes
penen por ajena erranza.

Erranza descomunal
fazen muchos castellanos,
pues trocan propias manos
honra e prez por gran caudal,
lo cual vieron que era mal
los nobles cuando ganaron
esta tierra que dejaron
a los que hoy juntan caudal.

Caudal noble con tesoros
los antiguos non tuvieron,

pues ganaron e non perdieron
mucha tierra de los moros,
por lo cual dejaron forros
a los que hoy por su pecado
se someten muy de grado
a cristianos e a moros.

A moros e a enemistados
se someten muy de grado,
por tener siempre guardado
muchos algos ayuntados,
por lo cual son deseados
los nobles de su consejo,
e les fazen un trebejo
que anden siempre lazdrados.

Lazdrados, según paresce,
a los grandes andar veo,
con poca ufana e meneo
de lo que les pertenesce:
Castro e Lara se paresce;
Vizcaya non saben della;
Ribera, Estúñiga, son estrella,
e Dávalos resplandesce.

Resplandesce en el reinado
Dávalos, según que digo;
todos los otros un figo
non valen en buen mercado,
por lo cual es tormentado
todo el reino e perdido,
e por ser más abatido,
encima es despechado.

Despechados e vendidos
son muy muchos labradores:
cohechados de arrendadores
los traen muy apremidos,
ca les venden sus vestidos
por muy poco bien aína;
esto habríen por melecina
si fuesen bien defendidos.

Defendidos e guardados
deben ser según derecho,

pues pertenesce tal fecho
a caballeros armados:
mas pues andan abajados
caballeros e escuderos,
non serán buenos guerreros
que los tienen desechados.

 Desechados e perdidos
andan muchos fijosdalgo,
que non dan por ellos algo
e los traen mal traídos,
por lo cual los sus gemidos
irán ante ti, Señora,
que les pongas algún hora
cobro en tales partidos.

GONZALO MARTÍNEZ DE MEDINA

15

Decir que fue fecho sobre la justicia e pleitos e de la gran vanidad deste mundo

¿Cómo por Dios la alta justicia
al rey de la tierra es encomendada?
En la su corte es ya tanta malicia,
aquí non podría por mí ser contada;
cualquier oveja que vien deserrada
aquí la acometen por diversas partes
cien mil engaños, malicias e artes
fasta que la fazen ir bien trasquilada.

 Alcaldes, notarios e aún oidores,
según bien creo, pasan de sesenta,
que están en trono de emperadores,
a quien el rey paga infinita renta;
de otros doctores hay ciento e noventa
que traen el reino del todo burlado,
et en cuarenta años non es acabado
un solo pleito, mirad si es tormenta.

Viene el pleito a disputación;
allí es *Bartolo* e *Chino, Digesto,*
Juan Andrés e *Baldo, Enrique,* do son
más opiniones que uvas en cesto;
e cada abogado es í mucho presto,
e desque bien visto e bien disputado,
fallan el pleito en un punto errado,
e tornan de cabo a cuestión por esto.

A las partes dicen los sus abogados
que nunca jamás tal punto sintieron,
e que se fazen muy maravillados
porque en el pleito tal sentencia dieron,
mas que ellos, ende, culpa non hubieron
porque non fueron bien informados,
e así perecen los tristes cuitados
que la su justicia buscando vinieron.

Dan infinitos entendimientos
con entendimiento del todo turbado;
socavan los centros e los firmamentos
razones sofísticas e malas fundando,
e jamás non vienen í determinando
que donde hay tantas dudas e opiniones
non hay quien dé determinaciones,
e a los que esperan convién de ir llorando.

En tierra de moros un solo alcalde
libra lo civil e lo criminal,
e todo el día se está de balde
por la justicia andar muy igual;
allí non es *Azo* e nin *Decretal,*
nin es *Ruberto* nin la *Clementina,*
salvo discreción e buena doctrina,
la cual muestra a todos vivir comunal.

Nin es seguranza en cosa que sea,
que todo es sueño e flor que perece,
el rico e el pobre, cuando bien se otea,
conosce qués viento e pura sandece;
quien ha más estado, más dolor padece
por se sostener e no dar caída;
el que se contenta con cualquier medida
éste es el que reina e vive en lidece.

Todo lo pasado non parece nada,
salvo lo presente en que nos fallamos;
cada día pasa una gran jornada
de la nuestra vida que tanto buscamos;
non es certidumbre en lo que tratamos,
que cuando pensamos más alto subir,
la muerte nos llama e faz convertir
en polvo e ceniza; ved en qué fundamos.

El que más tomare, más ha de dejar;
quien más alto sube, más ha de decir;
el que más alcanza, más cuenta ha de dar;
quien ha más riquezas, más debe partir;
yo non vi alguno nin lo oí decir
que en este mundo fuese bien contento,
salvo el que tiene su espíritu exento
e da la su alma para a Dios servir.

Quien ha más estado, menos se contenta,
porque todavía dobla su deseo;
la mala codicia le da gran tormenta
diciendo que está vacío el correo,
e cuanto más tiene más triste lo veo,
e non sé que diga, mas este mundano
parésceme nada e fecho muy vano,
lleno de locura e gran devaneo.

Creo el ánima ser infinida
e en la potencia de Dios reservada,
la cual, de cosa de aquesta vida
non puede ser jamás abastada;
si pide una cosa e la es otorgada,
luego codicia subirá más alto,
e así, subiendo, de salto en salto,
acábase el tiempo e va su jornada.

El rey Alexandre, non se contentando
de haber todo el mundo a su obediencia,
fue buscar el cielo, en golfos volando,
e cató el mar, con gran diligencia;
e jamás non pudo fartar su conciencia
e le paresció todo cosa muy vana:
ca el alma infinida e tan soberana
de cosas finidas non faze femencia.

Maguera sentimos aquesta dolencia
e vemos el mundo ser vanidad pura,
el nuestro juicio e seso e potencia
del todo lo damos a esta locura;
de obras divinas non habemos cura
e en vanaglorias e exaltaciones,
codicias, engaños, mentiras, traiciones,
pasamos el tiempo con gran apresura.

De lazo en lazo, de foya en foya,
ímos corriendo hasta la gran sima:
en vez de llegarnos a la cierta joya,
andamos con Dios jugando al esgrima;
el diablo trae una sorda lima
con que las vidas nos viene tajando
en yerros e males poniendo e lanzando
fasta nos llegar a la cruel crima.

Muéstranos glorias e delectaciones,
e en señoríos nos tiene abundados,
mujeres fermosas e ropas, mantones,
manjares diversos e muy esmerados,
tesoros, riquezas, vajillas, estrados,
e joyas preciosas, e otras maravillas,
e desque nos tiene en tan altas sillas,
así como suyos nos tiene mandados.

E por esta vía todos los estados
traen corrompidos sin otra dudanza;
papas, cardenales, obispos, prelados,
del todo los tiene en su pertinanza,
que ya de Dios non han remembranza,
e de lujuria, soberbia, codicia,
engaños, sofismas, mentiras, malicia,
abunda el mundo por su mala usanza.

De vestiduras muy imperiales
arrean sus cuerpos con gran vanagloria,
e sus paramentos, vajillas reales,
bien se podrían poner en historia,
e seguir los reyes con toda su gloria;
mas las ovejas que han de gobernar,
del todo las dejan al lobo llevar
e non fazen dellas ninguna memoria.

Ya por dineros venden los perdones
que debían ser dados por mérito puro;
nin han dignidades los santos varones
nin por elecciones, aquesto vos juro,
salvo el que lleva el florín maduro
o cartas muy fuertes de suplicación,
e tanto es el mal e la corrupción
que cada cual dellos se torna perjuro.

   E pues los señores que han de regir,
en quien el consejo está situado,
en su interese bien pueden decir
cada uno dellos, fundar su tratado;
e curan muy poco del pobre cuitado
que siempre les viene justicia pidiendo;
mas cada cual dellos está comidiendo
dó habrá más doblas e oro contado.

   Los alguaciles pasan de trescientos,
que todos viven de pura rapiña
e andan socavando todos los cimientos
por desplumar la gente mezquina;
e porque su obra sea más maligna,
traen consigo muchos rufianes;
non me maravillo que sufran afanes
comprando el oficio por dobla muy fina.

   Pues de abogados e procuradores,
e aun de otras cien mil burlerías,
e de escribanos e recaudadores,
que roban el reino por extrañas vías,
yo non vi tantos en todos mis días;
e tanto padesce este reino cuitado,
que es maravilla non ser asolado,
si el señor rey non quiebra estas lías.

   Non hay consejero nin son consejos,
nin hay la ordenanza, nin quien bien ordene,
e todo es trebejo e pasa en trebejos
después que non es nin hay quien lo pene;
el que es condenado, por dónde condene
non puede pensar el mi pensamiento,
e así proceden los fechos de viento;
quien tuviere, tenga el mal que se tiene.

146

Si este que viene, viniendo non tira
todas estas trabas que están retrabadas,
que si, bien mirando, del todo non mira
el daño que traen las cosas dañadas,
e non entra el sabio por ciertas entradas,
dando camino por do se camine,
a dellos cruele e a dellos benigne,
convién que perezcan las simples mesnadas.

Ciego tras ciego e loco tras loco,
así andamos buscando fortuna;
cuanto más habemos, tenemos más poco,
así como sueño e sombra de luna;
los que visten oro e visten armuna
todos desnudos pasan por su suerte,
e non se excusan de recibir muerte
también el mancebo como niño en cuna.

¡Oh simplidad tan muy corruptible!
¡Oh juicio dado a cosas finidas!
¡Oh razón caída e seso movible.
e obras enormes e muy corrompidas!
¿Sobre qué fundades e sodes fingidas
después que non es en vos firmamento
nin menos tener ningún sentimiento
de todos los cielos e cosas movidas?

Que éste es aquel que todos espanta
por el su tronido muy maravilloso,
e todos los centros e ruedas levanta
e non es ante él ningún poderoso;
pues polvo, ceniza, gusano lodoso,
¿en qué te trabajas, en qué has pensado,
que cuanto aquí ves non val un cornado
et es todo fecho corrupto e dañoso?

Tira este velo delante tus ojos
que te conturba la muy clara vista,
e faze el camino tan lleno de abrojos
que la tu ánima muy fuerte conquista;
que si has leído el santo salmista
o a Salomón, el sabio probado,
verás este mundo mezquino, cuitado,
en menos que fumo e polvo de arista.

147

Junta tu ánima con el soberano
e sean tus obras a él placientes;
ama tu prójimo, e la tu mano
jamás la pongas en cosas nucientes;
e a la justicia para bien mientes,
e serás por siempre bienaventurado,
que si lo non fazes, bien certificado
seas de morir en llamas ardientes.

FERRÁN SÁNCHEZ DE CALAVERA

16

Pregunta que fizo

De Madrid partiendo con el rey en febrero
por ir aguardando la su gran mesnada,
llegando a Segovia fallé en mi posada
bien coja mi mula, lisiada de vero,
e había perdido otra en dos meses
e al libramiento poníanme reveses;
tenía de francos e doblas jaqueses,
florines e blancas, vacío el esquero.
  Tenía de camino leguas setenta;
con este cuidado, luego improviso
se representó delante mi viso
en cuánto trabajo, afán e tormenta
anda mi vida; en parte señero
di una voz: "¡Señor verdadero,
Dios de justicia, mucho bandero
vos falla mi seso, según la mi cuenta!
  Señor, yo veo que a mí non fallescen
pérdidas e daños viviendo en pobreza,
dolencias, cuidados, pesares, tristeza,
e veo a otros que nunca adolescen,
señores de villas e de alcarías,
ganados, labranzas e mercadurías,

con muchos tesoros alegres sus días:
sus algos non menguan, mas ante aprovezen.
   Honrados, servidos e acompañados,
costosas moradas, fermosas mujeres,
fijos e fijas con muchos placeres,
de muy ricas joyas son bien jaezados,
caballos e mulas, montes e dehesas,
de muchas viandas pobladas sus mesas,
de todos deleites ricos, abondados.
   Yo antes que tenga diez francos enteros
por más que catorce estó ya adeudado:
según los diablos fuyen de sagrado,
así de mi arca fuyen los dineros;
de casas, viñas e plata, heredades,
sólo el deseo, Señor, vos me dades,
ca en cuantas villas yo sé nin ciudades
mujer nunca fallo con dos traveseros.
   E yo afanando por algo allegar,
fuye él de mí según de enemigo;
unos han vino, cebada con trigo
cuanto non tienen a do lo encerrar;
yeguas e vacas, carneros e ovejas,
e cera e miel, aceñas e abejas,
e tanta riqueza que ya a sus orejas
nunca les vino de lo demandar.
   De todos los bienes las casas llenas,
en muy ricas camas con sus paramentos
se fuelgan, e yo, con aguas e vientos
andando caminos por casas ajenas;
si viene el verano con grandes calores
non les empece con aguas e olores,
e yo con las siestas sufriendo dolores,
bebiendo las aguas salobres non buenas.
   A unos riyendo con poco cuidado
aljófar se torna la su negra pez,
e yo compro caro e vendo rafez:
nunca he ganancia en ningún mercado,
e si alguna cosa me faz menester,
por oro nin plata non la puedo haber,
e cuando algo me cumple vender,
de aquello el mundo todo es abondado.

Unos con poco servicio alcanzan,
e yo bien sirviendo siempre reniego,
e cuanto más vivo más poco tengo
e otros de mozos sus honras ensalzan;
e acerca desto veo otros errores:
a los servidores veo señores,
e los señores son servidores;
azores granjean e los cuervos cazan.

Veo los nobles andar por mal cabo:
los simples alcanzan honras, oficios,
los nescios honrados en sus beneficios;
doctores muy pobres andan en su cabo;
buen omne de armas non alcanza ración;
peligra inocente por grande ocasión
e muere en su cama probado ladrón;
el malo ha buen fin, el justo, mal cabo.

Uno es su vida siempre perder,
otro es su vida siempre ganar;
otro cuidando non cesa llorar,
otro riendo siempre ha placer;
otro durmiendo ha buena andanza,
otro afana e nada non alcanza;
otro ha bien sin gran esperanza,
otro espera e non puede haber.

E pues que notorio e sobre natura,
Señor, es el vuestro absoluto poder,
fazedme por vuestra merced entender
aquesta ordenanza que tanto es oscura:
de aquestos reveses que yo vó tomando
presumo de vos manera de bando,
por aquesto digo, Señor, protestando,
tener lo que tiene la Santa Escritura"...

17

Este decir fizo e ordenó... cuando murió en Valladolid el honroso e famoso caballero Ruy Díaz de Mendoza, fijo de Juan Hurtado, mayordomo del rey, el cual es muy bien fecho e bien ordenado e sobre fermosa invención, según que por él paresce

Por Dios, señores, quitemos el velo
que turba e ciega así nuestra vista;
miremos la muerte quel mundo conquista
lanzando lo alto e bajo por suelo;
los nuestros gemidos traspasen el cielo
a Dios demandando cada uno perdón
de aquellas ofensas que en toda sazón
le fizo el viejo, mancebo, mozuelo.

Ca non es vida la que vivimos,
pues que viviendo se viene llegando
la muerte cruel, esquiva, e cuando
pensamos vivir, estonce morimos;
somos bien ciertos dónde nascimos,
mas non somos ciertos adónde morremos;
certidumbre de vida un hora non habemos;
con llanto venimos, con llanto nos imos.

¿Qué se fizieron los emperadores,
papas e reyes, grandes prelados,
duques e condes, caballeros famados,
los ricos, los fuertes e los sabidores,
e cuantos sirvieron lealmente amores
faziendo sus armas en todas las partes,
e los que fallaron ciencias e artes,
doctores, poetas, e los trovadores?

¿Padres e fijos, hermanos, parientes,
amigos, amigas que mucho amamos,
con quien comimos, bebimos, folgamos,
muchas garridas e fermosas gentes,
dueñas, doncellas, mancebos valientes
que logran so tierra las sus mancebías,
e otros señores que ha pocos días
que nosotros vimos aquí estar presentes?

¿El duque de Cabra e el almirante
e otros muy grandes asaz de Castilla;
agora Ruy Díaz, que puso mancilla
su muerte a las gentes en tal estante
que la su gran fama fasta en Levante
sonaba en proeza e en toda bondad,
que en esta gran corte lucía por verdad
su noble meneo e gentil semblante?

151

Todos aquestos que aquí son nombrados,
los unos son fechos ceniza e nada,
los otros son huesos la carne quitada
e son derramados por los fonsados;
los otros están ya descoyuntados,
cabezas sin cuerpos, sin pies e sin manos;
los otros comienzan comer los gusanos;
los otros acaban de ser enterrados.

Pues, ¿dó los imperios e dó los poderes,
reinos, rentas, e los señoríos?
¿A dó los orgullos, las famas e bríos,
a dó las empresas, a dó los traeres,
a dó las ciencias, a dó los saberes,
a dó los maestros de la poetría,
a dó los rimares de gran maestría,
a dó los cantares, a dó los tañeres?

¿A dó los tesoros, vasallos, sirvientes,
a dó los firmalles, piedras preciosas,
a dó el aljófar, posadas costosas,
a dó el algalia e aguas olientes,
a dó paños de oro, cadenas lucientes,
a dó los collares, las jarreteras,
a dó peñas grises, a dó peñas veras,
a dó las sonajas que van retinientes?

¿A dó los convites, cenas e yantares,
a dó las justas, a dó los torneos,
a dó nuevos trajes, extraños meneos,
a dó las artes de los danzadores,
a dó los comeres, a dó los manjares,
a dó la franqueza, a dó el espender,
a dó los risos, a dó el placer,
a dó ministriles, a dó los juglares?

Según yo creo sin fallecimiento,
cumplido es el tiempo que dijo a nos
el profeta Isaías, fijo de Amós;
diz que cesaría todo ordenamiento
e vernie por fedor podrimiento,
e los omnes gentiles de grado morrien
e a sus puertas que los llorarien,
e sería lo poblado en destruimiento.

Esta tal muerte con gran tribulanza
Jeremías profeta lleno de enojos,
con repentimiento llorando sus ojos
e de muchas lágrimas gran abondanza,
mostrando sus faltas e muy gran erranza:
quien este escripto muy bien leerá,
en este capítulo bien claro verá
que éste es el tiempo sin otra dudanza.

Por ende, buen seso era guarnescer
de virtudes las almas que están despojadas,
tirar estas honras del cuerpo juntadas,
pues somos ciertos que se han de perder;
quien este consejo quisiere fazer,
non habrá miedo jamás de morir,
mas traspasará de muerte a vivir
vida por siempre sin le fallescer.

FERNÁN PÉREZ DE GUZMÁN

18

Coplas de vicios y virtudes

...DE HIDALGUÍA O GENTILEZA

De la sangre su nobleza,
según que al Dante place,
en buenas costumbres yace
con antiguada riqueza;
otra opinión se reza
más estrecha e más aguda:
que do la virtud se muda
non remane gentileza...

DE PERFECTA VIRTUD

...Non se lee que robó
aquel rico delicioso,
que se vestía precioso
e dulcemente comió,
mas porque su pan non dio
a Lázaro el plagado,
por juicio condenado
al infierno descendió.

Pues si por non dar lo tuyo
has a Dios tanto indignado,
por tomar a otro lo suyo
guarda si lo habrás pagado;
sey liberal ordenado
de la tu propia sustancia,
e de perversa ganancia
sey abstinente e guardado.

DE LAS GRANDES RIQUEZAS

Las riquezas son habidas
con trabajo e con pecado,
e con temor poseídas,
e importable cuidado;
son con gran dolor perdidas
e muchas con deshonores,
e a veces sus señores
con ellas pierden las vidas.

QUIÉN DEBE REGIR E QUIÉN SERVIR

Aquel reino es bien reglado
en que los discretos mandan
e los indiscretos andan
sirviendo en lo ques mandado,
mas do los viles ordenan
e sirven los sabidores,

allí los muy nobles penan
e los siervos son señores.

QUE MÁS VIRTUD DA LA BUENA CRIANZA QUE LA GENERACIÓN

Yo digo así que la buena crianza
da más virtud que la naturaleza,
mas non lo digo con tan ultra cuidanza
que non someta mi grosera rudeza
a corrección de aquel sabio que alcanza
filosofía e la predica e la reza;
fablo opinando, determine el que avanza
e de ciencia tiene el colmo e alteza.

A los muy sabios remito la sentencia;
a mí, opinando, básteme relatar
aquellos solos en lícito juzgar
que con estudio alcanzan la ciencia,
mas yo me guío por la experiencia,
sabia maestra de hombres ignorantes,
la cual me tira como piedras aimantes
tiran al fierro con toda su graveza.

Fijos de hombres rústicos e serviles
vi venir niños a las cortes reales,
e conversando con gentes curiales,
ser avisados, discretos, sotiles;
fijos de nobles e de sangre gentiles,
por desamparo o cura negligente,
de sus mayores venir entre tal gente
que resultaron torpes, nescios e viles.

Fija de madre liviana e deshonesta
de buena abuela e tía vi criada,
honesta, clara, vergonzosa, modesta;
vi al contrario, de madre asaz loada
e de virtudes e costumbres ornada,
fija quedar huérfana e doncella,
e non habiendo quien bien curase della,
tomar la vía siniestra e muy errada.

Si de la sangre la virtud descendiese,
esto bastaba a ser buena la gente

e nescesario non sería que escribiese
el moral Séneca, sabio e continente;
todo un linaje sería resplandesciente,
o por Lucrecia o Bresaida malo;
cual fue Trajano o cual Sardanapalo,
atal sería su línea descendiente.

Pero yo fago este superlativo,
que honestad e virtuosas costumbres
todas descienden del Padre de las lumbres,
so cuyos pies inclino cuanto escribo;
si duermo o velo, si muero, si vivo,
yo remanesco en esta conclusión,
que dél nos viene todo óptimo don;
si ál he dicho, yo le retracto e privo...

DE RIQUEZAS

Grandes sabios que dictaron,
católicos e gentiles,
por nocibles e por viles
las riquezas condenaron;
contra los que ellos trataron
yo no arguyo nin disputo,
mas no creo que absoluto
e sin distinción fablaron.

Las riquezas mal ganadas,
poseídas con mal arte,
como por la mayor parte,
mal pecado, son usadas,
non digo que condenadas
solamente deben ser,
mas dignas de aborrescer
como cosas enconadas.

Pero si como ya fueron
de algunos pocos habidas,
justamente poseídas,
e bien las distribuyeron,
digo que resplandescieron
los buenos así con ellas:

como el sol e las estrellas
los cielos esclarescieron.

Si es justa su entrada
e liberal su salida,
non digo ultra medida,
mas discreta e ordenada:
e que sea así guardada
del salmista la sentencia,
que non tenga la afluencia
la voluntad sojuzgada.

Grandes virtudes podemos
ejercer con la riqueza:
la magnífica franqueza
con ella ejercitaremos;
con ella a Dios serviremos
en templos e hospitales;
a grandes cuitas e males
de pobres socorreremos.

Magníficos edificios,
arreos e guarniciones,
graciosos o por servicios
daremos notables dones;
libraremos de prisiones
muchos cautivos con ellas;
casando pobres doncellas
de nobles generaciones.

Si nos dijo el gran maestro
en su evangélico canto,
Jesucristo, Señor Nuestro,
un decir de gran espanto:
"non entra el camello tanto
por un forado muy chico,
pues menos entrará el rico
en el paraíso santo".

Por el rico avariento
puede ser interpretado
que cargado e corcovado
va de pecados sin cuento,
mas do hay buen fundamento
de riquezas bien ganadas,

discretamente gastadas,
otro es el entendimiento.

 Abraham non fuera entrado
en el santo Paraíso,
nin David rey, del cual quiso
Jesús ser fijo llamado,
nin José adelantado
de Egipto mariscal,
nin Job el oriental,
de riquezas abundado.

 Riquezas, en conclusión,
alcanzadas sin malicia,
poseídas sin codicia,
gastadas con discreción;
si mi pobre opinión
tanta autoridad hubiere,
a cualquier que las tuviere
yo daré dispensación.

DE CONCORDIA E JUSTICIA

 ...Todo reino en sí diviso
será estruido e gastado;
así lo dijo e lo quiso
el Santo Verbo Encarnado;
el reino es pacificado
donde hay derecho asaz;
David dijo que la paz
e justicia se han besado.

 ¡Oh, España, vive gozosa,
bate las palmas e canta,
pues desta simiente santa
eres fértil e abundosa;
duerme a buen sueño e reposa
sin temor de turbaciones:
si son veros mis sermones,
tu fama es luego mintrosa!

 ¡Oh, provincia infortunada,
muy digna de reprehensión,

tú más que otra nación
de aquestos vicios tocada
eres, y contaminada,
discordia en tus naturales,
e de príncipes reales
sin justicia administrada!

A tal punto es venido
tu fecha, que por codicia
se pervierte la justicia,
el derecho es perescido:
cada uno es defendido
tanto cuanto él se defiende,
que si a la justicia atiende,
antes muerto que acorrido.

Tanta es tu osadía
e tu rabia por ganar
—aunque al propio fablar
perder mejor se diría—,
que tal hay que consentiría
la muerte de su pariente,
sabiendo quel remaniente
del su patrimonio habría.

Decir sí e dar la mano,
de tal fe era contento
el noble e antiguo hispano,
sin solemne juramento;
hoy, del Santo Sacramento
non resulta sino engaños:
con dolor cuento tus daños,
si puedes, dime que miento.

A ti, gran provincia hispana,
aquel proverbio conviene,
que dice cuál es hulana
otra tal casa mantiene;
más justo que un jubón viene
a tus obras tal decir,
que cual es tu vivir
tal enfermedad te tiene.

19

Confesión rimada

LAS SIETE OBRAS DE MISERICORDIA

...Oh, gente indigna de buena memoria,
oh, grande avaricia de grandes señores,
que sólo por pompa e por vana gloria
fazen sus convites de grandes valores,
e entre los juglares e los trufadores
los pobres de Cristo non pueden caber,
nin de las reliquias non osan comer
que comen los canes de sus cazadores.
   Aquel que non sabe el templo divino
nin los pobres saben la su casa dél,
cuanto yo bien creo, non sabrá aquel
para ir al cielo cuál es el camino.
Aún en esta vida le dudo ser digno
de misericordia de Dios alcanzar
al rico que al pobre menospreció dar
un poco de pan e un vaso de vino...
   De misericordia la tercera obra
es al desnudo e al pobre vestir;
inhumanidad es lo que a mí sobra
con otro a quien mengua nada non partir;
ver yo los carrillos temblar e tremir
de frío al pobre todo espeluzdrado,
e mi guardarropa de seda e brocado
e joyas de oro todo relucir.
   Acordarme debo que a pobres tomé
todo aquello de que estó guarnido,
ca de alcabalas monedas pedido
de los labradores cuitados llevé:
pues si uno dellos desnudo veré,
e a sus fijuelos descalzos, rotillos,
¿siquiera los pies de aquestos chiquillos
del puerco furtado por qué non daré?
   Del pan del compadre, nos dijo el refrán,
que al afijado demos buen zatico;

lo que al pobre roban, a su fijo chico
la pobre ropilla ¿por qué non darán?
Yo non digo esto porque bien farán
desnudar al padre e al fijo vestir,
mas robar al padre e dejar morir
al fijo de frío, mayor culpa habrán...

 Los grandes prelados, que son tesoreros
del patrimonio del Crucificado,
con aves de caza e canes monteros,
e lo que es más grave, en guerras gastado
el tercio que a pobres debiera ser dado,
gastándolo en usos de Dios prohibidos,
creo que suspiros, voces e gemidos
llegan a los cielos del pobre cuitado.

 Los grandes señores e los caballeros
traen sus caballos emparamentados
de paños de seda e muy bien obrados,
e a sus acémilas tales reposteros
que podrían por cierto con tantos dineros
a algunos pobres desnudos vestir:
en lo que un caballo cuesta cubrir
se podrían vestir cien pobres enteros.

 Señor a quien nada se puede celar,
a ti me confieso que en esto pequé,
de que gravemente me quiero acusar,
porque non vestí, antes desnudé,
los pobres vasallos a quien despeché,
llevando dellos su poca sustancia;
si tú non me acorres, aquesta ganancia
con muy graves penas la satisfaré...

IÑIGO LÓPEZ DE MENDOZA, MARQUÉS DE SANTILLANA

20

Doctrinal de privados fecho a la muerte del maestre de Santiago, don Álvaro de Luna, donde se introduce el autor fablando en nombre del maestre

Vi tesoros ayuntados
por gran daño de su dueño:
así como sombra o sueño
son nuestros días contados,
e si fueron prorrogados
por sus lágrimas a algunos,
destos non vemos ningunos,
por nuestros pecados.

Abrid, abrid vuestros ojos;
gentíos, mirad a mí:
cuanto visteis, cuanto vi,
fantasmas fueron e antojos.
Con trabajos, con enojos,
usurpé tal señoría,
que si fue, non era mía,
mas indebidos despojos.

Casa a casa, ¡guay de mí!,
e campo a campo allegué;
cosa ajena non dejé:
tanto quise cuanto vi.
Agora, pues, ved aquí
cuánto valen mis riquezas,
tierras, villas, fortalezas,
tras quien mi tiempo perdí.

¡Oh, fambre de oro rabiosa!
¿Cuáles son los corazones
humanos que tú perdones
en esta vida engañosa?
Maguer farta, querellosa
eres en todos estados,
non menos a los pasados
que a los presentes dañosa.

¿Qué se fizo la moneda
que guardé, para mis daños,
tantos tiempos, tantos años,
plata, joyas, oro e seda?
Ca de todo non me queda
sinon este cadahalso:
mundo malo, mundo falso,
non es quien contigo pueda.

A Dios non referí grado
de las gracias e mercedes,
que me fizo cuantas vedes
e me sostuvo en estado
mayor e más prosperado
que nunca jamás se vio
en España, nin se oyo
de ningún otro privado...

Ca todos los que privaron
con señores e con reyes
non usaron tales leyes
como yo, nin dominaron
por tal guisa, nin mandaron
en civil nin criminal
a todos en general,
nin pienso que lo pensaron...

Cuánto la beneficencia
sea digna de loar
en los que tienen lugar
pruébolo con la experiencia;
es otra mayor sapiencia
que sólo por bien fablar
obtener, haber, cobrar
general benevolencia.

Mal fazer ni mal decir
no son honestos servicios,
que non se llaman oficios
los que muestran bien vivir:
osadlos redargüir
en los consejos estrechos,
todos fechos non bien fechos
e dignos de corregir.

E guardad que los servicios
sean bien remunerados,
punidos e castigados
los yerros e maleficios;
tales obras son oficios
de los que sirven señores:
a mayores e menores
abreviad los beneficios.

Consejad que los juzgados
sean por gran elección,
non se den por galardón
de servicios, nin rogados:
sean legos o letrados,
mas tales que la razón
non tuerzan por afición,
por miedo nin sobornados.

Aquí se me descubrieron
erradas e todas menguas:
tened lo que vuestras lenguas
juraron e prometieron;
ya vedes si me nascieron
pasatiempos, dilaciones:
todas gentes e nasciones
obras quieren e quisieron...

Fasta aquí vos he contado
las causas que me han traído
cual vedes que soy llegado;
agora, pues es forzado
de fazer nueva carrera,
mudaremos la manera
del proceso procesado.

CONFESIÓN

Ca si de los curiales
yerros tanto me reprehendo,
¿qué faré, si bien lo entiendo,
de mis pecados mortales?
Ca fueron tantos e tales
que sin más detenimiento
non dudo mi perdimiento,
Señor, si tú non me vales.

Pues yo, pecador errado
más que los más pecadores,
mis delictos, mis errores,
mis grandes culpas, culpado
confieso, muy inclinado
a ti, Dios Eterno Padre,

e a la tu bendita Madre,
e después, de grado en grado,
a todos los celestiales
por orden de teología,
a la sacra jerarquía
e coros angelicales,
en especie e generales:
los finojos inclinados,
vos confieso mis pecados
mortales e veniales...

De los tus diez mandamientos,
Señor, non guardé ninguno,
nin limosnas nin ayuno,
nin cuaresmas nin advientos,
nin de tales documentos
puestos so cristiano yugo
non los fize nin me plugo,
mas todos tus vedamientos.

A cualquiera pecador
o que más o menos yerra,
un pecado le da guerra
o se le faze mayor;
a mí cuál sea menor
de los siete non lo sé,
porque de todos pequé
igualmente, sin temor.

Non ministro de justicia
eres tú, Dios, solamente,
mas perdonador clemente
del mundo por amicicia:
mi soberbia e mi codicia,
ira e gula non te niego,
pereza, lascivo fuego,
envidia e toda malicia.

Los menguados non farté;
alguno si me pidió
de vestir, non lo falló,
nin los pobres recepté;
cautivos non los saqué,
nin los enfermos cuitados

fueron por mí visitados,
nin los muertos sepulté.

Ciertamente, tantos males
fize que sólo pensarlos
muero; ¿qué será penarlos,
generales e especiales?
Pasos, puentes, hospitales,
donde fuera menester
se quedaron por fazer,
paresce por las señales.

Caí con los que pecaron:
pues levántame, Señor,
con los que con gran dolor
absueltos se levantaron;
misericordia fallaron
aquellos que a ti vinieron,
e sus culpas te dijieron,
e gimiendo las lloraron...

21

En este diez e sétimo soneto el actor se queja de algunos que en estos fechos de Castilla fablaban mucho e fazían poco, como en muchas partes contesce, e toca aquí algunos romanos, nobles omes, que fizieron grandes fechos, e muestra que non los fazían solamente con palabras

Non en palabras ánimos gentiles,
non en menazas nin semblantes fieros
se muestran altos, fuertes e viriles,
bravos, audaces, duros, temederos.

Sean sus actos non punto civiles,
mas virtuosos e de caballeros,
e dejemos las armas femeniles,
abominables a todos guerreros.

Si los Cipiones e Decios lidiaron
por el bien de la patria, ciertamente
non es duda, maguer que callaron,

o si Metelo se mostró valiente:
pues loaremos los que bien obraron
e dejaremos el fablar nuciente.

22

Otro soneto quel marqués fizo, quejándose de los daños deste reino

¿Hoy qué diré de ti, triste hemisferio,
oh, patria mía, que veo del todo
ir todas cosas ultra el recto modo,
donde se espera inmenso lacerio?

Tu gloria e laude tornó vituperio
e la tu clara fama en escureza.
Por cierto, España, muerta es tu nobleza,
e tus loores tornados lacerio.

¿Dó es la fe? ¿Dó es la caridad?
¿Dó la esperanza? Ca por cierto ausentes
son de las tus regiones e partidas.

¿Dó es justicia, templanza, igualdad?
Prudencia e fortaleza, ¿son presentes?
Por cierto non, que lejos son fuidas.

JUAN DE MENA

23

Coplas contra los pecados mortales

FABLA LA RAZÓN...

...Si dices que eres altivo
porque en riquezas abundas,

dígote que tú te fundas
sobre caso muy cativo;
yo consiento en tal motivo
que altivo te fiziesen,
si en este mundo pudiesen
por siempre fazerte vivo.

PROSIGUE

Bienes pueden ser llamados
los que come la carcoma
o los que la muerte toma
todos por descaminados;
los bienes muy acabados
de su dueño no los parte
la muerte, por ser con arte
de virtudes abrazados.

PROSIGUE

Antes digo que se deben
llamar obras mucho vanas,
ocupaciones humanas
que toda codicia mueven;
pues ¿por cuál razón se atreven
a dañar tu voluntad
con su loca altividad
por do todos te reprueben?

FABLA LA RAZÓN...

Dices que eres generoso,
que no te falta costado,
y que faze en el estado
ser altivo y desdeñoso;
si tú fueses virtuoso
y de noble fidalguía,
tu fundamento sería
mansedumbre con reposo.

PROSIGUE

De mi gran teniebra ofusca
las leyes de gentileza
quien no faze la nobleza
y en sus pasados la busca;
quien de sangre muy corusca
se socorre y faze falla,
como quien una no falla
anda cogiendo rebusca.

PROSIGUE

¿Quieres saber el provecho
que de nobleza se siga?
Es contrato que te obliga
a ser bueno de derecho;
si no responde tu fecho
ni tus apetitos domas,
lo que tú por honra tomas
se convierte en tu despecho.

PROSIGUE

No solamente no basta
que vengas de noble gente;
la bondad de la simiente
tu soberbia te la gasta,
e la virtud se contrasta
que por el linaje cobras
si no responden tus obras
a la tu tan noble casta.

COMPARACIÓN

Cuanto tú más ensalzado
te fallares si te catas,
cuanto más llano te tratas
tanto eres más honrado,

porque así en grande estado
humildad da fermosura
como la gentil llanura
en la cumbre del collado.

COMPARACIÓN

Soberbia cae sin mina;
los mansos tienen la cumbre;
derriba la mansedumbre
lo que la soberbia empina;
el humilde que se inclina
es planta que se traspone:
cuanto más fondo se pone
tanto cresce más aína.

REPLICA LA RAZÓN...

Dices que de religioso
te fuelgas con vanagloria,
y publicas grande estoria
de tu vivir virtuoso;
desdeñas lo criminoso,
lo mundano menosprecias,
e solamente te precias
de ser santo desdeñoso.

PROSIGUE

No quieras más extender
ya esto dentro en tu seno;
querías ser visto bueno
no curando de lo ser,
y aunque quieras bien fazer,
por buenas obras que fagas
todas ellas las estragas
con tu ensoberbecer.

PROSIGUE

Que las malas obras crezcan
cualquier pecado lo faze,
mas a la soberbia place
que las bien fechas perezcan,
pues conviene que padezcan
si vanagloria quisieron
que lo que aquí merescieron
acullá no lo merezcan.
¡Oh, vil, triste hipocresía,
oh, doble cara dañosa,
red de sombra religiosa,
encubierta tiranía!
Del hipócrita diría
ser momo de falsa cara,
que la encubre y la declara
so simple filosomía...

PROSIGUE [CONTRA LA AVARICIA]

Cada poeta en su foja
te dio forma de quien roba:
uno de arpía, otro de loba;
tanto tu vivir enoja
y de verdad se despoja,
que de ti, triste mendiga,
conviene también que diga
aquello que a mí se antoja.

COMPARACIÓN

Cocatriz es sola una
animalia que te toca,
que tiene grande la boca
y salida no ninguna,
y por la vista de alguna
me fundo por experiencia,
y digo que es la dolencia
tuya y la desta comuna...

24

Razonamiento que faze con la Muerte

—Muerte que a todos convidas,
dime qué son tus manjares.
—Son tristezas e pesares,
llantos, voces doloridas;
en posadas mal guarnidas
entran sordos, ciegos, mudos,
donde olvidan los sesudos
fueros, leyes e partidas.

—Pues dime los paramentos,
los arreos e posadas.
—De tierra sendas brazadas
a todos tengo contentos;
desta guisa en mil cuentos
de hombres tengo aposentados,
sabios, rudos, esforzados,
pobladores de cimientos.

—Los que son tus convidados,
Muerte, dime lo que fazen.
—So la tierra dura yacen
para siempre sepultados,
desnudos todos, robados,
caídos son en pobreza;
no les vale la riqueza,
ni tesoros mal ganados.

No les valen los lugares,
ni castillos que ganaron,
ni sus fijos que quedaron
en los sus grandes solares,
ni parientes caronales,
ni criados más cercanos,
ni amigos comarcanos,
aunque fuesen mil millares.

De todo cuanto ganaron
en aquesta vida estrecha,

no les vale ni aprovecha
salvo sólo el bien que obraron;
que si tierra conquistaron,
o por fuerza o por maña,
cuantos dellos hubo saña
poco les aprovecharon...

Padre Santo, emperadores,
cardenales, arzobispos,
patriarcas e obispos,
reyes, duques e señores,
los maestros e priores,
los sabios colegiales,
tú los fazes ser iguales
con los simples labradores.

A los grandes por riqueza
no los tomas nin acatas;
religiosos robas e matas,
en quien muestras tu crueza;
los que son en más alteza,
todos temen tu venida,
recelando la caída
que habrán con gran tristeza.

No aprovechan los saberes,
nin las artes, nin las mañas,
nin proezas, nin fazañas,
grandes pompas, nin poderes,
grandes casas, nin haberes,
pues que todo ha de quedar,
salvo el solo bien obrar,
Muerte, cuando tu vinieres.

E Jesú glorificado
que te dio tan gran poder,
e te vino a obedescer
en la cruz crucificado,
me libre que condenado
yo no vaya en la partida
cuando parta desta vida,
mi mal mundo acabado.

FINIDA

Quien oyere mi tratado
a obrar bien se convida,
pues la Muerte non olvida
a ninguno, mal pecado.

GÓMEZ MANRIQUE

25

Por fallescimiento del famoso poeta Juan de Mena prosigue Gómez Manrique aquesta obra [contra los pecados mortales] por él comenzada...

RESPONDE LA ENVIDIA [A LA RAZÓN]

Pláceme de confesar
lo que preguntas, Razón;
sabe que mi condición
es haber siempre pesar,
y con mi mal singular
o con los ajenos bienes:
y pues tú por bien lo tienes,
quiérote las causas dar.

PROSIGUE

Todos somos de una masa
a la cual nos tornaremos,
pues ¿por cuál razón seremos
desiguales en la tasa?
En ver uno que me pasa
en los bienes naturales,
con muy grandes puñales
la mi ánima traspasa.

PROSIGUE

Pues en ver mal repartidos
estos bienes de Fortuna,
mi lecho fago laguna
con lágrimas y gemidos,
que los por mí poseídos,
aunque son hartos y buenos,
con rabia de los ajenos
son por ningunos tenidos.

PROSIGUE

Dejados los estados
y los bienes de natura,
las honras que la ventura
suele dar a los osados
acrescientan mis cuidados
porque no a mí los dio;
desta guisa siempre só
el más de los tribulados...

PROSIGUE [LA RAZÓN]

¿No bastan tus propios males
y particulares penas
que con las glorias ajenas
sientes tormentos mortales?
Mira que todos iguales
en este mundo nacimos
y asimismo morimos,
mas vivimos desiguales.

PROSIGUE

Estos bienes de natura
son partidos ya por Dios,
cuyos secretos a nos
inquerir es gran locura;

toda viva criatura
rescibe bien especial:
si tú usas de tu mal,
no culpes a la ventura.

PROSIGUE

Por ser otro muy famoso,
por echar bien una lanza,
o seguir mejor la danza,
no debes vivir penoso,
ni porque más afinado
sepa tocar un laúd:
si mayor es en virtud,
debes morir sin cuidado...

PROSIGUE

Por estos bienes que son
a fortuna sojuzgados
plañen los hombres menguados
de perfecta discreción,
mas el discreto varón
ni se goza por haberlos,
y suspira por despenderlos,
sabiendo su condición.

PROSIGUE

Que Fortuna que se llama
nunca los parte por orden,
ante con toda desorden
por el mundo los derrama,
que si miras, en la cama
a unos los da folgando,
y a otros trabajando
lleva la flor y la rama.

PROSIGUE

Mas que nos faga, pongamos,
tan ricos como queremos,
y que mientras viviéremos
nunca pérdida veamos,
dime tú, cuando partamos
desta cárcel humanal
¿qué faremos del metal
por que tanto suspiramos?

COMPARACIÓN

Esto llevan aventajas
esos que tienen tesoros,
que con muy mayores lloros
los dejan en las tinajas,
y que les dan las mortajas
de lienzo más apurado,
y muy más apresurado
por repartir sus alfajas...

PROSIGUE

Muchos trabajos pasando
con gran desfallescimiento
y farto desabrimiento
a los tuyos soportando;
muchas noches trasnochando,
los peligros inquiriendo,
que las honras no durmiendo
se ganan, mas trabajando.

PROSIGUE

Los que seyendo viciosos
mudando mesas y camas,
con envidia de las famas
que cobran los virtuosos,

sean, sean envidiosos
de la pena que pasaron
los que las honras ganaron
con peligros trabajosos.

PROSIGUE

Aunque las glorias mundanas,
fablando verdad contigo,
más presto pasan, amigo,
que flores de las mañanas:
todas son cosas livianas
por tiempo perecederas;
pues busca las duraderas
dejando las glorias vanas...

CÓMO DA FORMA DE VIVIR A TODOS LOS TRES ESTADOS, E COMIENZA POR LOS ECLESIÁSTICOS

Los que fuestes diputados
para servicio del templo,
sed en el vivir ejemplo
a los otros dos estados,
de guisa que sus pecados
reprehender bien podáis
sin que vosotros seáis
de los semblantes tocados.

DA CONSEJO

Curad de vuestros oficios
los que tenéis prelasías,
pospuestas hipocresías
y los deleites y vicios,
y tratad los sacrificios
con manos limpias y puras:
en las Sacras Escripturas
sean vuestros ejercicios.

PROSIGUE ACONSEJANDO

Los apócrifos dejando
y las dulces poesías,
las cazas y monterías
por necesidad tomando;
sin negligencia curando
cada uno de su grey,
los preceptos de la Ley
sin violencia guardando.

DA CONSEJO A LOS RELIGIOSOS

Religiosos que quisisteis
fuir a la soledad,
obediencia e castidad,
pobreza que prometisteis:
si a las pompas vos disteis
dejando los monasterios,
yo fallo que los lazerios
tan solamente fuisteis...

DA CONSEJO A LOS REYES Y GRANDES HOMBRES

Oh, vos, reyes que reináis,
humanos emperadores,
condes, duques e señores
que las tierras sojuzgáis:
pues los tributos lleváis
no con pequeña codicia,
tener en paz e justicia
los pueblos que despecháis.

DA CONSEJO EN QUÉ MANERA SE HAN DE HABER CON LOS SUYOS

Amad vuestros caballeros,
honrad mucho los prelados,
en tiempos acostumbrados
tened francos los porteros,

apartad los lisonjeros,
remunerad los servicios,
nunca dedes los oficios
de justicia por dineros.

DA CONSEJO EN QUÉ MANERA HAN DE REGIR LOS PUEBLOS

Oíd con vuestros oídos
de los pobres sus querellas,
y mostrando pesar dellas
consolad los afligidos;
sean los malos punidos,
los buenos remunerados:
así serés bien amados
de los vuestros y temidos.

DA CONSEJO A LOS DE ESTADO

Oh, vosotros, defensores
que seguís caballería,
no uséis de tiranía
como lobos robadores,
mas como lindos azores:
que ninguno de la banda
jamás come con quien anda,
antes son sus guardadores.

DA CONSEJO

Pues guardad con diligencia
los vasallos y amigos;
a los justos enemigos
perseguid sin negligencia;
observad la preminencia
de los vuestros soberanos,
dándoles consejos sanos,
pospuesta benevolencia.

DA CONSEJO

Y cumplid sus mandamientos,
digo los que fueren justos,
y poned a los injustos
honestos defendimientos;
nunca fagáis juramentos,
que viene gran daño dellos;
do pusierdes vuestros sellos,
jamás hayan mudamientos.

DA CONSEJO A LOS LABRADORES

Oh, vosotros, labradores,
fuid rentas y malicias,
pagad diezmos y primicias
de crianzas y labores,
vivid por vuestros sudores
curando de vuestros bueyes,
dejad las armas y leyes
a hidalgos y doctores.

DA CONSEJO EN GENERAL Y AMONESTA CON EL DÍA DEL JUICIO

A todos en general
amenazo y amonesto,
en fin de mi presupuesto,
con el día judicial
en que el juez divinal
vos llamará con su trompa,
donde mostrará sin pompa
lo que fizo cada cual...

26

Pregunta a Pedro de Mendoza

La inmensa turbación
deste reino castellano

faze pesada mi mano
y torpe mi discreción:
que las horas y candelas
que se gastaban leyendo
agora gasto poniendo
rondas, escuchas y velas.

El tiempo bien despendido
en las liberales artes
en cavas y baluartes
es agora convertido;
por tanto, si fallesciere
la muy gentil elocuencia,
culparéis la diferencia
del tiempo que lo requiere.

Del cual un poco furtado,
aunque no sin grande afán,
a vos, señor de Almazán,
pregunto, mal consonando:
¿cuál vos es menos molesta,
vuestra secreta prisión
o la vulgar detención
que vos es por el rey puesta?

Maguer son en calidad
algún tanto discordantes,
ambas a dos son privantes
de la franca libertad,
lo cual visto, cuidaría,
a mi parescer grosero,
en el solo carcelero
consistir la mejoría.

FIN

Respondedme todavía,
generoso caballero,
que vos faga placentero
la dardana policía.

Respuesta de Pedro de Mendoza a Gómez Manrique

Pues vos sobra la razón,
mi señor y más que hermano,
a este tiempo inhumano
vencedlo con perfección:
usaréis de sus cautelas,
que según que vo veyendo,
a quien él falla durmiendo
fiérelo con las espuelas.

Todo el mundo es afligido
y levantan estandartes;
pues contesce en todas partes,
habedlo por buen partido.
Muera, muera quien muriere,
perdone la gran prudencia,
troquemos hoy la ciencia
por rocín que bien corriere.

He dejado, en la verdad,
de llamar como de antes,
porque non por consonantes
responde mi voluntad:
queriendo como querría
estar en cárcel de acero,
un año, señor, más quiero
que amando penar un día.

FIN

Si mi pluma desvaría,
fázelo, señor, que muero
por fallarme yo extranjero
de esperanza que tenía.

27

Comienza el decir que el noble caballero Gómez Manrique fizo, que intituló la Exclamación e querella de la gobernación

Cuando Roma conquistaba,
Quinto Fabio la regía

e Cipión guerreaba,
Titus Livius describía,
las doncellas e matronas
por la honra de su tierra
desguarnían sus personas
para sostener la guerra...

En un pueblo donde moro
al necio fazen alcalde;
hierro precian más que oro,
la plata danla de balde;
la paja guardan los tochos
e dejan perder los panes;
cazan con los aguilochos,
cómense los gavilanes.

Queman los nuevos olivos,
guardan los espinos tuertos;
condenan a muchos vivos,
quieren salvar a los muertos;
los mejores valen menos:
mirad qué gobernación
ser gobernados los buenos
por los que tales no son.

La fruta por el sabor
se conoce su natío;
e por el gobernador
el gobernado navío;
los cuerdos fuir debrían
de do locos mandan más,
que cuando los ciegos guían,
guay de los que van detrás.

Que villa sin regidores,
su triunfo será breve;
la casa sin moradores
muy prestamente se llueve;
los puercos que van sin canes
pocos matan las armadas;
las huestes sin capitanes
nunca son bien gobernadas.

Los zapatos sin las suelas
mal conservan a los pies;

sin las cuerdas las vihuelas
hazen el son que sabés;
el que da oro sin peso
más pierde de la fechura;
quien se guía por su seso
no va lueñe de locura.

En arroyo sin pescado
yerro es pescar con cesta,
e por monte traqueado
trabajar con la ballesta;
do no punen maleficios
es gran locura vivir,
e do no son los servicios
remunerados, servir.

Cuanto más alto es el muro
más fondo cimiento quiere;
de caer está seguro
el que en él nunca subiere;
donde sobra la codicia
todos los bienes fallecen;
en el pueblo sin justicia,
los que son justos padecen.

La iglesia sin letrados
es palacio sin paredes;
no toman grandes pescados
con las muy sotiles redes;
los mancebos sin los viejos
es peligroso metal;
grandes fechos sin consejos
siempre salieron a mal.

En el caballo sin freno
va su dueño temeroso;
sin el gobernalle bueno
el barco va peligroso;
sin secutores las leyes
maldita la pro que traen;
los reinos sin buenos reyes
sin adversarios se caen.

La mesa sin los manjares
no farta los convidados;

sin vecinos los lugares
presto serán asolados;
la nao sin el patrón
no puede ser bien guiada;
do rigen por afición
es peligrosa morada.

Las ovejas sin pastor
destruyen las heredades;
religiosos sin mayor
grandes cometen maldades;
las viñas sin viñaderos
lógranlas los caminantes;
las cortes sin caballeros
son como manos sin guantes.

El golpe fará liviano
la mano sin el espada;
el espada sin la mano
no dará gran cuchillada;
las gentes sin los caudillos
muy flacamente guerrean;
los capitanes sencillos
por sendos hombres pelean.

Es peligro navegar
en galea sin los remos,
mas mayor es conversar
con quien sigue los extremos,
pues si la conversación
es con los tales dañosa,
por cierto la sujeción
mucho será peligrosa.

Hombres d'armas sin jinetes
perezosa fazen guerra;
las naos sin los barquetes
mal se sirven de la tierra;
los menudos sin mayores
son corredores sin salas;
los grandes sin los menores,
como falcones sin alas.

Que bien como dan las flores
perfección a los frutales,

así los grandes señores
  a los palacios reales,
  e los príncipes derechos
  lucen sobrellos sin falla,
  bien como los ricos techos
  sobre fermosa muralla.
  Al tema quiero tornar
  de la ciudad que nombré,
  cuyo duró prosperar
  cuanto bien regida fue,
  pero después que reinaron
  codicias particulares,
  sus grandezas se tornaron
  en despoblados solares.

FIN

  Todos los sabios dijeron
  que las cosas mal regidas
  cuanto más alto subieron
  mayores dieron caídas.
  Por esta causa recelo
  que mi pueblo con sus calles
  habrá de venir al suelo
  por falta de gobernalles.

28

Coplas para el señor Diego Arias Dávila, contador mayor del rey nuestro señor, e del su consejo

PRINCIPIA LA FABLA

  Oh, tú, en amor hermano,
  nascido para morir,
  pues lo no puedes fuir,
  el tiempo de tu vivir

no lo despiendas en vano,
que vicios, bienes, honores
que procuras
pásanse como frescuras
de las flores.

COMPARACIÓN

En esta mar alterada
por do todos navegamos,
los deportes que pasamos,
si bien lo consideramos,
no duran más que rociada.
¡Oh, pues, tú, hombre mortal,
mira, mira,
la rueda cuán presto gira
mundanal!
Si desto quieres ejemplos,
mira la gran Babilonia,
Tebas y Lacedemonia,
el gran pueblo de Sidonia,
cuyas murallas y templos
son en grandes valladares
transformados,
e sus triunfos tornados
en solares.

COMPARACIÓN

Pues si pasas las historias
de los varones romanos,
de los griegos y troyanos,
de los godos y persianos,
dignos de grandes memorias,
no fallarás al presente
sino fama,
transitoria como flama
de aguardiente.
Si quieres que más acerca
fable de nuestras regiones,

mira las persecuciones
que firieron a montones
en la su fermosa cerca,
en la cual aún fallarás
grandes mellas:
¡quiera Dios, cerrando aquéllas,
no dar más!

Que tú mismo viste muchos
en estos tiempos pasados
de grandísimos estados
fácilmente derrocados
con pequeños aguaduchos,
que el ventoso poderío
temporal
es un muy feble metal
de vidrio.

COMPARACIÓN

Pues tú no te fíes ya
en la mundana privanza,
en riquezas nin pujanza,
que con pequeña mudanza
todo te fallescerá,
y los tus grandes amigos
con favor
te serán con disfavor enemigos.

COMPARACIÓN

Que los bienes de fortuna
no son durables de fecho;
los amigos de provecho
fallecen en el estrecho
como agua de laguna,
que si la causa o respecto
desfallesce,
en ese punto fallece
el efecto.

De los que vas por las calles
en torno todo cercado,
con cerimonias tratado,
no serás más aguardado
de cuanto tengas que dalles;
que los que por intereses
te seguían,
en pronto te dejarían
si cayeses.

   Bien así como dejaron
al pujante condestable;
en le siendo variable
esta Fortuna mudable,
muchos le desampararon;
pues fazer debes con mando
tales obras,
que no temas las zozobras
no mandando.

   El alcalde cadañero
atendiendo ser juzgado,
después del año pasado,
en el juzgar es templado,
ca teme lo venidero;
pues si este tu poder
no es de juro,
nunca duermas no seguro
de caer.

   En el tiempo que prestado
aqueste poder tuvieres,
afana cuanto pudieres
en aquello que debieres
por ser de todos amado,
que fallarás ser partido
peligroso
aún al mucho poderoso
ser temido.

COMPARACIÓN

El barco que muchos reman
a muchos ha de traer;
así bien ha de temer
el que con su gran poder
faze que muchos le teman;
pues procura ser querido
de los buenos,
a por no ser, a lo menos,
aborrido.

Para lo cual los mayores
han de ser muy acatados,
los medianos bien tratados,
de los pobres escuchados
con paciencia sus clamores;
que si fatigas te siguen
del oficio,
los librantes no con vicio
te persiguen.

E los que has de librar
líbralos de continente;
los que no, graciosamente,
sin ira, sin accidente
los debes desempachar;
e no fagan los portales
tus porteros
a bestias y caballeros
ser iguales.

Que tú seyendo ignorante
de lo tal, como lo creo,
según lo que de ti veo,
algunos te fazen reo
e reputan por culpante;
mas yo dudo de tu seso
que mandase
que bien e mal se pesase
con un peso.

E castiga los cohechos
que fazen arrendadores
a los tristes labradores,
que sabrás que son mayores
que sus tributos y pechos;
e a ti todas las gentes
bendirán;
a lo menos no dirán
que lo consientes.

Desta forma cobrarás
mundana benevolencia,
mas con mayor diligencia
de la divinal esencia
aquella procurarás;
que en respecto del celeste
consistorio,
es un sueño transitorio
lo terrestre.

COMPARACIÓN

Que los más mal sublimados
e temidos son temientes,
e los en fuerza valientes
e riquezas poseyentes,
ya fueron dellas menguados;
que todas son emprestadas
estas cosas,
e no duran más que rosas
con heladas.

Alexandre fue señor
de toda la redondeza;
Hércoles de fortaleza;
Mida de tanta riqueza
que no pudo ser mayor:
pero todos se murieron
y dejaron
esto tras que trabajaron
y corrieron.

Pues no gastes tu vivir
en los mundanos servicios,
nin en deleites e vicios,
que de tales ejercicios
te podrás arrepentir:
y mezcla con estos tales
pensamientos
el temor de los tormentos
infernales.

En servir a Dios trabaja,
echa codicias atrás,
que cuando te partirás
del mundo no llevarás
sino sola la mortaja:
Pues nunca pierdas el sueño
por cobrar
lo que tiene de fincar
con su dueño.

Este dueño que te digo
de los temporales bienes
tras los cuales vas e vienes,
es el mundo con quien tienes
e tiene guerra contigo:
al cual, si sigues, haberes
te dará,
pero tirártelos ha
cuando partieres

desta trabajosa vida
de miserias toda llena,
en que reposo sin pena,
nin jamás un hora buena
tú puedes haber cumplida:
no es ál sino deseo
su cimiento,
su fin arrepentimiento
y devaneo.

Pues si son perecederos
y tan caducos y vanos

los tales bienes mundanos,
procura los soberanos,
para siempre duraderos;
que so los grandes estados
e riquezas,
fartas fallarás tristezas
e cuidados.

   Que las vestiduras netas,
y ricamente bordadas,
sabe que son enforradas
de congojas extremadas
e de pasiones secretas,
y con las tazas febridas
de bestiones,
amargas tribulaciones
son bebidas.

   Mira los emperadores,
los reyes y padres Santos;
so los riquísimos mantos
trabajos tienen y tantos
como los cultivadores:
pues no fíes en los hombres
que padecen,
y con sus vidas perecen
sus renombres.

   Que cuanto mayores tierras
tienen, e más señorías,
más inmensas agonías
sostienen noches e días
con libranzas y con guerras;
por lo cual con la corona
altamente
el que dijo lo siguiente
se razona:

   ¡Oh, joya de gran valía,
quien te bien considerase
e tus trabajos pensase,
aunque en tierra te fallase,

nunca te levantaría!
Síguese que los imperios
e reinados
no son, no, desenforrados
de lazerios.

Pues mira los cardenales,
arzobispos y prelados,
no más bien aventurados
son, nin menos angustiados
que los simples ministrales,
que sobre sus mantonadas
mucho largas
portan gravísimas cargas,
y pesadas.

Los varones militantes,
duques, condes y marqueses,
so los febridos arneses
más agros visten enveses
que los pobres mendigantes,
ca por procurar honores
y faziendas,
inmensas tienen contiendas
y temores.

COMPARACIONES

Los favoridos privados
destos príncipes potentes,
a los cuales van las gentes
con servicios y presentes
como piedras a tablados,
en las sábanas de Holanda
más sospiran
que los remantes que tiran
en la vanda.

Que los bienes y favores
que los tales siempre han,
non los llevan sin afán,

pues el blanco comen pan
con angustias y dolores;
que privanza y señoría
no quisieron
igualdad, nin consintieron
compañía.

 Pues los ricos oficiales
de las casas de los reyes,
aunque grandes tenés greyes,
non sin duda destas leyes
sois ajenos, mas parciales;
probarlo quiero contigo
que serás,
si la verdad me dirás,
buen testigo.

 Que fartos te vienen días
de congojas tan sobradas
que las tus ricas moradas
por las chozas o ramadas
de los pobres trocarías:
que so los techos polidos
y dorados
se dan los vuelcos mezclados
con gemidos.

 Si miras los mercadores
que ricos tratan brocados,
no son menos de cuidados
que de joyas abastados
ellos y sus fazedores,
pues no pueden reposar
noche ninguna,
recelando la fortuna
de la mar.

 Basta que ningún estado
fallarás tanto seguro
que non sea como muro
el cual por combate duro
finca medio derrocado:

de los mundanos entiende,
tras los cuales
la vida de los mortales
se despiende.

Mientras son navegadores
por el mar tempestuoso
deste siglo trabajoso,
jamás viven en reposo
chicos nin grandes señores,
que con esta son nacidos
condición,
e ningunos della son
eximidos.

COMPARACIONES

Pues tú no pongas amor
con las personas mortales,
ni con bienes temporales,
que más presto que rosales
pierden la fresca verdor,
e no son sus crescimientos
sino juego,
menos durable que fuego
de sarmientos.

FIN

COMPARACIÓN

E non fundes tu morada
sobre tan feble cimiento,
mas elige con gran tiento
otro firme fundamento
de más eterna durada,
que este mundo falaguero
es sin duda,
pero más presto se muda
que febrero.

COPLAS DE LA PANADERA

Coplas que llaman de La Panadera, en la batalla que hubo el rey don Juan el Segundo con los infantes de Aragón y los otros grandes de Castilla, año de 1445, cerca de Olmedo. Van glosando este mote: "Di, Panadera"

Panadera, soldadera
que vendes pan de barato,
cuéntanos algún rebato
que te aconteció en la Vera.
Di, Panadera.

Un miércoles que partiera
el príncipe don Enrique
a buscar algún buen pique
para su espada ropera,
saliera sin otra espera
de Olmedo tan gran compaña
que con muy hermosa maña
al puesto se retrujera.

El rey, de que aquesto viera
como el príncipe venía,
con muy gran melancolía
luego en punto proveyera;
y mandó sacar afuera
el su pendón ensalzado
para pasar luego el vado
con noble gente guerrera.

La de Estúñiga, que era
escuadra muy conveniente,
la mitad de la su gente
sabe Dios lo que quisiera,
mas como gente granjera,
de su señor natural
con ardimiento leal
acompañó su bandera.

En cátedra de madera
vi al obispo Barrientos,

con un dardo sin avientos,
que a predicarles saliera,
y por conclusión pusiera
quel que allí fuese a morir
que le haría subir
al cielo sin escalera.

Aforrado en peñavera,
el prelado de Toledo
no se movió solo un dedo
de cabe la talanquera,
diciendo: "Quien se acelera
cuando un tal fecho deviene,
nunca jamás queda tiene
la barba en la cebadera".

Por más seguro escogiera
el obispo de Sigüenza
estar, aunque con vergüenza,
junto con la cobijera,
mas tan gran pavor cogiera
en ver huir labradores
que a los sus paños menores
fue menester lavandera.

Con una rica cimera
armado muy gentilmente,
se halló el de Benavente
en esa escuadra tercera,
mas su gente regatera,
malandantes campesinos,
como cobardes mezquinos
hicieron la perseguera.

Con lengua brava e parlera
y el corazón de alfeñique,
el comendador Manrique
escogió bestia ligera,
y dio tan gran correndera
fuyendo muy a deshora
que seis leguas en una hora
dejó tras sí la barrera.

Con costumbre vocinglera,
temblando como las hojas,
va don Fernando de Rojas,

no manco de la cadera,
de miedo muy amarillo,
y por verdad muy certera
fue a la villa de Portillo,
donde guarecer quisiera.

Salido como de osera,
Ruy Díaz el mayordomo,
tan velloso vientre y lomo
como osa colmenera:
si la fe que prometiera
la guardase según fallo,
no comiera su caballo
en el real la cibera.

Tomando yegua ligera
con mayor miedo que saña,
Fernán López de Saldaña,
más negro que una caldera,
saltando la barbillera
escomenzó de decir
que al que quisiere huir
que le iría a la estribera.

Por persona mensajera
se partiera el mariscal:
desvióse del real
con maña sotil, artera,
y maguer diz que allí era
por poner paz en el ruido,
e si no fuera partido
él mismo lo resolviera.

La persona tabernera
del vil conde de Medina
el cual será muy aína
echado en una buitrera,
lleno de figos de sera
y de torreznos e vino,
fizo más sucio camino
que jamás hombre ficiera.

Persona tan postrimera
nunca oí hiende o destroza
como Pedro de Mendoza,
que es fama que se escondiera,

e dicen que descendiera
del rocín y entró en un pozo
porque dél hubiese gozo
la madre que lo pariera.

Juan de Tovar como viera
el fecho tan mal parado,
puso su firme cuidado
en buscar la madriguera,
lo cual por obra pusiera
según que lo bien pensó,
por lo cual no falleció
a su rocín espolera.

Más recio que lanzadera,
sin esperar adalides,
Manuel de Benavides
deste fecho se partiera;
por pesquisa verdadera
se falla cómo fuyó
e cómo en sí no dejó
quijote ni canillera.

Su bondad no encubierta,
don Enrique el de Zamora
por ganar honra a deshora
los contrarios ofendiera,
mas la gran gente ropera
que con él fue a desranchar
fizo, por cierto, quedar
su persona prisionera.

Maguer de malla y gorguera
se armaba el maestre mozo,
mas no hubo menester bozo,
pues a ninguno mordiera,
antes diz que s'ascondiera
con gran sabor de mirar
si le cumplía apeldar
por guarecer a la Vera.

En una cepa o mimbrera,
por su muy fuerte pecado,
estropezó el de Alvarado
y cayó en una junquera,
y la vil gente ovejera,

villanaje de peones,
sin cadena de eslabones
lo ataron a una figuera.

Asaz honroso acudiera
a sus valientes varones
mosén Pedro de Quiñones
cuando las piernas batiera:
tan adentro se metiera
quel hubiera de haber fin,
mas allí con un faquín
mucho bien se sacudiera.

Con celada sin visera
y por divisar mejor
dicen que iba el relator,
más seco que esparraguera;
entre la gente pechera,
decía: "Quien tuviere hito,
para siempre será quito
de la moneda forera".

Sin cubiertas ni testera
y sin armas, casi al mox,
el viejo al quiquiricox
llegó hasta la ladera,
d'onde nunca se moviera,
como falcón madrigado,
que el aire le habían mudado
el cuchillo y la tijera.

Vi al señor de Horquera,
Alonso Pérez Vivero,
con escribanía e tintero,
colgada su linjadera,
e dentro una alcoholadera
con polvos para escribir:
quisiera dello reír,
si hubiera do me acogiera.

Vi sentado en una estera
al segundo contador,
fablando como doctor,
vestido como partera,
y si lo que a él pareciera
se pudiera allí acabar,

él quisiera más estar
cien leguas allén de Vera.

Amarillo como cera
estaba el conde de Haro,
buscando algún reparo
por no pasar la ribera;
desque vido la manera
como el señor rey pasaba,
tan grandes pedos tiraba
que se oían en Talavera.

Aunque algún miedo tuviera
el repostero mayor,
encubrió bien su temor
como aquel que le doliera
del gran daño que sintiera,
y de algunos sus criados,
que estaban tanto cagados
que serlo más no pudiera.

Obra muy clara y placera
se mostró ser, y notable,
la que hizo el condestable
con los que se combatiera,
mas quebraran la barrera
muy aína sin dudanza
si la su buena ordenanza
algún poco se durmiera.

Con fabla casi extranjera,
armado como francés,
el noble nuevo marqués
su valiente voto diera,
y tan recio acometiera
los contrarios, sin más ruego,
que vivas llamas de fuego
pareció que les pusiera.

Por donde se acaeciera,
maguer amarillo y seco,
el gran hidalgo Pacheco
gran espanto les pusiera,
tanto, que por sí fiziera,
según fizo, llegar donde

estaba el valiente conde,
el cual él mismo prendiera.

El conde de Alba, maguera
buen caballero esforzado,
muchas veces se ha loado
de cosas que no hiciera;
en la batalla primera
hizo su deber por somo,
pero no tanto ni como
por sus cartas escribiera.

Con cara muy falaguera
y con discreción y seso,
viendo a su hermano preso,
el mariscal de Herrera
atanto se entristeciera
y se sintió tan turbado,
que después gran gasajado
nunca jamás recibiera.

Con palabra lisonjera
y con talle gordo y feo,
el conde de Ribadeo
sin armas apareciera,
el cual, por cierto quisiera
que el robo fuese sobejo,
porque a mozo ni aun a viejo
tan gran parte le cupiera.

Diciendo: "¡Guarda, Herrera!",
bullendo como garduña,
asomó Pedro de Acuña
con una falsa grupera,
mas la su lanza lardera,
pintada, garrida, ufana,
a Dueñas volvió tan sana
cual salió de la lancera.

Tan gran trabajo sintiera
con el muy gran calor Payo,
que le vino tal desmayo
que pensó que se muriera;
maguer diz que se pusiera
con los hombres esforzados,

mucho son maravillados
cómo no se derritiera.

    Viniendo de la frontera
el mayor comendador,
desamparó a su señor,
de quien gran bien recibiera,
y como quien desespera
de toda gran nombradía,
más vergüenza no tenía
que una puta carcavera.

    Por persona consejera,
don Juan, el conde chiquito,
cabe el rey hincó su hito
y tendió su arpillera,
y dicen que le dijera:
"Señor, si pasáis los trigos
sacaréis los enemigos
todos de la raposera".

    Acerca de una reguera
el alférez quedó estando;
con gran sabieza mirando
la su gente recogiera,
y en tanto que día era
miró sin melancolía
a cuál parte más cumplía
apretar la calzadera.

    El de Olmedo cabecera
que era el buen rey de Navarra,
no se fue a meter tras barra,
antes bien, se combatiera
y a un caballero asiera
al cual dio asaz cuchilladas,
que le hizo mil tajadas
junto con una ribera.

    Con discreción muy somera
más que con seso constante,
el ardid señor infante
fue a dar de cabecera
en la batalla primera
que delante se falló,

por lo cual no dudo yo
que su gente se perdiera.

　Con ardideza muy fiera,
según que fallo por rastro,
se metió el conde de Castro
en la suerte quel' cupiera
ardiendo como foguera
con cuatrocientos rocines,
mas ellos fueron tan ruines
que ninguno le acorriera.

　Por ir a la sementera,
la gente del almirante
detrás dél, que no delante,
estaba cuando cayera,
aguardando la zaguera
d'espaldas en un barbecho,
alejados más que un trecho
de una piedra volandera.

　Fernando que prometiera
de Quiñones por su amor
de ser muerto o vencedor,
fue muerto por la mollera;
la Virgen, procuradera
que es de todo hombre contrito,
ruegue a su hijo bendito
que le dé gloria llanera.

　Muy puesto en la delantera
el mayor caballerizo,
más armado que un erizo,
fue el primero que fuyera,
pero un lindo encuentro diera
en un gran odre de vino,
fízole perder el tino;
tanta sangre dél saliera.

　Temblándole la contera
el repostero mayor,
del grandísimo temor
le recreció cagalera,
fuyendo en la delantera,
mas í fuera de sentido

todo cuanto había comido
trastornó por la babera.

  Este fecho procediera,
según oyen mis orejas,
por las notables igrejas
quel dicho rey destruyera,
el cual cierto mereciera
por hacer tan gran pecado
que con su honra y estado
al abismo se sumiera.

  Tú, Señor, que eres minero
de toda virtud divina,
saca la tu medicina
de la tu santa triaquera,
porque ya, Señor, siquiera
hayamos paz algún rato,
ca del dicho desbarato
a muchos quedó dentera.

30

COPLAS DE MINGO REVULGO

  ¡Ah, Mingo Revulgo, Mingo,
ah, Mingo Revulgo, ahao!
¿Qués de tu sayo de blao?
¿Non lo vistes en domingo?
¿Qués de tu jubón bermejo?
¿Por qué traes tal sobrecejo?
Andas esta trasnochada
la cabeza desgreñada;
¿non te llotras de buen rejo?

  La color tienes marrida
y el corpanzo rechinado;
andas de valle en collado
como res que anda perdida,
y no miras si te vas
adelante o cara atrás,
zanqueando con los pies,
dando trancos al través,
que non sabes dó te estás.

¡A la he, Gil Arribato!
Sé que en fuerte hora allá echamos
cuando a Candaulo cobramos
por pastor de nuestro hato:
ándase tras los zagales
por estos andurriales,
todo el día embebecido,
holgazando sin sentido,
que no mira nuestros males.

¡Oja, oja los ganados
y la burra con los perros
cuáles andan por los cerros,
perdidos, descarriados!
Por los santos te prometo
que este dañado baltrueto,
que nol medre Dios las cejas,
ha dejado las ovejas
por folgar tras todo el seto.

Allá por esas quebradas
verás balando corderos;
por acá muertos carneros,
ovejas abarrancadas,
los panes todos comidos,
y los vedados pacidos,
y aun las huertas de la villa:
tal estrago en Esperilla
nunca vieron los nacidos.

Oh, mate mala ponzoña
a pastor, de tal manera,
que tiene cuerno con miera
y nos unta la roña;
ve los lobos entrar
y los ganados balar,
e él, risadas en oíllo;
nin por eso el caramillo
nunca cesa de tocar.

¿Sabes, sabes? El modorro
allá donde anda a grillos
búrlanle los mozalvillos
que andan con él en el corro;
ármanle mil guadramañas:

unol' saca las pestañas,
otrol' pela los cabellos;
así se pierde tras ellos
metido por las cabañas.

   Uno le quiebra el cayado,
otro le toma el zurrón,
otrol' quita el zamarrón,
y él, tras ellos desbabado,
y aun al torpe majadero
que se precia de certero,
fasta aquella zagaleja,
la de Nava Lusiteja,
lo ha traído al retortero.

   Trae un lobo carnicero
por medio de las manadas;
porque sigue sus pisadas
dice a todos ques carnero;
suéltale de la majada:
desque da una ondeada
en tal hora lo compieza,
que si ase una cabeza
déjala bien estrujada.

   La soldada que le damos
y aun el pan de los mastines
cómeselo con ruines,
¡guay de nos que lo pagamos!,
y nol veo que ha medrado
de todo cuanto ha llevado
otros hatos nin jubones,
sino un cinto con chatones
de que anda rodeado.

   Apacienta el holgazán
las ovejas por do quieren;
comen yerba con que mueren,
mas cuidado no le dan;
non vi tal desque hombre só,
y aún más te digo yo:
que aunque tú eres envisado,
que no atinas el ganado
cúyo es nin cúyo no.

Modorrido con ensueño
non lo cura de almagrar,
porque non entiende dar
cuenta dello a ningún dueño,
cuanto yo no amoldaría
lo de Cristóbal Mexía,
nin del otro tartamudo,
nin del Meco, moro agudo;
todo va por una vía.
 ¿Non ves, necio, las cabañas
y los cerros, y los valles,
los collados y las calles
arderse, con las montañas?
¿Y no ves desbaratado
estar todo lo sembrado,
las ovejas desparcidas,
las mestas todas pacidas,
que non saben dar recaudo?
 Está la perra Justilla
que viste tan denodada
muerta, flaca, trasijada;
juro a diez, que habriés mancilla:
con su fuerza y su corazón
cometíe al bravo león
y mataba al lobo viejo,
ora un triste conejo
se la mete en un rincón.
 Otros buenos entremeses
faze aqueste rabadán:
non queriéndole dar pan,
ella se come las reses,
tal, que ha fecho en el rebaño
con su fambre mayor daño,
más estrago, fuerza y robo
que no el más fambriento lobo
de cuantos has visto hogaño.
 Azerilla que sufrió
siete lobos denodados
y ninguno la mordió,
todos fueron mordiscados,
rape el diablo el saber

que ella ha de defender:
las rodillas tiene flojas;
contra las ovejas cojas
muestra todo su poder.

La otra perra ventadora,
que de lejos barruntaba
y por el rastro sacaba
cualquier bestia robadora,
y las veredas sabía
donde el lobo acudiría,
y las cuevas raposeras,
está echada allá en las eras,
doliente de modorría.

Tempera quitapesares,
que corríe más concertado,
del comer desordenado
reventó por los ijares;
ya no muerde ni escarmienta
a la gran loba hambrienta,
y los zorros y los osos
cerca della dan mil cosos,
pero non porque los sienta.

Vienen los lobos finchados
y las bocas relamiendo;
los lomos traen ardiendo,
los ojos encarnizados;
los pechos tienen somidos,
los ijares regordidos,
que non se pueden mover,
mas después de los balidos
ligero saben correr.

Abren las bocas rabiando
de la sangre que han bebido,
los colmillos regañando;
paresce que no han comido
por lo que queda en el hato;
cada vez en gran rebato
nos ponen con sus bramidos:
desque hartos, más transidos
parescen cuando me cato.

¡A la he, Revulgo hermano,
por los tus pecados penas!
Si non fazes obras buenas
otro mal tienes en mano,
que si tú enhuciado fueses,
caliente tierra pacieses
y verdura todo el año;
non podrías haber daño
en ganados nin en mieses.

  Mas non eres envisado
de fazer de tus provechos;
échaste a dormir de pechos
siete horas amortiguado:
torna, tórnate a buen hanzo,
enfuzia tú ese corpanzo
porque puedas revivir,
si no, meto quel morir
te verná de mal relanzo.

  Los tus hatos a una mano
son de mucho mal chotuno,
lo merino y lo cabruno,
y peor lo castellano;
muévense muy de ligero,
non guarda tino certero
do se suele apacentar,
revellado al apriscar,
manso al tresquiladero.

  Yo soñé esta trasnochada,
de que estoy estremuloso,
que nin roso nin velloso
quedará desta vegada;
echa, échate a dormir,
que en lo que puedo sentir,
según andan estas cosas,
asmo que las tres rabiosas
lobas han de venir.

  Tú conoces la amarilla,
que siempre anda carleando,
muerta, flaca, suspirando,
que a todos pone mancilla,
que aunque traga, non se farta,

nin los colmillos aparta
de morder y mordiscar;
non puede mucho tardar,
quel ganado non se esparta.

La otra, mala, traidora,
cruel e muy enemiga,
de todos males amiga,
de sí misma robadora,
que sabe bien los cortijos,
nin deja madre nin fijos
yacer en sus albergadas;
en los valles y majadas
sabe los escondedijos.

E aún también la tredentuda,
que come los recentales
y non deja los añales
cuando un poco está sañuda,
meto que no olvidará
de venir, y aun tragará
atambién su partecilla.
Dime, aquesta tal cuadrilla,
¿a quién non espantará?

Si no tomas mi consejo,
Mingo, daquesta vegada
habrás tal pastorejada
que te escueza el pastorejo;
vete, si quieres, hermano,
al pastor de cerro fano,
dile toda tu conseja
y espulgarte ha la␣pelleja;
podrá ser que vuelvas sano.

Mas, Revulgo, para mientes
que non vayas por atajos;
farás una salsa d'ajos
por temor de las serpientes:
sea morterada, cruda,
machucada, muy aguda,
que te faga estorcijar,
ca non puede peligrar
quien con esta salsa suda.

En el lugar de Pascual
asienta el pacentadero,
porque en el sesteadero
puedan bien lamer la sal,
con la cual, si non han rendido
la grama y lo mal pascido,
luego lo querrán gormar,
y podrán bien sosegar
del rebello que han tenido.
   Si tú fueses sabidor,
entendieses la verdad,
verías que por tu ruindad
has habido mal pastor;
saca, saca de tu seno
la ruindad de que estás lleno,
y verás cómo será,
que éste se castigará
e dará Dios otro bueno.
   Cata que se rompe el cielo,
desorrúmase la tierra;
cata que el nublo se cierra;
rebello, ¿non has recelo?
Cata que verná pedrisco
que lleve todo abarrisco,
cuanto miras con los ojos;
finca, finca los hinojos,
cuanto yo todo me cisco.
   Del collado aquileño
viene mal zarzaganillo,
muerto, flaco, amarillo,
para todo lo extremeño;
¡mira agora qué fortuna
que ondea la laguna;
sin que corran ventisqueros
rebosa por los oteros:
non va de buena chotuna!
   Otra cosa más dañosa
veo yo que non has mirado:
nuestro carnero, el Bezado,
va a dar en la revoltosa;
y aún otra más negrilla:

quel de falsa rabadilla,
muy ligero corredor,
se metió en el sembrador;
¡ a la he, hace ruin orilla!
   Cuido ques menos dañoso
el andar por lo costero,
que lo alto e fondonero
juro a mí ques peligroso;
para mientes que te cale
poner firme, non resbale
la pata donde pisares,
pues hay tantos de pesares
In hac lachrimarum valle.

31

COPLAS DEL PROVINCIAL

   El Provincial es llegado
a aquesta corte real,
de nuevos motes cargado,
ganoso de decir mal,
y en estos dichos se atreve
(y si no, cúlpenle a él)
si de diez veces las nueve
no diere en mitad del fiel.
   Ah, fray capellán mayor,
don Enrique de Castilla,
¿a cómo vale el ardor
que traéis en vuestra silla?:
"A fray Herrera y Cabrera
y Gonzalo de León,
y a fray duque de Alburquerque,
que es el mayor garañón".
   Ah, fray conde sin condado,
condestable sin provecho,
¿a cómo vale el derecho
de ser villano probado?:
"A oder y ser odido
y poder bien fornicar,

y aunque me sea sabido,
no me pueden castigar".

A ti, fraile mal cristiano
que dejaste el monasterio,
¿por qué haces adulterio
con la mujer de tu hermano?:
"Por haber generación
y no se pierda el linaje
ni se acabe ni se abaje
por la falta de varón".

A ti, conde Cascorvillo,
renegador en cuaresma,
que te dieran a Ledesma
por labrar en Val Hondillo,
y es pública voz y fama
que odes personas tres:
a tu amo y a tu ama
y a la hija del marqués;
odes al rey y a la reina,
odes las tres Badajoces,
y todo el mundo se espanta
como no odes la infanta.

Ah, vos, Conde Real,
gran señor de Benavente,
nos hiciste mucho mal
en venir secretamente;
difamáis a la abadesa,
deshonráis a Benavides,
y doña Aldonza se mesa
porque sin verla os ides.

De Ribadeo fray conde
que de Villandrando quedas,
paga, paga las monedas;
la verdad nunca se esconde,
y aún me dijo una tu tía
que lo diga y no lo calle,
que estando en Fuenterrabía
hiciste bodas con Valle.

El de Rojas, cúya es Cabra,
¿conocéisle? Decí, hermanos:
hombre de buena labia,

mas no tiene pies ni manos.
Padre de hijos lozanos,
el rabí, de boticario,
denuesto de castellanos,
gallo puesto en campanario.

De Treviño fraile y conde,
Manrique de Sandoval,
la verdad nunca se esconde,
bien la sabe el Provincial,
pues de hoy más por el escote
podéis poner por reseña,
no os podrán poner por mote
hijo de la casta dueña.

¿A cómo vale, Molina,
el cuerno que te destroza?:
"A fray Duque de Medina
y a fray don Juan de Mendoza".
Mal habláis, fraile cucarro,
muy alto, mas no sin brío;
hablemos de lo de barro,
dejemos lo señorío.

A ti, fraile bujarrón,
Álvaro Pérez Orozco,
por ser de los de Faraón
en la nariz te conozco,
y es tan grande que me asombra,
y a los diablos del infierno,
que hace en el verano sombra
y rabos hace en invierno.

Don Alonso ha de valer
por malicioso y por malo,
mas don Jorge en el saber
hijo es del conde Lozano.
"Provincial, así hayas gozo,
¿qué os parece del doncel?:
que es más frío que un pozo
para enfriar vino en él".

Ah, fray Fernando, que es del
de Silva, lleno de viento,
que dejó nuestro convento
por ser fraile del burdel,

no os podéis ya defender,
desnudo deshacendado,
y cornudo amojonado
de parte de su mujer.

  Tente, fraile carbonero,
que contigo este ministro
viene a ver por el registro
quién te sacó de pechero;
quita el águila imperial,
pon por armas un cabrón;
no tienes otro blasón
y ésa es tu sangre real.

  Juan de Estúñiga es venido,
aqueste fraile perverso,
jugador y del partido,
que no niega ser converso.
Pues merece ser de grados,
frailes, dadle la corona,
que es gran músico de dados,
gran ladrón por su persona.

  A ti, fraile adelantado,
que desciendes de una negra,
¿por qué haces tal pecado
con la hermana de tu suegra?:
"No se haga deso estima,
pues el prior de León
sin tener dispensación
hace bodas con su prima".

  A ti digo, mi compadre,
fray Alonso de Aguilar,
¿cómo te puedes echar
con la hermana de tu padre?:
"Muy bien, padre, aunque es mi tía,
porque nuestro parentesco
es muy nuevo y está fresco
y viene por bastardía".

  Pues así la cosa va,
llamar quiero al dormitorio,
y será a todos notorio:
ah, frailes, ¿quién está allá?
"Sodoma con Abirón

y toda la sodomía,
fray don Pedro Girón,
don Beltrán con su valía".

 Veamos en este conclave
a fray Cristóbal Platero
con tenazas, sello y llave
de todo falso minero,
y diciendo: "Provincial,
si queréis saber mis mañas,
a Jesú en cruz de metal
yo le raí las entrañas".

 Vengamos a poner cobro,
don Álvar Gómez de Castro,
que el ministro halla por rastro
que da de continuo a logro,
pues tras un su paramento
le fue hallada cierta cuenta
que llevaba, y, mal contento,
por ciento, ciento y cincuenta.

 A ti, fray Diego Arias, puto
que eres y fuiste judío,
contigo no me disputo,
que tienes gran señorío;
águila, castillo y cruz
dime de dónde te viene,
pues que tu pija capuz
nunca le tuvo ni tiene:

 "El águila es de San Juan
y el castillo el de Emaús,
y en la cruz puse a Jesús
siendo yo allí capitán".

 García, ¿qué es de tu padre?
¿a quién preguntáis por él?
¿a ti qué dice tu madre?:
que eres hijo de Joel,
y jura don Juan de Lerma
que estando de ti preñada
te bautizó con su esperma
el prior de Mejorada.

 ¿Qué es de vos, don fray Montilla?
¡qué de averso es vuestro nombre,

que os tienen en esta villa
por mandil y no por hombre!
Trobador era don Duelo
de la parte de su abuela,
y don Abraham, su abuelo,
hizo coplas en cazuela.

　Ah, fray Alonso de Torres,
comendador de los aires,
¿a cómo das los donaires
que dices a los señores?:
"A fray comer y beber
que me dan por los decir,
y tal señor puede ser
que también dé de vestir".

　Un monje me ha dado cuenta
de que el mal fraile Contreras
con doña Ana su parienta
ha dormido muy de veras,
y aunque otra cosa he sabido,
que no sé cómo la escriba,
que hace bodas escondido
con su hermana putativa.

　A ti, fray rico en lanas,
del convento buen hermano,
quéjate de las rufianas
que tomaste de Arellano;
una nueva me ha venido,
y no más lejos que ayer,
que te ode de continuo
el que ode a tu mujer.

　A ti, fraile perro moro
de la casa de Guzmán,
¿por qué cantas en el coro
las leyes del Alcorán?
Dícenme que siendo viva
tu mujer doña Francisca
te casaste a la morisca
con doña Isabel de Oliva.

　"Provincial, quejas nos dan
de un hecho tan desabrido,
que dejaste por olvido

el buen prior de San Juan".
Villano, no he de olvidar
tu nefanda artillería,
maestro muy singular
en la santa sodomía.

  A ti, fray Cuco Mosquete,
de cuernos comendador,
¿qué es tu ganancia mayor,
ser cornudo o alcahuete?:
"Así me perdone Dios,
y no lo digo por salva,
que de entrambas cosas dos
he servido al Conde de Alba".

  A ti, fray Diego de Ayala,
marido de doña Aldonza,
del cuerno, así Dios te vala,
¿a cómo vale la onza?:
"A ti, fray Juan de Mendoza
y al señor comendador,
que me dan con gran honor
miel, borra, pluma y coroza".

  Gil González Bobadilla,
aquí quedaréis confuso,
que andaréis en esta villa
con una rueca y un huso,
porque ha jurado Contreras
a la muy Santa Cruzada
que nunca en burlas ni en veras
pusiste mano a la espada.

  Fray Alonso, de un gran mal
os librad por cortesía,
porque dice el Provincial
que dos coplas os hacía:
la una de vuestro padre,
que quemaron en Toledo;
la otra de vuestra madre,
que es puta de las de Olmedo.

  Ah, fraile doctor fiscal,
ahora que viene el rey
ha mandado el Provincial
que vos salgáis con la Ley,

y aun así me ayude Dios,
que debéis salir ahora,
pues ella misma sois vos,
que no habéis menester hora.

   Juan de Ulloa, y Valdivielso,
hombres cobardes y tristes,
de la batalla que huisteis
resulta muy ruin proceso;
por el mundo va y se suena
ser aquesta, y no se calla,
por quien dijo Juan de Mena
la más que civil batalla.

   En un hospital vi estar,
al rincón de una cocina,
a Hernando el de Tovar
con su capa gabardina;
es muy pobre, mas por eso
muy ufano de hidalguía,
que su padre era confeso
el Provincial le decía.

   Fray Pedro Méndez, hermano,
privado de Jeremías,
dime tú cuánto darías
por un cuarto de cristiano;
respondió él de llano en llano:
"así goce de mis días,
que es cornudo y mal cristiano
quien hizo las coplas mías".

   A ti, fray Diego de Llanos,
puto mal quisto de gente,
de linaje de marranos,
de sangre lluvia doliente,
dirás a Juan de Vivero
que castigue su trasero
de tanto puto palmero
como trae alrededor.

   Ah fraile, qué bien contrasta
Pero Álvarez de Palencia,
¿del Conde Santa Marta
a cómo das la sentencia?:
"a precio que siempre queda

la condesa por abrigo,
de enviarme paño y seda
y muchas cargas de trigo".
   A ti, fray Juan Baharí,
gran pontífice mundano,
rezador del Genesí
mejor que del calendario,
así yo de ti vea gozo,
obispo talle de cuero,
que te vi siendo más mozo
oficial de un cuchillero.
   Ah, fraile doctor de Castro,
el ministro ha dicho aquí
que os eligen por rabí,
y lo ha sacado por rastro:
descendés de Abacú,
hebreo de masa de uva,
que hallaste rota la cuba
y por tapón una pú;
   según hedéis a judío
habéis menester mandil
y rogarle al alguacil
por vuestro hijo y el mío.
   Fray Pedro de Bobadilla,
no os hagáis sordo ni mudo,
que os tienen en esta villa
por muy famoso cornudo;
bien lo sabe el Provincial,
porque desde aqueste invierno
yo y el nuestro mayoral
andamos a toma el cuerno.
   Fray Pedro Méndez, cristiano,
mintió quien tal decía,
que el un cuarto es de marrano
y los tres de sodomía;
   un fraile me dijo anoche
(el nombre del cual te niego),
que en el mesón de Pedroche
fuiste novia de don Diego.
   En el convento mayor
y en la mesa maestral

el Franco comendador
ha causado mucho mal,
pues de cuernos no podéis
levantaros con gran mengua,
y al dar la mano decís:
"valedme, señora Menga".

A ti, fraile apañador,
bachiller, ¿quién fue tu madre?
pues sabemos que tu padre
fue un honrado labrador;
puedes de su condición
loarte bien con derecho,
pues las monedas del pecho
las pagaba sin pasión.

Pues les dio a los de Toledo,
padres, a Valdecorneja,
ce, *Deo Gratias*, hable quedo,
y diréselo a la oreja:
a Hernán Álvarez primero
deben, que se lo dio el rey,
creyó en Dios verdadero
y fue rabino en su ley.

Ah, señor pesquisidor,
el Provincial os avisa
que os dejéis desta pesquisa,
porque cumple a vuestro honor,
que por vida de la novia,
hermosa en el presumir,
que son idos a Segovia
por cosas para os decir.

Los de Segovia han llegado
con las cosas que allá hallaron,
y al Provincial admiraron
luego que las han contado;
proveyó en una sola
hasta mejor ordenar:
que os castiguen en la cola
por vuestro mal rabear.

FRAY IÑIGO DE MENDOZA

32

Coplas de Vita Christi

REPRENDE LAS POMPAS Y REGALOS DE LOS GRANDES CON LA
POBREDAD Y PENA DEL SEÑOR

¡Ay de vos, emperadores!,
¡ay de vos, reys poderosos!,
¡ay de vos, grandes señores,
que con ajenos sudores
traéis estados pomposos!
¡Oh grandes, cuán de llorar
es a vos lo del pesebre!
¡Oh pobreza singular!
¿Quién te puede contemplar
que su soberbia no quiebre?
 Según esta piedad,
guay de vos, Enrique el Cuarto,
aunque con liberalidad
do sentís necesidad
repartís tesoro harto,
cuán lejos vos fallarán
daquella suma pobreza,
pues hartos no tienen pan
y en Segovia os mostrarán
viciosa mucha riqueza.
 Guay de vos, nuestro primado,
¡ay, don Alonso Carrillo!,
porquel favor del estado
vos faze muy alongado
del pesebre pobrecillo;
vuestros costosos manjares,
vuestros francos beneficios,
a las personas seglares
son virtudes singulares,
mas en el cielo son vicios.

Y a vueltas destos dos,
aunque del rey mucho quisto,
también, duque, guay de vos,
que fazéis ropa de Dios
enforrada en Jesucristo;
no curemos de dudar
quen el pesebre comporte
no tener que convidar
el que quiere comportar
que digáis vos tal en corte.

PROSIGUE LAS REPRENSIONES

Mas hablando en general,
de todos los grandes guay,
pues todos andan con mal
y de temor humanal
quien reprehenda no hay.
¡Oh brocados malgastados
en las faldas de las dueñas,
cuando los descomulgados
van al infierno dañados
por unas deudas pequeñas!
Traen truhanes vestidos
de brocados y de seda;
llámanlos locos perdidos,
mas quien les da sus vestidos
por cierto más loco queda,
y muchos santos romeros
porque no dicen donaires
con pobreza de dineros
andan desnudos en cueros,
por los campos, a los aires.
En galas y en convidar
que se gasten diez mil cuentos;
pues al tiempo del justar,
vía sastres a cortar
y rastren los paramentos,
y las doblas a montones

que bailen por los tableros,
mas las santas religiones
que pasen tres mil pasiones
a falta de limosneros.

EXCLAMACIÓN CONTRA LA DESTRUIDORA COSTUMBRE
DE NUESTROS GRANDES

¡Oh dolor digno de lloro,
que los piadosos lastimas!
¡Mal empleado tesoro
do cubren las vigas d'oro,
de seda visten las rimas,
cuando los pobres cuitados
sus carnes muestran al cielo,
fambrientos, desventurados,
corridos, envergonzados,
teniendo por cama el suelo!

EXCLAMACIÓN

¡Oh Señor, y cuál bondad
detiene la tu justicia!
¡Oh Señor, cuál piedad
detiene la crueldad
que merece tal malicia!
Mas mucho temo, Señor,
que tu rabia más dañosa
es dejar al pecador
durar mucho en el dulzor
daquesta pompa engañosa.
Aunque parezca en aquesto
del propósito apartarme
del Sacro Niño propuesto
que en el pesebre fue puesto
a temblar por calentarme,
pero pues su pobredad
agora me da ocasión,
quiero decir la verdad

por peligro y ceguedad
de aquellos que grandes son.

¿Qué aprovecha, caballeros,
este tesoro que sobra,
pues todos vuestros dineros
quedan a los herederos
cuando la tierra vos cobra?
¡Oh, cobre tan engañoso!
Porque seamos más ciertos
cuánto eres mentiroso
dígalo algún poderoso
de los más cercanos muertos.

Caballero de gran renta,
por darnos avisamientos
decidnos cuando el afruenta
qué librastes de la cuenta
de vuestros catorce cuentos,
porque tal cosa podrés
contarnos, señor maestre,
que vuestro hermano el marqués
así se enmiende después,
quel diablo no l'encabestre.

Maestre de Calatrava,
en quien todos adoraban,
di la congoja en questaba
tu alma cuando miraba
a los que callan y traban,
porquel temor no[s] derrueque
con el gran ejemplo tuyo,
y aquel duque de Alburquerque
fará quizá que no peque,
mas menosprecie lo suyo.

E huyendo la sentencia
daquel juicio drecho,
nuestro conde de Plasencia
mirará más su conciencia
que lo ha fasta aquí fecho,
e ya de algo siquiera
faga la cuenta con pago
y le tiemble la contera,

que no es estar en La Vera
pasar el hombre aquel trago.

Al tiempo que pareciste
antel justo consistorio
¡guay de ti, maestre triste!
si daquel no mereciste
ser juzgado a Purgatorio,
quen los fuegos infernales,
si estás allá lo sabrás,
tampoco somos iguales,
que a las almas maestrales
ponen diez tizones más.

El marqués de Santillana
llama bienaventurada
aquella vida villana
que come bien lo que gana
luchando con el azada;
¡oh cosa tan verdadera
que a la pobreza es atajo,
por cuya senda, si fuera,
en Paraíso estuviera
con muy pequeño trabajo!

Es muy peligroso estado
el que gobierna Fortuna:
acá, después de finado,
mil veces lo he fablado
con don Álvaro de Luna,
porque los grandes vivir
no pueden sin mil recelos,
pues al tiempo del morir
osar ose yo decir
que parten con hartos duelos.

Ca harto era excelente,
y en el reino de Castilla
señor de la mejor gente,
y reinaba enteramente
desde Toledo a Sevilla;
señor de harto tesoro,
muy vicioso de mujeres,
mas acá do agora moro

só señor de tanto lloro
cuanto allá fui de placeres.

Ni con tanta amarga cara
la triste muerte sufriera,
ni después que la tragara
sobre ella no me quedara
que llorando padeciera
tormentos incomparables,
tinieblas, llamas, fatiga,
dolores innumerables,
pero si son perdurables
no quiera Dios que os lo diga.

Con desdonosos renglones
no quieros seros prolijo,
¡oh poderosos barones!:
si miráis a las razones
quel Señor nuestro dijo,
conoceréis la verdad
de la engañosa locura
de vuestra prosperidad,
y conocida, acostad
a la parte más segura.

E la soberbia dejad,
pues que nacimos iguales;
por alcanzar humildad
al pesebre vos atad
entre los dos animales,
ca daquella perfección
divinal, maravillosa,
alcanzaréis algún don,
especial a petición
de la Virgen gloriosa.

Pues en dar los obispados
era yo segundo papa,
y por los tales pecados
son agora los prelados
obispos d'espada y capa,
mas a tan pocos perdona
esta muerte universal,
que cuando vino en persona

ni me valió su corona
ni aun mi cruz maestral.
   Estotro también tenía
sobrado mando y moneda;
cuanto en el reino decía,
en aquel son se fazía
quen Escalona y Maqueda,
mas todos supiendo cuando,
este vuestro mundo falso
tornó en sueño su mando,
pregonando, degollando,
encima d'un cadafalço.
   Aunque según que murió
este grande de quien fablo,
la vergüenza que sufrió
muchos renglones rayó
de los escriptos del diablo;
mas yo quen prosperidad
recibí la cruda muerte,
antes de la vejedad,
después de la mocedad,
en el peligro más fuerte.
   Yo triste soy de llorar,
yo triste soy de doler,
yo triste soy de mirar,
para nunca confiar
en el mundano placer;
acorredme, pues que só
circunciado, acuchillado,
que en este lugar do estó
el que allá mejor libró
está acá peor librado.
   Si vuestro reino perdido
ha de ser y destrozado,
quen la Escritura he leído
todo reino en sí partido
será de fuera asolado,
¿cuáles fueron causadores
deste comienzo de bando?
¿si fueron los labradores

o endiablados señores
con su soberbia de mando?

 Según la mala conciencia
de tales grandes estados,
bien se puede dar sentencia,
que tienen sola apariencia
de cristianos bautizados;
por aquestos con la guerra
pestilencia ayunta Dios;
pues los frutos de la tierra,
si no se enmienda quien yerra,
ayudarán a los dos.

 Por lo cual daquí os aviso
con entrañas de dolor,
que quien quiere el Paraíso
ha de fazer como fizo
en el pesebre el Señor:
desvariar la voluntad
de las cosas desta vida,
y la santa pobredad,
la fambre y desnuidad,
amallos muy sin medida.

 Ca si yo pobre viviera,
mal gobernado y mal quisto,
si en el pesebre estuviera,
si las pisadas siguiera
daquel pobre Jesucristo,
ni yo tesoros tuviera
ni tesoros me tuvieran,
ni sin tesoros muriera,
ni mis tesoros perdiera
ni tesoros me perdieran.

 E si vuestra humanidad
enciende sucia centella,
contemplad la brevedad
de la su vil suciedad
y la luenga pena della,
y la presencia divina
y del ángel que vos guarda,
y con esta medicina

    la podréis matar aína,
por mucho recio que arda.
    La codicia me parece
bien ligera de matar
al que piensa si adolece
y adolesciendo fallece:
que no ha nada de llevar,
y que por mandas que faga,
si no lo da cuando vive,
después que so tierra yaga
las más veces la paga
dentro del agua s'escribe.
    Según esto, caballero,
tu muerte y la de los tales
bien nos dice que el dinero
debe ponerse al tablero
por los bienes celestiales,
pues Jesús Nuestro Señor,
envuelto en tan pobres paños,
también dice quel mayor
debe tornarse menor
para fuir de tus daños.

PONE TRES PECADOS QUE ANDAN ENVUELTOS CON GRANDES ESTADOS

    Que nunca falta en la tienda
de cualquier estado grande
codicia para que prenda,
lujuria para que encienda,
soberbia para que mande;
desta sola copla mía
pueden claro conocer
que pomposa señoría
por gran milagro sería
fuir de no se perder.

PRUEBA LO DEL PRIMERO VICIO

    Concluyo por acortar,
que al que renta sobrepuja

es muy peor de salvar
que un camello de entrar
por el cabo d'una aguja;
mas no son palabras mías
que las podáis reprochar,
mas daquel nuestro Mesías
que dijo en aquellos días
cuando nos vino a salvar.

DEL SEGUNDO VICIO

Pues lo del vicio carnal
digamos en hora mala;
no basta lo natural,
que lo contra natural
traen en la boca por gala:
¡Oh, Rey!, los que te extrañan
tu fama con su carcoma
pues que los aires te dañan,
quémalos como a Sodoma...

OTRA EXCLAMACIÓN

¡Oh castellana nación,
centro de abominaciones!
¡Oh cristiana religión,
ya de casa de oración
hecha cueva de ladrones!
¡Oh mundo todo estragado!
¡Oh gentes endurescidas!
¡Oh templo menospreciado!
¡Oh Paraíso olvidado!
¡Oh religiones perdidas!
Venid y circuncidad
no la carne, que es vedado,
mas las obras de maldad,
la perversa voluntad,
el tiempo non bien gastado;
los clérigos, las simonías;

el robar, los caballeros;
los frailes, hipocresías;
las hembras, hechicerías,
y los ricos sus dineros.
　Circunciden los logreros
sus usuras vergonzosas,
y los fructos los dezmeros;
circunciden los plateros
sus alquimias engañosas;
los cuestores, lo que piden
do justa razón non sienten;
los traperos circunciden
no las varas con que miden,
mas las lenguas con que mienten.
　Circunciden los salvajes
el su maldito deporte;
los galanes y los pajes
no circunciden los trajes,
pues tan cortos son en corte
cuanto yo, si se rompiesen
las calzas que andan de fuera,
no siento que se cubriesen
si como Adán no pusiesen
las dos fojas de la higuera.
　Circunciden las mujeres
aquella llama encendida,
aquellos locos tañeres,
aquellos breves placeres
que a veces cuestan la vida;
circunciden las orejas
las doncellas por tal arte
que no oigan las consejas
de las alquiladas viejas
que vienen de mala parte.
　Circunciden nuestras damas
el anchor de sus faldillas;
circunciden de sus camas,
de sus carnes, de sus famas,
las vergonzosas mancillas;
los cortesanos, sus rallos,

juramentos y promesas
deben de circuncidallos
cuando están muy hechos gallos
delante las portuguesas.

¡Oh monjas!, vuestras mercedes
deben de circuncidar
aquel parlar a las redes,
el escalar de paredes,
el continuo cartear,
aquellos zumos y aceites
que fazen el cuero tierno,
aquellas mudas y afeites,
aquellos torpes deleites
cuyo fin es el infierno.

Circunciden las justicias
su garcisobaco fino;
los letrados las malicias,
y los viejos las codicias,
pues están ya de camino;
circunciden los señores
el tornarse mercaderes,
que no son de unos colores
virtudes, gracias, honores,
y los flamencos aferes.

Y los vicios de sus greyes
circunciden los prelados,
y circunciden los reyes
el quebrantar de las leyes
por amor de sus privados,
y el privado verdadero
circuncide este resabio:
que no sea más lisonjero
con su rey que fue con Nero
el de Córdoba el gran sabio.

QUE SE CIRCUNCIDE LA MALA GUARDA DE LA JUSTICIA

Y circuncide Castilla
el atreverse del vulgo

contra la perra Justilla
que visteis en la traílla
del pastor Mingo Revulgo;
si no, pues han barruntado
que no está la perra suelta,
vos veréis cómo priado
nunca medrará el ganado,
y el pastor con ello a vuelta.

QUE SE CIRCUNCIDE EL DORMIR DE LA TEMPLANZA

Justilla no sale fuera,
¡ay que guay de nuestro hato!;
porque mala muerte muera
duerme la otra tempera
perra de Gil Arribato;
¡oh negligente pastor,
ve, circuncídale el sueño,
que en el día del dolor
hasta el cordero menor
te hará pagar su dueño!

Y LA CEGUEDAD DE LA PRUDENCIA

Pues la prudente ventora,
¡ay de la nuestra manada!,
ciega está la pecadora,
enloquecida a deshora,
que ya no rastrea nada;
¡oh cuitado rabadán!,
entraste en mala semana,
que todas te las combrán
cuantas reses aquí están
si esta perra no sana.

Y LOS COHECHOS DE LA FORTALEZA

Azerilla desmayó,
ya, pastor, otra no queda,

y dicen que adolesció
porque del agua bebió
en Burgos de la Moneda,
ca es una agua que empacha
a cualquiera que la cata;
tiene otra peor tacha:
que como vino emborracha
y jamás la sed amata.

Ovejas, gran miedo he
que vendrá presto la saña
do no valdrá decir *me*
ni a los pastores sin fe
asconderse en la cabaña;
pues es la causa delito,
¡oh ovejas castellanas!,
al remedio vos remito
d'aquel pastoril escrito
de las coplas aldeanas...

REPRENDE Y DECLARA EL IDOLATRAR DE LOS CRISTIANOS

Entre tanto condenar
los que adoran dioses vanos,
razón es de reprochar
el continuo idolatrar
de nuestros falsos cristianos,
que así por un rasero
la mayor parte del mundo
con amor muy verdadero
adoran por dios primero
al que llaman dios segundo.

PRUEBA CÓMO MUCHOS TIENEN POR SU DIOS AL DINERO

Lo que más temes perder,
lo que más amas hallar,
lo que más te da placer
en lo haber y poseer

se debe tu Dios llamar;
lo que más te manda y veda
es el más propio Dios tuyo,
de la cual sentencia queda
que resciben la moneda
muchos hombres por Dios suyo.
  No sé qué más adorar
ni qué más dar sacrificio
que mentir y trafagar,
perjurar y renegar
cada día en su servicio,
nunca dormir sin temor,
nunca vivir sin sospecha:
puédote jurar, lector,
que aunque soy fraile menor
no es mi regla tan estrecha.

NOTA

  Comportar los omecillos
que todos tienen con ellos;
caminar siempre amarillos,
y al pasar de los castillos
erizarse los cabellos;
mil peligros en el mar,
en la tierra mil cohechos;
pues lo sufren por ganar,
ya podéis adivinar
cuál Dios tienen en sus pechos.
  Engordar los caballeros
para después de engordados
esperar por sus dineros
el fin que los leoneros
esperan de sus criados;
los que así tragan el miedo
de la hambre de los grandes,
adivina con el dedo
que pueden decir el *Credo*
a lo que viene de Flandes.

Con temor de ser robados
recelar mil testimonios;
ofrecer los desastrados
mil veces por dos cornados
sus almas a los demonios;
comportar de ser terrero
a las envidias de todos,
me hace creer, logrero,
que tu Dios es el dinero,
aunque traes cristianos modos.
   Que hagan las aficiones
ser tu Dios lo que más amas
bien lo muestran las pasiones
que en sus coplas y canciones
llaman dioses a las damas;
bien lo muestra tu servirlas;
su rabiar por contentarlas,
su temerlas, su sufrirlas,
su continuo requerirlas,
su siempre querer mirarlas.
   Bien lo muestra el gran placer
que sienten cuando las miran;
bien nos lo da a conoscer
el entrañal padescer
que sufren cuando suspiran;
bien ofrece a la memoria
la fe de sus corazones,
su punar por la victoria,
su tener por muy gran gloria
el sí de sus peticiones.
   Su danzar, su festejar,
sus gastos, justas y galas,
su trobar, su cartear,
su trabajar, su tentar
de noche con las escalas,
su morir noches y días
para ser dellas bien quistos;
si lo vieses, jurarías
que por el Dios de Macías
venderán mil Jesucristos.

COMPARACIÓN

Como muchas nueces vanas
se cubren de casco sano;
como engañosas manzanas
que muestran color de sanas
y tienen dentro gusano,
así, por nuestro dolor,
muchos de nuestras Españas
se dan cristiana color,
que de dentro el dios de amor
ha roído sus entrañas.

COMPARACIÓN

Como el tordo que se cría
en la jaula de chiquito,
que dice cuando chirría
Jesús y *Santa María*
y él querría más un mosquito,
en aqueste mismo son
muchos estragados fieles
hablan cristiana razón,
que su alma y afición
tienen puesta en los fardeles.
 ¿Qué vale su cristiandad
ni a la Cruz decir "adoro"
si con toda voluntad
adoran más de verdad
las mujeres o el tesoro?
Que la divina sentencia,
al tiempo de los remates,
no juzgará su conciencia
por el nombre y apariencia,
mas por solos los quilates.
 Así que no condenemos
la sola pagana gente,
que si buscarlos queremos
mil cristianos fallaremos
paganos secretamente,
no que sigan los errores

de los ídolos pasados,
mas tienen otros peores:
lujurias, gulas, rencores,
envidias, iras, estados...

JUAN ÁLVAREZ GATO

33

Al tiempo que fue herido Pedrarias por mandado del rey don Enrique, pareció muy mal, porque era muy notorio que le fue gran servidor, y por esta causa hizo las coplas siguientes, en nombre de un mozo que se despide de su amo: y algunos caballeros por esta razón se despidieron del rey

No me culpes en que parto
de tu parte,
que tu obra me desparte
si me aparto,
que a los que me dieren culpa
en que partí,
yo daré en razón de mí
que tu culpa me disculpa.
 Que cosa parece fuerte
de seguir,
quien remunera servir
dando muerte;
irse han todos los buenos
a lo suyo,
que eres bravo con el tuyo
y manso con los ajenos.
 Plácete de dar castigos
sin por qué,
no te terná nadie fe
de tus amigos,
y esos que contigo están,
cierto só,
que uno a uno se te irán,
descontentos como yo.

Lo que siembras hallarás,
no lo dudes;
yo te ruego que te escudes
si podrás,
que en la mano está el granizo,
pues te place
deshacer a quien te hace
por hacer quien te deshizo.
  Ya durarte no podría
sin mudanza,
que murióse el esperanza
que tenía,
que con obras de presente
que has obrado,
ni tienes a Dios ganado
ni menos la buena gente.

CABO

  Pues eres desconocido,
lastimero,
quédate con lo servido,
no lo quiero;
pues el cabo da experiencia
que veré,
si me quieres dar licencia,
si no, yo la tomaré.

34

Al rey, porque daba muy ligeramente lo de su corona real

  Mira, mira, rey muy ciego
y miren tus aparceros,
que las prendas y dineros,
cuando mucho dura el juego,
quédanse en los tablajeros;
acallanta tantos lloros

y reguarda, rey muy saje,
cómo en este tal viaje
tus reinos y tus tesoros
no se vayan en tablaje.

35

*Un mozo de espuelas de Alonso de Velasco, que se llamaba
Mondragón, hizo ciertas coplas de loores bien hechas al capitán
Hernán Mexía, de Jaén, y a Juan Álvarez; y porque Hernán
Mexía le respondió loando en él lo que era razón de loar, retractaban
algunos dél diciendo que se desautorizaba, y pareciendo
a Juan Álvarez mal lo que aquellos reprobaban, hizo la obra
que adelante se sigue...*

PRINCIPIA LA OBRA

Cualquiera noble costumbre
en la vida que tenemos,
la pobreza y servidumbre
no le deja arder su lumbre,
porque malos lo queremos,
no por ser justo camino,
mas errado y no de buenos,
que, según el bien divino,
por nascer en el espino
no valen las flores menos.

COMPARACIÓN

Como lucen señalado
las lindas rosas olientes
en el monte inusitado
donde habitan sin poblado
los salvajes y serpientes,
ansí la baja nación

cuando la virtud atrajo
le debemos la mención,
que no mengua perfección
por morar en lo más bajo.

HABLA CON LOS COMPONEDORES QUE SE TRABAJAN EN MENTIROSAS HIPOCRESÍAS, REGATANDO SUS LISONJAS Y AFERES ENCUBIERTOS, DONDEQUIERA QUE AFICIÓN, FAVOR O RIQUEZAS ABUNDAN, Y DE CÓMO VICIADOS EN EL FALSO APETITO DE CAUTELAS, NI LOS LOADOS CONOSCEN SER ENGAÑO NI LOS QUE LOS LOAN HAN ARREPENTIMIENTO

Y nosotros, sin nobleza,
de vanos intereseros
simulamos la pobreza;
del que tiene más riqueza
somos todos pregoneros;
lo que no hay en él decimos
por hipócritas maneras,
y ni nos arrepentimos
ni el varón por quien dijimos
conosció nuestras cegueras.

HACE COMPARACIÓN DE QUE TAL QUEDA EL LOADO, Y CÓMO EL LOADOR ES LA CAUSA DEL MAL QUE DELLO SE SIGUE, Y EL MAYOR ES EL SUYO

Antes de muy cierto cierto,
creyendo que está loado,
no mirando qués incierto,
tórnase pandero yerto
de mucho glorificado,
y nosotros, como en baño,
holgados del daño vuestro,
cautelando con engaño,
somos causa deste daño,
y el mayor daño es el nuestro.

PROSIGUE

El daño tuyo es, si miras,
que lleno de ceguedad,
haciendo salvas y jiras
haces ley de las mentiras
soterrando la verdad;
pensando c'as bien hablado
andas lleno de desgaire,
sales de quicio, cuitado:
recuerda, desmemorado,
que haces rima del aire.

PROSIGUE LA HABLA CON ÉL, LOANDO LA TEMPLANZA, RECOGIENDO AL TEMOR DE DIOS

¿Quieres cierto merecer?
Pon templanza y escarmiento
en decir y en el hacer,
quel saber será saber
en saber hablar con tiento;
bien sé agora que dirás
que si loas sin medida
que por ser quisto lo has:
precia, precia el alma más
queste viento desta vida.

QUE DEBEMOS SIEMPRE DECIR VERDAD DE NOSOTROS Y DE TODOS

De los dichos aprobados
recojamos la simienza;
destos muchos reviciados
hayamos como templados
vergüenza de su vergüenza,
diciendo verdad de nos,
no cobrilla de intervalos,
que, según razón y Dios,
más vale contentos dos
que no muy muchos y malos.

HABLA CON EL MUNDO CERCA D'UNA CONDICIÓN DE GRAN CULPA NUESTRA QUE TENEMOS DE PREGONAR VIRTUD DEL GRANDE O DEL RICO, AUNQUE NO LA TENGA: CÓMO EN ELLO LE AMENGUAMOS Y CÓMO NO LE DEBEMOS HACER, SINO DOQUIERA QUE ESTUVIERE, ALLÍ HONRALLA Y LOALLA

¡Oh mundo desordenado,
abundoso de invirtud!
¿Cuál razón nos da cuidado
que juzguemos por estado
la bondad ni la virtud?
Destrozamos este ovillo,
que creciendo más amengua;
no curemos d'encubrillo:
si tal fuere el pobrecillo,
allí cante nuestra lengua.

CONTINÚA SU INTENCIÓN Y CONCLUYE

Si virtudes son halladas
en el pobre y en el chico,
que sigamos sus pisadas,
que se loen y sean loadas
por igual c'al rico rico,
y si así templado fuere
no será menester freno:
téngala quien la tuviere,
si mejor obra hiciere
háyanle por el más bueno.

TRAE A CONSECUENCIA AQUEL POBRE ROPERO DE CÓRDOBA, ANTÓN DE MONTORO, Y AL MOZO DE ESPUELAS MONDRAGÓN, QUE FUE LA CAUSA DESTAS COPLAS, DICIENDO QUE SI ESTOS OBRAREN O HABLAREN BIEN, O OTROS GENERALMENTE, NO LES DEBE EMPACHAR VIVIR EN HÁBITO BAJO O POBREMENTE PARA SER OÍDOS O LOADOS

No hagamos dios del oro,
dejemos este aguaducho;

si bien obra el de Montoro,
aunque pobre de tesoro
ténganle por rico mucho;
pues tomemos conclusión
en esta vida que vuela;
sojuzguemos a razón:
si discreto es Mondragón,
no curemos del espuela.

LA RAZÓN HABLA CON EL AUTOR, CASTIGÁNDOLE QUE MIRE DE NO CAER EN LO QUÉL REDARGUYE, PORQUE CONOSCE QUE EN ESTO HA SIDO ÉL MÁS DE CULPAR QUE OTRO, Y ACABA

Quien a los otros atapa
a sí mesmo no lisonje,
pues que sabe y no se escapa
que so mala y rota capa
y el vestido no es el monje,
mas yo quejo, mal amigo,
de tu simple seso tosco,
que tú dices lo que digo
y después juegas conmigo
si te vi no te conozco.

36

Al pie de un crucifijo que está en Medina sobre una pared hecha de huesos de difuntos puso esta copla para que veamos claramente cómo somos todos de una masa, y que esos deben ser habidos por mejores que tuvieren más virtudes, pues que linaje, disposición y fama y riquezas, todo perece

Tú que miras todos estos,
piensa, pecador de ti,
que disformes y dispuestos,
de buenos y malos gestos,
de todos están aquí;

y pues son d'una color
el siervo con su señor,
yo te aconsejo que mires
en ser en vida mejor
y ni penes ni suspires
por ser mayor o menor.

HERNÁN MEXÍA

37

En el tiempo del rey don Enrique, que estaban estos reinos envueltos en tiranías y discordias, hizo estas coplas al mundo y enderezólas a Juan Álvarez

Mundo ciego, mundo ciego,
lleno de lazos amargos,
cuando tienes más sosiego
lanzas más leña en el fuego
para muchos años largos,
de do resquiebran centellas
de crudo fuego rabioso:
¿quién es que huya daquellas?
No sé quién se escape dellas,
pequeño ni poderoso.

¡Oh sordo son dolorido
de tristes voces crueles,
cuyo retinto y sonido
atruena todo sentido
a los más firmes fieles,
cuyo espanto da dolor,
dolor d'espanto mortal,
mortal pesar y temor,
temor de bravo tristor,
de rabia muy desigual!

Do resultan turbaciones
y causas desordenadas,
mancillas, tribulaciones,
tan altas alteraciones

que en el cielo dan voladas
en una desacordanza
de discordia firme, fuerte,
donde no siento esperanza,
gobernando tu mudanza
las leyes de falsa suerte.

CONTINÚA

¡Oh juicios soberanos
y justas persecuciones,
pecados de los humanos,
engaños, vicios mundanos,
peligrosas ocasiones!
¿Dó la fe, dó la verdad,
dó la paz, dó la mesura?
¿Qué se hizo caridad?
¿Dó la mansa piedad,
dó justicia, dó cordura?

¿Dó los reinos bien regidos,
dó los buenos regidores,
a dó los sabios sabidos,
a dó los malos punidos,
a dó los buenos señores?
¿Adónde los buenos reyes?,
¿dónde los buenos prelados,
a dó pastores y greyes?
¿Dónde están las buenas leyes,
dó castigan los pecados?

¿Dó los buenos religiosos?,
¿a dó leales ciudades?,
¿dónde están los virtuosos,
adónde los vergonzosos,
a dó los limpios abades?
¿A dó buenos caballeros,
dó buenos guerreadores,
a dó nobles escuderos,
a dó los sabios guerreros,
a dó simples labradores?

CONTINÚA ADELANTE

¿Qué son de grandes servicios?
¿Dónde están los galardones,
oficiales, los oficios,
los loables ejercicios,
las honras, los ricos dones?
¿Qués de los grandes amigos?
¿Adónde amores seguros?
¿Dó los claros enemigos?
A dó fallecen mendigos,
¿dónde valen fuertes muros?

¿Qués de la gran fortaleza
de las cavas mucho hondas?
¿Qué se hizo la franqueza?
¿Dónde está la gentileza?
¿Dó los truenos, dó las hondas?
¿A dó los dorados techos?
¿A dó los grandes tesoros?
¿Qué se han hecho grandes hechos,
artificios, los pertrechos?
¿Dó las guerras de los moros?

¿Dónde están buenos consejos?
¿A dó los consejadores?
¿Dónde están prudentes viejos?
¿A dó los justos parejos?
¿Qué se han hecho los mejores?
¿Qué se hizo gran secreto?
¿Qués de la buena intención?
¿Dó lo blanco sin lo prieto,
lo simple, lo muy perfecto?
¿Qués de aquel gran corazón?

CONTINÚA

¿Los justos comedimientos,
la templanza, la prudencia,
los buenos ofrecimientos,
los firmes, altos cimientos,
el honor, la reverencia,

la bien dispuesta salud,
la muy entera bondad,
la floreciente virtud,
sabidora senectud,
limpieza de voluntad?

 ¿La doctrina, la costumbre,
la muy antigua nobleza,
señorío, servidumbre?
¿Qué se hizo aquella lumbre
de hidalguía y pureza?
¿Dónde está la devoción,
los expresos mandamientos,
la dulce conversación,
la muy santa confesión,
el amar los sacramentos?

 ¿El amargo arrepentir
de los jamás penitentes,
los remedios del morir?
¿Qués del cristiano vivir,
tiempos pasados, presentes?
¿A dó la gran esperanza?
¿A dó la gracia del cielo?
¿Dónde la justa balanza?
¿A dó la buena crianza?
¿A dó la cara sin velo?

 ¿Los muy humildes letrados
que son vasos de la ciencia,
los temidos, los amados
alcaldes justificados?
¿Qués de la buena conciencia?
¿A dó la seguridad?
¿Dó las gracias del bien hecho?
¿Dónde está la libertad?
¿Dó la humana humanidad?
¿Dó las leyes, dó el derecho?...

Juan Álvarez responde a Hernán Mexía: do muestra que los vicios han sumido las virtudes en defecto de los malos, y ésta es la intención de toda su respuesta...

RESPONDE POR EL MUNDO Y HABLA CON ÉL, Y MUESTRA LA CAUSA PORQUE SON LAS OBRAS BUENAS Y LAS VIRTUDES OLVIDADAS Y PERDIDAS

Escucha, ciego, diré
por qué son tales baldones.
¿Quiés saber, Mundo, por qué?
Porquel calor de la fe
se resfría en los corazones,
y porque los más mirados
que tenemos entre nos
andan muy desacordados,
zahareños, revesados,
de temer y amar a Dios.

CONTINÚA

Que ya ninguno no piensa
ni teme la disciplina
ni se siente del ofensa;
ésos tienen más reprensa:
los que habién de dar doctrina,
no buscan cavas seguras,
mas enrridan cien mil males
socavando por figuras
cómo traigan coyunturas
sus modos interesales.

CONTINÚA

Los reyes que eran guardados
ésos son los que recelan,
no se fían de sus criados,
antes dellos reguardados
ya se rondan, ya se velan;

no es ya quien les desanarte
ni a quien plega de pesalle;
todos juegan por un arte:
quien se mueve a buena parte
de mala parte le salle.

PROSIGUE ADELANTE

No se fían de sus secazes
ni ninguno está seguro;
son cara con muchas haces:
so color de decir paces
están minando en el muro;
no dan nudo bien atado,
no lazada conocida,
cada cual anda burlado:
quien se duerme descuidado
quizá se duerme su vida.
Ésos urden los rigores,
ésos arman la conseja,
los claros pasturadores,
los debidos defensores
y ministros del igreja:
no se curan de la grey
por derramada que va,
olvidan cuál es su rey,
aquésa tienen por ley:
la ley quel tiempo les da.

PROSIGUE ADELANTE

De la limpia castidad
los que sostienen la cumbre
ésos niegan su bondad,
matando su claridad
según el agua a la lumbre.
¡Oh muertas enfermedades!
¿Qué mayores escondrijos,
qué más falta de bondades,

que convidan los abades
a las bodas de sus hijos?
  El diablo, que a los buenos
siempre sigue ras por ras,
al mejor tira sus truenos,
que ganado está lo menos
desque ganado lo más,
y en las fuerzas guerreadas,
según parece por uso,
aunque estén muy pertrechadas,
si las torres son tomadas,
tomados son los de ayuso.
  Y daquí todos estados,
unos aprendiendo d'otros,
todos van descaudillados,
en los vicios acordados,
ahilando unos tras otros
sin que ninguno se vele
ni mire si va al revés,
guiando por donde suele
tras la cabeza que duele
y da dolor a los pies.

CÓMO LA CODICIA GUÍA LA DANZA

  Sin amor, sin amicicia,
todos llevan los tenores;
con jactancia y avaricia
todos van tras la codicia,
como lobos robadores,
atestando en nuestro seno
muchas usuras vilezas
que jamás se halla lleno,
creyendo ques el más bueno
el que tiene más riquezas.
  Somos malos a porfía,
y muy contentos de sello;
toda funda nuestra vía
so modos de hipocresía,
parecer buenos sin sello;

muchos muestran que suspiran
temiendo lo venidero,
estos que por aquí tiran
por cumplir con los que miran,
no con celo verdadero.

CONTINÚA

Pues otra que conocés,
muchas gentes infinitas,
no los vuelvan del revés,
que llenos los hallarés
de maneras exquisitas,
de muchas formas inciertas,
de modos con que se excusan;
si cumplieron con ofertas,
allí cerraron las puertas,
que las obras ya no usan.

DICE CÓMO POR TALES OBRAS VIENEN TALES TIEMPOS
Y SE ESPERAN PEORES

Todos juegan con un tejo,
forjado so poca fe;
a perderse va el concejo
donde no piden consejo
ni hallan quien ge le dé:
pues do siembran tales rosas,
tales tiempos acaesce,
tales ligas ponzoñosas,
que se espera destas cosas
mayor mal del que paresce...

FRAY AMBROSIO MONTESINO

38

Tratado de la vía y penas que Cristo llevó a la cumbre del Gólgota, que es el Monte Calvario...

A LOS REYES

¡Oh reyes y emperadores
de más sublime aparato!,
venid a ser valedores
a vuestros intercesores
llevando su cruz un rato,
porque según son mudables
las coronas que tenés,
con pasos tan adorables,
de movibles, perdurables
las harés.
Los blandos placeres vanos
¿no son, decid, cebaderos
de los dichosos gusanos,
de vuestros cuerpos humanos
naturales herederos?
¿Qué hacen carnes manidas
con regalos, con holandas,
porque al perder de las vidas
mejor os sean comidas
de más blandas?
Pues reyes, corred, corred
tras tan santas asperezas,
y que son ellas, creed,
gustadas mayor merced
que coronas ni grandezas,
y ved cuáles van corridos
la Reina y el Rey del cielo
de la Santa Cruz asidos,
ya derechos, ya caídos
en el suelo.

Reinas, princesas, infantes,
id tras vuestra clara estrella
de la cual no partáis antes
que los brazos muy pesantes
de la cruz llevés con ella,
y con pechos quebrantados
id con ella con destreza,
y volveréis sin pecados,
soldados vuestros estados
en firmeza...

A LOS MAESTRES Y COMENDADORES

Esta cruz os encomienda,
maestres, comendadores,
la Virgen muy reverenda,
que la lleva por la senda
de Calvario a trasudores;
vergüenza no dé lugar,
crianza ni gentileza,
que reina tan singular
lleve sola tal pilar
con flaqueza.
  No es razón llevar la renta
a costa de almas perdidas
y dejar en tal afrenta
a la reina que sustenta
la cruz para nuestras vidas;
id juntos de corazón
para el virginal socorro,
y con alma y devoción
soliviad aquel bastón
hechos corro.
  No llevés, como alquilados,
la cruz por sólo interese
en la ropa señalados
y en la renta sublimados,
y vuestra alma que se mese,
que al infierno va derecho
el que se cruza de fuera

si ojo tiene al provecho
y no al juicio estrecho
que se espera.

No parezcáis a Simón,
el cirineo gentil,
que llevó por convención
la cruz de veneración
con Cristo por precio vil,
mas al modo virtuoso
deste virginal sagrario
llevad el cedro ñudoso
con vuestro rey glorioso
a Calvario.

A LOS ECLESIÁSTICOS

Pues vaya la clerecía;
vaya, vaya, no se excuse,
a aliviarte, reina mía,
peso de tal demasía
sin que la carne rehúse,
mas temo, si no me engaño,
que su vida placentera
les hace, Señora, daño
para no pisar hogaño
tal carrera.

Muchos hay que de cargados
de transitorios oficios
no querrán ser ocupados
en pasos tan apartados
de sus blandos ejercicios,
mas vanse, que me confundo
al tino que dellos tomo,
desde la flor deste mundo
al infierno más profundo
como plomo...

JORGE MANRIQUE

39

Coplas por la muerte de su padre

...Nuestra vidas son los ríos
que van a dar en la mar
que es el morir:
allí van los señoríos
derechos a se acabar
y consumir;
allí los ríos caudales,
allí los otros, medianos
y más chicos;
allegados, son iguales
los que viven por sus manos
y los ricos...
   Pues la sangre de los godos,
y el linaje, y la nobleza
tan crescida,
¡por cuántas vías y modos
se sume su gran alteza
en esta vida!
Unos, por poco valer,
¡por cuán bajos y abatidos
que los tienen!
Y otros, por no tener,
con oficios no debidos
se mantienen.
   Los estados y riqueza,
que nos dejan a deshora
¿quién lo duda?
No les pidamos firmeza,
pues que son de una señora
que se muda,
que bienes son de Fortuna
que revuelve con su rueda
presurosa,

la cual no puede ser una,
ni estar estable ni queda
en una cosa.
   Pero digo que acompañen
y lleguen hasta la huesa
con su dueño;
por eso, no nos engañen,
pues se va la vida apriesa
como sueño,
y los deleites de acá
son en que nos deleitamos
temporales,
y los tormentos de allá
que por ellos esperamos,
eternales.
   Los placeres y dulzores
desta vida trabajada
que tenemos,
¿qué son sino corredores,
y la muerte la celada
en que caemos?
No mirando nuestro daño,
corremos a rienda suelta
sin parar;
desque vemos el engaño
y queremos dar la vuelta,
no hay lugar.
   Esos reyes poderosos
que vemos por escrituras
ya pasadas,
con casos tristes, llorosos,
fueron sus buenas venturas
trastornadas;
así que no hay cosa fuerte,
que a papas y emperadores
y prelados
así los trata la muerte
como a los pobres pastores
de ganados.
   Dejemos a los troyanos,
que sus males no los vimos,

ni sus glorias;
dejemos a los romanos,
aunque oímos y leímos
sus historias;
no curemos de saber
lo de aquel siglo pasado
qué fue dello;
vengamos a lo de ayer,
que también es olvidado
como aquello.

¿Qué se fizo el rey don Juan?
Los infantes de Aragón,
¿qué se fizieron?
¿Qué fue de tanto galán?
¿Qué fue de tanta invención
como trujeron?
Las justas y los torneos,
paramentos, bordaduras
y cimeras,
¿fueron sino devaneos?
¿Qué fueron, sino verduras
de las eras?

¿Qué se fizieron las damas,
sus tocados, sus vestidos,
sus olores?
¿Qué se fizieron las llamas
de los fuegos encendidos
de amadores?

¿Qué se fizo aquel trovar,
las músicas acordadas
que tañían?
¿Qué se fizo aquel danzar,
aquellas ropas chapadas
que traían?

Pues el otro su heredero,
don Enrique, ¡qué poderes
alcanzaba!
¡Cuán blando, cuán falaguero
el mundo con sus placeres
se le daba!

Mas veréis cuán enemigo,
cuán contrario, cuán crüel
se le mostró,
habiéndole sido amigo,
cuán poco duró con él
lo que le dio.

Las dádivas desmedidas,
los edificios reales
llenos de oro,
las vajillas tan febridas,
los enriques y reales
del tesoro,
los jaeces, los caballos
de su gente, y atavíos
tan sobrados,
¿dónde iremos a buscallos?,
¿qué fueron sino rocíos
de los prados?

Pues su hermano el inocente,
que en su vida sucesor
se llamó,
¡qué corte tan excelente
tuvo, y cuánto gran señor
le siguió!
Mas como fuese mortal,
metiólo la muerte luego
en su fragua:
¡oh jüicio divinal!;
cuando más ardía el fuego
echaste agua.

Pues aquel gran condestable,
maestre que conoscimos
tan privado,
no cumple que dél se fable,
sino sólo que lo vimos
degollado.
Sus infinitos tesoros,
sus villas y sus lugares,
su mandar,
¿qué le fueron sino lloros?,

¿fuéronle sino pesares
al dejar?
   Pues los otros dos hermanos,
maestres tan prosperados
como reyes,
que a los grandes y medianos
trujeron tan sojuzgados
a sus leyes,
aquella prosperidad
que tan alta fue subida
y ensalzada,
¿qué fue sino claridad
que estando más encendida
fue amatada?
   Tantos duques excelentes,
tantos marqueses y condes
y barones
como vimos tan potentes,
di, muerte, ¿dó los escondes
y traspones?
Y las sus claras hazañas
que fizieron en las guerras
y en las paces,
cuando tú, cruda, te ensañas,
con tu fuerza las atierras
y desfazes.
   Las huestes innumerables,
los pendones y estandartes
y banderas,
los castillos impugnables,
los muros y balüartes
y barreras,
la cava honda, chapada,
o cualquier otro reparo,
¿qué aprovecha?
Que si tú vienes airada,
todo lo pasas de claro
con tu flecha...

JUAN DE PADILLA

40

Los doce triunfos de los doce apóstoles

...Como los niños con gran ignorancia,
jugando sin triste pasión ni sin ira
dicen: "Hagamos un rey de mentira,
así como hacen los niños de Francia",
tal los señores, con poca constancia,
hicieron a veces en nuestras Españas,
con artes sotiles y fuerzas y mañas,
por interese de propia ganancia
y no de las pobres comunes compañas.
 Los semejantes con otros menores
penan las penas aquí diputadas,
hasta que sean del todo purgadas
sus grandes ofensas con muchos dolores.
Otros hallamos que fueron peores,
los cuales si quieres aquí te diría.
"Calla, le dijo muy presto mi guía,
calla, no nombres los tales señores;
infamia muy grande de España sería..."

JUAN DEL ENCINA

41

Égloga representada en la noche postrera de Carnal que dicen de Antruejo o Carnestolendas...

VILLANCICO

Roguemos a Dios por paz,
pues que dél solo se espera,
quél es la paz verdadera.

El que vino desdel cielo
a ser la paz en la tierra,
él quiera ser desta guerra
nuestra paz en este suelo;
él nos dé paz y consuelo,
pues que dél solo se espera,
quél es la paz verdadera.

Mucha paz nos quiera dar
el que a los cielos da gloria;
él nos quiera dar victoria
si es forzado guerrear,
mas si se puede excusar,
dénos paz muy placentera,
quél es la paz verdadera.

FIN

Si guerras forzadas son,
él nos dé tanta ganancia
que a la flor de lis de Francia
la venza nuestro león,
mas por justa petición
pidamos la paz entera,
que él es la paz verdadera.

NOTAS A LOS TEXTOS

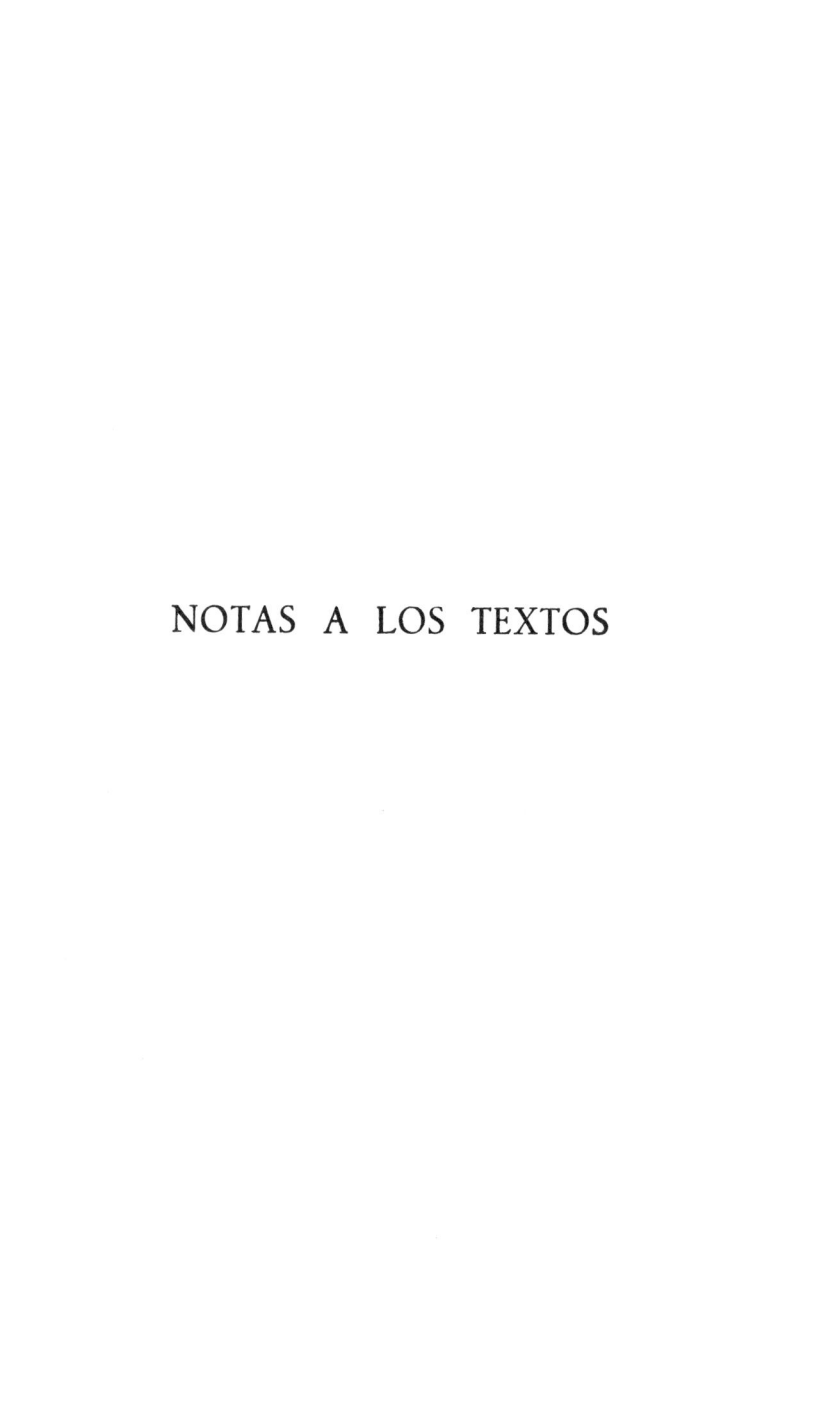

1. DEBATE DE ELENA Y MARÍA

Texto según R. Menéndez Pidal en *Revista de Filología Española*, 1914, pp. 52-96; cf. también G. Díaz-Plaja, "Elena y María", en *Cuestión de límites*, Madrid, 1963, pp. 67-82, y para el tema en general en la literatura europea, Ch. Oulmont, *Les débats du clerc et du chevalier*, París, 1911. La versión española conservada —de hacia 1280 y escrita en dialecto leonés— está incompleta: el pleito de la superioridad del caballero o del clérigo, llevado ante la corte del rey Oriol (G. Díaz-Plaja ha sugerido, *op. cit.*, pp. 79-81, el nombre de Alfonso X el Sabio como posible identificación de este fantástico monarca), queda inconcluso, pero Menéndez Pidal piensa en una resolución final a favor del caballero, basado en diversos elementos, como, por ejemplo, el sentido popularmente crítico contra "la manceba del abad", según la proverbial frase. Cabría añadir que una lectura del texto permite descubrir una inequívoca simpatía del autor hacia el caballero, es decir, hacia el hidalgo o infanzón de mediana categoría social, pero de contextura moral muy superior a la del clérigo o *abad* a que el poema se refiere. Conviene recordar que este debate ha sido fechado hacia 1280, época en la cual, según B. Blanco-González, "la 'hidalguía' no es una clase poderosa en Castilla porque no es una clase rica; lo ha sido en sus orígenes, posiblemente hasta comienzos del siglo XIII" (*Del cortesano al discreto. Examen de una "decadencia"*, I, Madrid, Gredos, 1962, p. 130: importante obra para estudiar la estructura social de Castilla durante la Edad Media). En este poema asistimos, pues, a la enumeración de los "trabajos" de un hidalgo pobre, como señala implacablemente y con todo detalle María. Presenta con tintas grises, realistas, la vida y problemas del infanzón, pero también se recrea en presentar morosa y deliberadamente los vicios eclesiásticos. Insisto en este hecho porque considero fundamental el retrato de ambos personajes, uno, el hidalgo, materialmente pobre, pero con honor; otro, el abad, sin problemas económicos, pero deshonrándose moralmente a sí mismo y, como consecuencia, al estamento social a que pertenece. El debate coincide plenamente con los datos históricos que de su época poseemos. Blanco-González (*op. cit.*, p. 155) ha podido establecer la hacienda familiar de un hidalgo medio —gracias a los datos proporcionados por el *Fuero Juzgo*—, valorándola en unos 5.000 maravedís: "si aceptamos que este cálculo representa el haber de una familia mediana, equivalente a 50.210 dineros y a 6.253 sueldos comunes, podemos suponer que un hidalgo pobre debía poseer aproximadamente la mitad de esta suma" (*loc. cit.*). Señalemos como referencia que en tiempos de Alfonso X, muerto en 1284, un carnero costaba 2 maravedís, un cerdo 4, un caballo 200... (ibidem, pp. 154-155). Es decir, que la situación material del infanzón de *Elena y María* no era, evidentemente, muy brillante. Mientras, por otro lado, "probablemente el clero de los estados cristianos alcanzó el cenit de su prestigio y de su potencia social en el siglo XIII, cuando, por una parte, la Iglesia salió enormemente beneficiada de las grandes conquistas, y, por otra, mantenía todavía esencialmente incólume su independencia del poder temporal... Desde el punto de vista económico, la Iglesia española del siglo XIII obtuvo notorias ventajas. En Castilla, las *Partidas* reconocieron el derecho absoluto de las iglesias a adquirir toda clase de bienes..." (J. Vicens Vives, *Historia de España y América*, II, Barcelona, 1961, pp. 162 y 164). El enfrentamiento de infanzón y clérigo tiene, pues, unas motivaciones perfectamente históricas, y el autor del *Debate de Elena y María* no hace sino reflejarlas.

2. GONZALO DE BERCEO: *De los signos que aparescerán antes del Juicio*

Texto según Biblioteca de Autores Españoles, t. LVII, pp. 101-102. De la numerosa bibliografía sobre Berceo, me limitaré a citar el tradicional estudio de M. Menéndez Pelayo en su *Antología de poetas líricos castellanos*, I, Santander, 1944, pp. 164-187; el de A. G. Solalinde en su edición de los *Milagros de Nuestra Señora*, Clásicos Castellanos, t. 44, y la reciente y valiosa obra de Joaquín Artiles, *Los recursos literarios de Berceo*, Madrid, Gredos, 1964. Varias fechas fijan la vida de Gonzalo de Berceo: diácono en 1220, presbítero en 1237; de 1267 es la última referencia conocida documentalmente. Nacido en Berceo, Rioja, fue sacerdote en San Millán de la Cogolla, famoso monasterio benedictino. La obra a la que pertenecen las coplas citadas, *De los signos...*, es, sin duda, de mínima importancia al lado de otras suyas tan generalmente conocidas como las vidas de santos —San Millán, Santo Domingo, Santa Oria— y, sobre todo, sus *Milagros de Nuestra Señora,* deliciosos ejemplos del más puro *mester de clerecía.* Sin embargo, este poema no es falto de interés completamente; Menéndez Pelayo nos dice cómo Berceo, "con rasgos de sombría y trágica grandeza describía el tremendo espectáculo de los signos que aparecerán antes del juicio" (*Antología...,* I, p. 171), rasgos, a veces, de características dantescas. En el fragmento incluido aparecen éstas, mezcladas ocasionalmente con algún elemento humorístico, muy propio de Berceo:

non fincará conejo en cabo nin en mata.

Pero, además, estos *Signos* son, en realidad, una evocación evangélica contra aquellos que aprovecharon o atizaron las injusticias sociales; esa evocación se transforma poco después en requisitoria algo más concreta contra indeseables de diversas categorías; cf. p. 21 de la *Explicación* que precede a esta antología.

3. JUAN RUIZ, ARCIPRESTE DE HITA: *Libro de Buen Amor*

Texto según edición de J. Cejador en Clásicos Castellanos, ts. 14 y 17. Cf. J. M. Aguado, *Glosario sobre Juan Ruiz,* Madrid, 1929; F. Lecoy, *Recherches sur le "Libro de Buen Amor",* París, 1938; María Rosa Lida, "Notas para la interpretación, influencia, fuentes y textos del *Libro de Buen Amor", Revista de Filología Hispánica,* 1940, pp. 106-150, y "Nuevas notas para la interpretación del *Libro de Buen Amor", Nueva Revista de Filología Hispánica,* 1959, pp. 1-82; Th. R. Hart, *La alegoría en el "Libro de Buen Amor",* Madrid, 1959; M. Criado de Val, *Teoría de Castilla la Nueva,* Madrid, Gredos, 1960; C. Gariano, *El mundo poético de Juan Ruiz,* Madrid, Gredos, 1968. Hay edición muy reciente de Joan Corominas, Madrid, Gredos, 1967, que, desgraciadamente, no he podido consultar a su debido tiempo.

Juan Ruiz, muerto hacia 1351, terminó una primera versión de su obra en 1330, ampliándola hasta el estado en que hoy la conocemos en 1343, en pleno reinado de Alfonso XI. Los fragmentos que incluyo en los textos ofrecen varios puntos interesantes en relación con los problemas sociales y religiosos del momento. En el primero, "Enxiemplo de la propiedat quel dinero ha", realista explicación de las motivaciones humanas, encontramos algunas referencias satíricas sobre la hidalguía y la nobleza; el honor de estos estamentos se basa pura y simplemente en razones crematísticas:

> *sea un ome nescio e rudo labrador,*
> *los dineros le fazen fidalgo e sabidor...;*
>
> *Él [dinero] faze caballeros de necios aldeanos,*
> *condes e ricos omes de algunos villanos...*

Juan Ruiz no inventa nada; en las leyes castellanas consta bien claramente que para tener *hidalguía* basta con poseer quinientos sueldos, según el *Fuero Viejo* (I, V, 16, citado por Blanco-González, *op. cit.*, pp. 52 y 66), mientras que las *Partidas* consideran la pobreza como impedimento para ser caballero (II, XXI, 12; ibidem, p. 53): todavía don Quijote recordará que él es "hidalgo de devengar quinientos sueldos" (Parte I, XXI). El arcipreste se refiere, pues, a estas leyes, que hacen posible que el dinero, no la inteligencia, la bondad u otras prendas espirituales señalen quién es quién en la cerrada reglamentación social de la época. Pero el dinero puede hacer muchas más cosas: causar la inmoralidad administrativa y personal de alcaldes, abogados, alguaciles... Todo puede comprarse y venderse, no sólo en Castilla, pero también fuera de ella. Estamos en pleno cisma de Occidente. La metafórica Roma que Juan Ruiz cita es, en verdad, Aviñón, o mejor todavía, la Iglesia toda, en la cual desde el mismo cielo y el papado, hasta el más humilde curato, puede comprarse. De aquí nos lleva el arcipreste a escenas verdaderamente macabras, en que la hipocresía y avaricia del clero queda bien patente. De nuevo el arcipreste no inventa nada; en las cortes celebradas por Alfonso XI en 1348 —en Alcalá de Henares precisamente, bien cerca de Hita— se establecen leyes contra la amplia libertad de que los religiosos disfrutaban para recibir herencias e intervenir en testamentos de última hora (cf. Vicens Vives, *Historia...*, II, p. 167). Se trata así de impedir legalmente la repetición de cuadros tan siniestros como el que pinta el *Libro de Buen Amor:*

> *como los cuervos al asno cuando le tiran el cuero.*

El segundo de los fragmentos incluidos es la "Cántica de los clérigos de Talavera". Dejando a un lado las discusiones sobre la historicidad de esta embajada del arcipreste, lo importante es señalar otra vez la relación existente entre el texto y la realidad. Don Gil de Albornoz, arzobispo de Toledo desde 1337 y muerto en 1367 en Italia —donde fundó el famoso Colegio Español de Bolonia—, es un ejemplo de alta jerarquía religiosa que lucha contra la ola de inmoralidad que anega a la Iglesia de su época. El arcipreste lo dice así implícitamente al comienzo de su "Cántica". Por lo demás, arremete nuevamente contra las costumbres de sus compañeros, mientras refleja, muy posiblemente, las suyas propias: ¿debemos aceptar la referencia a su encarcelamiento como algo simbólico o real? Y, en este caso, ¿debido a lo mismo que ataca? La elección de Talavera no es caprichosa. Algunos años después de escrito el *Libro de Buen Amor*, a fines del siglo XIV, el entonces arzobispo de Toledo afirmaba que "la dicha iglesia [de Talavera] era muy mal servida, y los canónigos por morar apartados no vivían casta ni limpiamente..." (Cosme Gómez de Tejada, *Historia de Talavera*, cap. XVI, ms. de la Biblioteca Nacional de Madrid, citado por Cejador, ed. cit., notas a copla 1694). Cf. también las notas al *Poema de Alfonso Onceno*, número 4 de esta antología.

Buen resumen de todo lo dicho pueden ser las siguientes palabras de Dámaso Alonso: "No, el Arcipreste no podía estar bien avenido con las desigualdades sociales como con tantas injusticias del mundo que le rodeaba. Y tenía que ser así, porque Juan Ruiz era, entrañablemente, pueblo, hasta tal punto que entre los muchos valores de su libro ninguno más evidente que el de ser un genial estallido de expresión hispánica" (*De los siglos oscuros al de Oro. Notas y artículos a través de 700 años de letras españolas*, Madrid, Gredos, 1958, p. 108).

4. POEMA DE ALFONSO ONCENO

Texto según Biblioteca de Autores Españoles, t. LVII, pp. 477-551. Incluyo únicamente las coplas 72-83, 86 y 91-110. Cf. Yo Ten Cate, *Poema de Alfonso XI*, Madrid, 1956, y especialmente Diego Catalán, *Poema de Alfonso XI: fuentes, dialecto, estilo*, Madrid, Gredos, 1953. Para su relación con la crónica del mismo rey, cf. D. Catalán, *Un prosista anónimo del siglo XIV: la Gran Crónica de Alfonso XI. Hallazgo, estilo, reconstrucción*, La Laguna, s. a.

De hacia 1348, parece ser su autor un Rodrigo Yáñez, gallego, lo que explicaría los dialectalismos y errores métricos del poema. Se ha rechazado la idea de que se trate de una traducción de la obra similar del portugués Alfonso Giraldes. Para las condiciones políticas del reinado de Alfonso XI, cf. la *Explicación* que precede a esta antología, pp. 26-27.

La situación de Castilla durante la minoridad de Alfonso XI dejaba bastante que desear. Durante esos años, 1312-1325, la anarquía señorial, aunque intentada dominar por doña María de Molina, hacía estragos: tutores por todas partes, pactos rotos, sublevaciones... toda la gama de las ambiciones de los poderosos frente a una mujer y un niño. Los causantes, precisamente los que el *Poema* cita, aunque no están todos:

el infante don Felipe, segundo hijo de la reina madre; don Juan el Tuerto, tío-abuelo del rey; don Juan, "fijo del infante don Manuel", es decir, don Juan Manuel, que a pesar de su nefasta e intensa intervención en estas luchas civiles tuvo tiempo de escribir numerosas obras, entre ellas el famoso *Libro del Conde Lucanor*, donde —signo de los tiempos— proporciona abundantes ejemplos morales... Así cuenta la *Crónica* la situación de Castilla durante las tutorías de Alfonso XI: "Todos los ricos-omes, et los caballeros vivían de robos et de tomas... et los tutores consentíangelo por los aver cada uno de ellos en su ayuda... Et en las villas que avían tutores, los que más apremiaban a los otros, tanto porque avían a catar manera como saliesen de poder de aquel tutor et tomasen otro, como porque fuesen desfechos et destroidos sos contrarios. Et algunas villas que non tomaron tutores, los que avían el poder tomaban las rentas del Rey, et mantenían con ellas grandes gentes, et apremiaban los que poco podían, et echaban pechos desaforados... Et en nenguna parte del regno se facía justicia con derecho; et llegaron la tierra a tal estado que non osaban andar los omes por los caminos si non armados, et muchos en una compaña, porque se podiesen defender de los robadores. Et en los logares que non eran cercados non moraba nenguno; et en los logares que eran cercados manteníanse los más dellos de los robos et furtos que facían... et tanto era el mal que se facía en la tierra que aunque fallasen los omes muertos por los caminos non lo avían por extraño..." (*Crónica de Alfonso XI*, cap. XXXVII; cito por B. Blanco-González, *op. cit.*, pp. 263-264). La cita es larga, pero bien ilustrativa. Desde la muerte de doña María de Molina en 1321 hasta que Alfonso XI dominó la levantisca nobleza, la situación empeoró ostensiblemente. El *Poema* nos hace asistir a una presentación de quejas de los campesinos; lo que éstos dicen al rey coincide exactamente con lo ya anotado, pero añaden algo interesante: los labradores amenazan con emigrar si no se logra un pronto arreglo en la situación social. En una cierta medida, dicha amenaza se cumplió: "Et quando el Rey ovo a salir de la tutoría, falló el regno muy despoblado, et muchos logares yermos... muchas de las gentes... fueron a poblar regnos de Aragón et de Portogal" (*Crónica...*, cap. XXXVII, según Blanco-González, ibidem, p. 264). Se trata, pues, de un conflicto claramente social, como ha sido señalado repetidamente; de vez en vez, "levantábanse por esta razón algunas gentes de labradores a voz común, et mataron algunos de los que los apremiaban, et tomaron et destroyeron todos sus algos" (*Crónica...*, ibidem, según *op. cit.*, p. 263). Ya me he referido en la *Explicación* a estas rebeliones populares. Finalmente, la anarquía social, política y económica fue dominada por Alfonso XI, el cual, para ser efectivo rey de Castilla tuvo que aliarse con el pueblo en contra de la nobleza, fenómeno que ha de continuar en la Castilla medieval hasta el final del siglo XV, con los Reyes Católicos.

5. SEM TOB, RABINO DE CARRIÓN: *Proverbios Morales*

Texto según edición de I. González Llubera, Cambridge, 1947.

Poema dedicado por el autor —su nombre completo es Sem Tob ibn Ardutiel ben Isaac— al rey Pedro I y compuesto entre 1355 y 1360. Menéndez Pelayo se refiere a "la sabiduría de las sentencias, encaminadas por lo común a prevenir los daños de la injusticia, de la prodigalidad y excesiva largueza, de las exacciones tiránicas; a ponderar las excelencias del trabajo y las respectivas ventajas del *fablar* y del *callar*..." (*Antología*..., I, p. 326), y añade, quizá algo exageradamente: "cuesta trabajo creer que este libro, tan profundamente semítico, tan desnudo de toda influencia clásica y cristiana, haya nacido en Tierra de Campos" (ibidem, *loc. cit.*). En todo caso y como es bien visible, en los fragmentos incluidos se aprecia una gran identidad de pensamiento con las más conocidas ideas senequistas. Aparecen, en primer lugar, unas interesantes estrofas demostrativas de la mentalidad del rabino, invocando comprensión y amistad entre las diferentes razas y religiones. Y Castilla bien necesitaba de tolerancia: en la bandera rebelde de don Enrique, hermanastro de Pedro I, aparece de forma decidida el odio anti-judío, y en las expediciones y correrías de esta guerra civil, las persecuciones, asesinatos, incendios y destrucciones van a caer profusamente sobre las aljamas hebreas: en 1355 en Toledo, en 1360 y 1366 en Miranda de Ebro, Briviesca, Burgos... Podría formarse una extensa lista de las fechorías de los enriquistas. Sem Tob, partidario de don Pedro, pero ecuánime, invoca poética y melancólicamente la humanidad de los castellanos en medio de la feroz contienda que divide el país. Según ha señalado Américo Castro (*La realidad histórica de España*, México, 1954, pp. 524-534), aparece así por primera vez en nuestra literatura el "amargo vivir" de los hispanohebreos medievales, que culminará de forma perfecta en *La Celestina*. El rabino de Carrión va más allá, y de forma sencilla, casi humilde, hace un retrato del hombre y de la sociedad de la época, pesimista, como no podía dejar de ser. Quiere "decir del mundo / e de las sus maneras": no hay nada seguro ni cierto, el hombre falta a su palabra y a su honor, discute, desconfía de su prójimo, a quien, por otra parte, trata de engañar en todo momento... ¿No recuerda esto, leído atentamente, algo de la recién aludida *Celestina*? En el prólogo de esta obra se dice: "Todas las cosas ser criadas a manera de contienda o batalla, dize aquel gran sabio Eráclito... ¿Pues qué diremos entre los hombres, a quien todo lo sobredicho es sujeto? ¿Quién explanará sus guerras, sus enemistades, sus embidias, sus aceleramientos e movimientos e descontentamientos?"... (ed. J. Cejador, Clásicos Castellanos, t. 20, I, prólogo). Sem Tob, de forma popular y proverbial, resume la cuestión así:

> *Con lo que Lope gana*
> *Rodrigo empobrece;*
> *con lo que Sancho sana*
> *Domingo adolece.*

Y tras unas consideraciones morales sobre la condición humana, según él la interpreta —con sus malas cualidades: envidia, saña, codicia, "que es la peor maña"—... y unas pocas cosas necesarias para el bien vivir, tales como seguridad, amistad, humildad, obediencia y paz, aparece algo menos abstracto: no existen sino dos tipos de hombres, el que busca y el que tiene; el pobre y el rico (Cervantes, por boca de Sancho, volverá a decir lo mismo: "Dos linajes solos hay en el mundo, como decía una agüela mía, que son el tener y el no tener", *Quijote*, II-20), y, de acuerdo con Séneca, el pobre es el más feliz. Finalmente, y tras unas alusiones a la codicia de jueces y obispos, el rabino de Carrión halla que tres clases de hombres "son los que más viven / cuitados, según cuido": hidalgo pobre, el que ha de obedecer a señor injusto y el sabio que ha de servir y adular a poderoso necio. La intención, moral y social, es obvia. Conviene señalar la insistencia en el tema de la pequeña hidalguía, que ya aparece también en el *Poema del Cid* y en el *Debate de Elena y María,* así como la explicación de dos nuevos tipos de desgracia, que son, en realidad, uno solo: la injusticia y la estupidez de señores y gobernantes.

6. PEDRO LÓPEZ DE AYALA, CANCILLER DE CASTILLA: *Rimado de Palacio*

Texto según BAE, LVII, pp. 425-476, teniendo en cuenta también la edición de A. F. Kuersteiner, Nueva York, 1920. Cf. marqués de Lozoya, *Introducción a la biografía del Canciller Ayala*, Madrid, 1941, y *El canciller Ayala,* Bilbao, 1943; Américo Castro, "Lo hispánico y el erasmismo", *Revista de Filología Hispánica*, 1942, pp. 1-66; R. Lapesa,

"El Canciller Ayala...", en *Historia General de las Literaturas Hispánicas*, I, Barcelona, 1949, pp. 491-517; C. Sánchez Albornoz, "El Canciller Ayala, historiador", en *Españoles ante la historia*, Buenos Aires, 1958, pp. 111-154.

Los datos sobre la vida del canciller son bien conocidos: nace en Vitoria en 1332 y muere en 1407. De original formación eclesiástica, en 1353 es doncel de Pedro I; desde esta fecha y hasta 1366-67 sigue la corte y las órdenes del Justiciero, pero en este momento tiene lugar su defección a don Enrique de Trastamara. En 1367, ya en el bando rebelde, es preso en la batalla de Nájera y ha de ser liberado a costa de una gran suma. Consigue puestos importantes, como el de alcalde mayor de Toledo, en 1375. En 1385 nueva prisión, como consecuencia de la derrota de Aljubarrota. Llega a su cargo de Canciller en 1399, con Enrique III. Hombre culto —conoce y traduce a Tito Livio, San Gregorio, San Isidoro, Boecio, Boccaccio...—, político y guerrero, actúa en todos los acontecimientos históricos de su época, siendo cronista de los mismos con cuatro reyes, de Pedro I hasta parte de Enrique III, 1350-1395.

El *Rimado de Palacio* es obra extensa —tiene unos 8.200 versos de diferentes tipos, aunque básicamente pertenecen a la cuaderna vía— compuesta a lo largo de toda su vida. Parece que de 1378 a 1385 escribió su parte más importante; en 1403 el "Dictado del cisma de Occidente", y en sus últimos años las 1.200 estrofas finales, basadas en los *Morales* de San Gregorio. El primer texto del *Rimado* incluido en esta antología es un fragmento de "Las siete obras espirituales", de tipo moralista religioso, pero volcado hacia lo político. El canciller truena aquí contra los malos gobernantes. La terrible situación e inmoralidad de la Iglesia del momento aparece bien a las claras. Ayala se ceba especialmente en obispos y sacerdotes: el retrato que de estos últimos hace coincide de forma sorprendente con el del *abad* de *Elena y María*. ¿Cabe pensar en otra constante del criticismo social castellano? Porque incluso el problema hidalgo/clérigo aparece aquí escuetamente, aunque bien expresado:

clérigo de aldea tiene que es infanzón.

Tras esta violentísima diatriba, en el segundo texto, "Del gobernamiento de la República", el canciller habla de los conflictos de la administración pública. Como consecuencia de guerras y desórdenes, de injusticias y exacciones, el país siente la amenaza de despoblación, pues "que a do moraban ciento fincan tres pobladores". (Cf. Vicens Vives, *Historia...*, II, pp. 47-54. El tema será fecundo en el futuro; cf. para el siglo XVI Blanco-González, *op. cit.*, pp. 430-454, y J. Ruiz Almansa, "Las ideas y las estadísticas de población en España en el siglo XVI", en *Estudios demográficos*, 1954, pp. 175-210; para el XVII, cf. V. Palacio Atard, *Derrota, agotamiento, decadencia, en la España del siglo XVII*, Madrid, 1956, pp. 75-95). Continúa Ayala con unas explicaciones para conocer al buen rey por sus hechos, y llega a defender el regicidio en caso de tiranía:

> *el que bien a su pueblo gobierna e defiende*
> *éste es rey verdadero; tírese el otro dende.*

Sin duda que el canciller respira por la herida y que su propósito aquí, a vueltas de moralidades políticas y sociales, no es otro sino justificar el origen trágico de la nueva dinastía de los Trastamara, al tiempo que justificar su propia traición a Pedro I. En todo caso, es un buen ejemplo de las contradicciones internas y de la crisis de valores en que se debatía la sociedad castellana —y don Pedro López de Ayala— para adaptarse a las nuevas situaciones históricas que iban desarrollándose; observemos que, a continuación, se nos dice que todos los seres humanos tienen igual origen y que reyes y vasallos tienen la misma naturaleza; la contradicción envuelve de nuevo al canciller: argumento perfecto para atacar al caído don Pedro, pero arma peligrosa que puede volverse también contra los nuevos monarcas. Y, con todo, Ayala parece sincero a veces; cuando habla contra los impuestos, contra la injusticia, contra la guerra... Otra cosa queda clara de este fragmento, quizá la más clara: el antisemitismo de Ayala. De nuevo aparece el partidario de los Trastamara. Don Enrique asoló las aljamas hebreas durante la guerra civil, y ya rey les impuso enormes tributos y restricciones; la fecha de 1391 es tristemente famosa. Un poema hispano-hebreo contemporáneo nos cuenta amargamente los sucesos que tuvieron lugar en Toledo, buen ejemplo de lo que ocurrió en tantos otros lugares:

> *¡Ay de las sinagogas*
> *trocadas en ruina,*
> *donde han nacido milanos y buitres,*
> *pues partieron los hijos de Israel!*
> *La Sinagoga Mayor*
> *precipitóse en la desgracia:*
> *alza la voz ululante,*
> *sinagoga de Israel.*

*Sus puertas yacen asoladas,
pues penetraron en ella las turbas,
musulmanes y cristianos,
que borraron de allí a los hijos de Israel.*

(Jacob Albeneh, *Elegía*, estrofas 32-34; adaptación de F. Cantera Burgos, *Sinagogas españolas...*, Madrid, 1955, pp. 36-37).

Ayala presenta a los judíos como apoderados de la administración económica del país, lo cual, evidentemente, era cierto; los nombres de "don Abrahen" y "don Simuel" corresponden a otros auténticos: en 1324 Yuçuf Abengamano, Yuçuf Leví y Yaffiel Abengamano —hijo del primero— figuran como arrendatarios de los diezmos de los puertos castellanos; en 1343, Ibrahim el Leví, Yuçuf Condiella y Zag Abenbeniste son recaudadores de Alfonso XI; en 1381, Jacob Emeleque es el arrendador de la merindad de Can de Muño, Burgos; en 1394, Mayr Aben Megas es uno de los arrendadores de la sal en Salinas de Añana... (cf. F. Cantera Burgos, *Alvar García de Santa María...*, Madrid, 1952, pp. 17-27). Los puestos detentados por judíos llegaron a ser de importancia verdaderamente nacional; como ejemplo, baste señalar que los almojarifes y arrendatarios mayores de Alfonso XI son Yusuf de Ecija y Samuel Abenhuaçar. Ahora bien, lo que también dice el canciller Ayala en su *Rimado* es algo señalado agudamente por B. Blanco-González: "detrás de 'don Abrahen e don Simuel' están con mucha frecuencia los grandes capitalistas de la época (prelados, alta nobleza, grandes ganaderos de la Mesta y grandes comerciantes, sobre todo, burgaleses), quienes disponen de dinero que debe ser colocado y cuyos administradores y agentes de asuntos son muy a menudo, judíos" (*op. cit.*, p. 347).

En el fragmento siguiente Ayala ataca la corrupción de los letrados. El no tan imaginado episodio abogadil es una pequeña obra de picaresca *avant-la-lettre*, que puede compararse con las mejores sátiras de Quevedo. Nueva contradicción del canciller, ahora entre su ambiente y educación y una auténtica interpretación popular de la justicia de papeleo y pleitesca, que se repetirá luego en varias ocasiones (cf., por ejemplo, número 15 de esta antología).

Dejando para algo más adelante el fragmento titulado "Aquí fabla de la guerra", los siguientes textos sobre la justicia y los regidores abundan en lo ya comentado y visto: corrupción, inmoralidad, abuso de poder, explotación de débiles e inferiores.

Lo referente a "los fechos de Palacio", muy extenso, narra con viveza y cierta amargura cómo la inmoralidad alcanza hasta la misma corte del rey. Las desgracias del hidalgo pretendiente son muy semejantes a las del mismo personaje en *Elena y María* y otros lugares vistos, sin que falten, como era inevitable, nuevas referencias a judíos arrendadores. El rey mismo parece una especie de prisionero de los nobles y del sistema social del que es cabeza. Se describe, muy convincentemente, su vida en el palacio, jaula dorada, y sus preocupaciones de gobernante: sublevaciones contra su autoridad, falta de numerario, servidores sin sueldo, nobles robadores... La descripción de la subida al trono de un nuevo monarca y la actitud de los nobles en torno a su joven señor explica muy correctamente el conflicto nobleza-monarquía de la Baja Edad Media (cf. L. Suárez Fernández, *Nobleza y Monarquía. Puntos de vista sobre la vida castellana del siglo XV*, Valladolid, 1959).

Quizá lo más interesante del *Rimado de Palacio* sean las ideas de su autor sobre la guerra y la paz. Ayala es un completo pacifista, posiblemente porque sufrió en su propia persona las dolorosas consecuencias de las guerras de su época en Nájera y Aljubarrota. Ayala ha hablado ya de las luchas civiles de Castilla: "los cristianos han las guerras, los moros están folgados", ofreciendo una interpretación muy realista de sus motivaciones; ahora continúa con el mismo tono: los consejeros y notables desean el conflicto, que ha de proporcionarles pingües ganancias; lo mismo sucede con caballeros, letrados y obispos. La guerra se decide, pues, contra la voluntad "de los de la villa", del pueblo medio e inferior, que sabe por experiencia sobre quién recaerán las más pesadas cargas. El joven rey del *Rimado* también busca la guerra, ocasión gloriosa de lucimiento, pero se olvida —y de nuevo el realismo de Ayala es implacable— de los gastos que acarreará. ¿Y cuáles son éstos? ¿Cuánto cuesta mantener un ejército de la época? Podemos tener una idea aproximada gracias a los cálculos de Blanco-González (*op. cit.*, p. 148): las cortes de Guadalajara del año 1390 establecen un ejército permanente de 4.000 lanzas, 1.500 jinetes y 1.000 ballesteros; este equipo bélico suponía un gasto anual de 8.850.000 maravedís. Téngase en cuenta que éste es el ejército que puede llamarse normal. Cada guerra exige nuevos impuestos; el canciller se refiere a la alcabala "que se llama decena", una de las más odiadas en Castilla, aprobada en las cortes de Burgos, 1366, para Enrique de Trastamara, en plena guerra civil (cf. la *Crónica del rey don Pedro*, del propio Ayala, BAE, LXVI, c. XVII, 19, p. 547: "rindió aquel año diecinueve quentos"). La poco habitual alusión a la guerra en el mar, con sus *galeas* y *galeotes*, la construcción de navíos y el mal negocio de los armadores, puede explicarse si tenemos en cuenta que Ayala fue en 1359 capitán de la flota de don Pedro en la guerra contra Aragón (cf. *Crónica*, ibidem, X, 11, p. 494).

El final del fragmento es un sincero canto a la paz y a los bienes que de ella se derivan. Castilla, evidentemente, la necesitaba.

La visión que de Castilla tiene su canciller no puede ser más pesimista y trágica. Corresponde, por otro lado, a las tristes realidades de que él mismo fue testigo y actor; su testimonio es, pues, de primera mano y su parcialidad a favor de los intrusos Trastamara no hace sino recalcar mejor la exactitud de lo que comenta. Si se quiere, en fin, tener una idea aproximada de cómo era la Castilla de Ayala, recuérdese todo lo que dice sobre la corte y los cortesanos y léase el venerable *Código de las Siete Partidas*, donde consta cómo *debe* ser una corte y unos cortesanos ideales —no hablemos ya de cómo debe ser el rey y de cómo era; hay materia para largo—. "La espada de la justicia", simbólicamente, reside en la corte; en ésta, "las soberbias et natias que facen a los homes envilescer et seer rafeces" se domeñan; la corte, en efecto, ha de ser una escuela de hombres "buenos et apuestos et enseñados", donde se educan para "seer corteses, et enseñados et quitos de villanía et de todo yerro, et se acostumbrasen bien así en dicho como en fecho" (II-IX-27); los malvados, en la corte beben "el amargura de la justicia por los yerros que ficieron", y "los que han de ayudar et de consejar al rey, se deben siempre guiar por la justicia, que es medianera entre Dios et el mundo" (II-IX-28)... El canciller Ayala sabía que la realidad era bien distinta; su *Rimado de Palacio* no es otra cosa sino una continua insistencia en este hecho. Con él, y con sus propias contradicciones, Ayala nos pone al descubierto lo que hay verdaderamente tras las pomposidades de las crónicas y de las historias al uso.

7. LIBRO DE MISERIA DE OMNE

Texto según M. Artigas, "Un nuevo poema por la cuaderna vía", ed. y notas en *Boletín de la Biblioteca Menéndez y Pelayo*, 1919, pp. 31-37, 87-95, 328-338, y 1920, pp. 233-254 (hay edición aparte, Santander, 1920); los versos incluidos, según 1919, pp. 156-159. Cf. Dámaso Alonso, "Pobres y ricos en los libros de *Buen Amor* y de *Miseria de Omne*", en *De los siglos oscuros al de Oro...*, Madrid, Gredos, 1958, pp. 105-113 (y previamente, "La injusticia social en la literatura española", en *Hora de España*, 1937, pp. 11-27).

Se trata de una versión, aumentada, del poema del papa Inocencio III *De Contemptu Mundi*. Las negras tintas del original se han entenebrecido más aún, alcanzando límites insospechados para la época, finales del siglo XIV. La cuaderna vía termina con esta obra, que, como señala Valbuena Prat, "interesa por pertenecer a la corriente no interrumpida del pesimismo español que va desde Séneca a Baroja" (*Historia de la literatura española*, I, Barcelona, 1964, p. 141). Por su parte, Dámaso Alonso, tras señalar la violencia crítica del poema, alude a la postura del autor —quizá un eclesiástico de inferior categoría— "ante los hechos sociales, que no he de vacilar en calificar de revolucionaria" (*op. cit.*, p. 111). La rebeldía alcanza puntos extremos: el hombre, en su desesperación social,

> *tórnase contra Dios e dice atal razón:*
> *que non parte bien las cosas cuantas en el mundo son.*

El tema no falta en la literatura medieval, pero la terrible duda será siempre convenientemente explicada (cf. números 13, 16 y 25 de esta antología). Aquí, por el contrario, el autor deja a sus lectores perdidos en el centro de la confusión; su espíritu estaba, sin duda, verdaderamente conturbado. No conviene olvidar que precisamente en la época en que fue escrito este poema tuvieron lugar varios importantes acontecimientos en Castilla; la situación del país, ya grave con el primer Trastamara, Enrique II —muerto en 1379— empeora bajo Juan I: en 1381 comienza la desastrosa guerra contra Portugal, que culmina en 1385 con la derrota de Aljubarrota; la minoría de Enrique III —1390-1393— está llena de las habituales asonadas, sublevaciones y desacatos de la nobleza. En el pueblo recae, como de costumbre, la más grave carga, tanto en la forma de nuevos impuestos como en la de opresión social y económica; basta hojear, por ejemplo, los datos proporcionados por Vicens Vives (*op. cit.*, II, pp. 305-311) sobre salarios y precios, los cuales muestran una inflación galopante. En cuanto a lo social... En las cortes de Valladolid, 1385, Juan I afirmaba que los grandes terratenientes llevaban a cabo "fuerças e muchos males sin razones, por lo qual los dichos lugares e villas son destroydos e despoblados", mientras que las cortes de Guadalajara, 1390, declaraban que "por las enemistades e malquerencias que acaecen entre los prelados e ricos omnes e órdenes e fijosdalgo e cavalleros e otras personas... que prenden e matan e fieren a los labradores e vasallos de aquellos contra quien han las enemistades... e les derriban e queman sus casas, e les toman sus bienes e les fazen otros muchos males e dannos e desaguisados" (según Vicens Vives, ibidem, pp. 231 y 234). Sin duda, la exasperación y pesimismo que informan el *Libro de miseria de omne* tenían motivos abundantemente sobrados de justificación. Lo que el anónimo autor hace es nada menos que una demoledora crítica del sistema social feudal.

8. PROVERBIOS DE SALOMÓN

Texto según C. E. Kanny, *"Proverbios de Salamón. An Unedited Old Spanish Poem"*, en *Homenaje a Menéndez Pidal*, I, Madrid, 1925, pp. 276-285; estudio del poema en pp. 269-275.

A pesar de ciertos esfuerzos para atribuir estos *Proverbios* al canciller Ayala o a Ferrán Martínez de Burgos, deben considerarse como anónimos. Existen dos versiones, la publicada aquí, como más completa, y otra más reducida (cf. G. Díaz-Plaja, *Antología mayor de la literatura española*, I, Barcelona, 1958, p. 429). Se trata de una muestra evidente de la decadencia del mester de clerecía: metro alejandrino, hemistiquio casi siempre de siete sílabas —a veces con asonancia—; las estrofas, ocasionalmente, son de tres y dos versos. Poco comentario cabe hacer a esta pequeña obra; quizá conviene señalar que se trata, como es bien visible, de un claro antecedente, en miniatura, de la ya cercana *Danza de la Muerte* (cf. número 9 de esta antología); el contenido de los *Proverbios*, en efecto, aparece bien resumido en este verso:

también se muere el rico como el mezquino pobre.

El deseo de igualdad humana es el gran aspecto positivo de esta obra, del que ya se conocen algunos ejemplos previos. Pero no es esto sólo. El anónimo poeta nos da una meridiana explicación de su punto de vista sobre las relaciones de su época —sin duda válida también para la nuestra— y una receta ideal para la solución del problema:

La maldad de los unos faze a los otros ser leales:
si todos fuésemos buenos, todos seríamos iguales.

Pero no hay, en realidad, remedio contra la injusticia en este mundo; el hombre ha de esperar el consolador e igualador Juicio Final y a la muerte.

9. LA DANZA DE LA MUERTE

Texto según la edición de Francisco A. de Icaza, Madrid, 1919. Cf. Florence Whyte, *The Dance of Death in Spain and Catalonia*, Baltimore, 1931; Werner Mulertt, "Sur les danses macabres en Castille et Catalogne", *Revue Hispanique*, 1933, pp. 443-445; E. Segura Covarsí, "Sentido dramático y contenido litúrgico de las *Danzas de la Muerte*", *Cuadernos de Literatura*, 1949, pp. 251-271. Para el desarrollo del tema en el arte, cf. Louis Dimier, *Les danses macabres et l'idée de la mort dans l'art chrétien*, París, 1908. Todavía es útil el resumen de Menéndez Pelayo en su *Antología...*, I, pp. 337-340.

Dentro de la serie de danzas macabras europeas, la castellana del códice de El Escorial —donde aparecen también los *Proverbios Morales* del rabí Sem Tob, el *Tratado de la Doctrina* de Pedro de Veragüe y la *Revelación de un ermitaño*— "es más humana y realista que unas, menos brutal y chocarrera que otras, aunque debió arrancar, como todas las conocidas, de un modelo común, hasta ahora ignorado. Esta versión suprime el comienzo teológico que hace de la muerte un castigo del pecado original..." (Icaza, ed. cit., p. 10). He aquí algo interesante: que nuestra versión castellana, al suprimir la inicial justificación religiosa, al insistir en el sentido realista, se basa más en la estricta condición del hombre en este mundo, aunque, desde luego, busque después una solución a las injusticias en el más allá. El violento contraste inicial entre hermosura y juventud frente a podredumbre de "sepulcros escuros de dentro fedientes" recuerda inmediatamente ciertos aspectos fundamentales de la problemática barroca del siglo XVII, pero aquí el propósito es, todavía, casi exclusivamente social: el tópico *de putredine cadaverum* (cf. F. Lecoy, *Recherches sur le "Libro de Buen Amor"*, París, 1938, pp. 200 y siguientes) proporciona un efectista ejemplo de igualitarismo humano. La lista de los llamados al trágico desfile no por conocida deja de ser interesante: Padre Santo, emperador, cardenal, rey, patriarca, duque, arzobispo, condestable, obispo, caballero, abad, escudero, deán, mercader, arcediano, abogado, canónigo, físico, cura, labrador, monje, usurero, fraile, portero real, ermitaño, contador, diácono, recaudador, subdiácono, sacristán, rabí, alfaquí, santero... Comenzando por lo más alto de la pirámide social y emparejando cuidadosamente a los representantes eclesiásticos y civiles, el poema revisa las categorías del sistema feudal hasta llegar al subdiácono y sacristán, añadiendo tres tipos más, exentos de la citada simetría, el rabí, el alfaquí y el santero. El brazo eclesiástico será retratado concisa y agudamente en sus vicios: simonías, intrigas, riquezas, intervención en la política con olvido de los menesteres puramente religiosos, gula, avaricia, ociosidad. No faltan detalles que bien pueden considerarse como pre-erasmistas, indicadores de ciertas ironías sobre los aspectos externos del cristianismo; al subdiácono le dice la Muerte:

> *non iredes más en las procesiones,*
> *do dábades voces muy altas en grito,*
> *como por enero fazía el cabrito.*

Por su parte, el brazo seglar no queda mejor parado. Tiranía, avaricia, exacciones violentas e injustas, lujos y gastos innecesarios, latrocinios banderizos, guerras... señalan a emperadores, reyes y nobles. El retrato del rey puede servir de buen ejemplo:

> *Rey fuerte, tirano, que siempre robastes*
> *todo vuestro reino e fenchistes el arca,*
> *de fazer justicia muy poco curastes,*
> *según es notorio por vuestra comarca.*

Aparecen después los profesionales: el mercader afanoso y avaro, el abogado prevaricador que acepta dinero "de ambas las partes", el físico cuyas artes curativas son miradas escépticamente, el usurero, los oficiales reales —portero, contador y recaudador— corroídos por el peculado, el sacristán inmoral... Nótese que de los tipos elegidos son abogados, usureros y agentes reales los más acerbadamente criticados, de acuerdo con la más vieja tradición española. Solamente el labrador en este caso, y el ermitaño en el anterior, es decir, los más bajos dentro de sus respectivas escalas sociales, son tratados con simpatía. Judíos y moros completan el cuadro.

Téngase en cuenta todo lo dicho en las notas anteriores y en la *Explicación* de esta antología: la *Danza de la Muerte* recoge elementos que ya habían aparecido en todos o casi todos los poemas anotados hasta aquí. Constituye un hito en el camino de la búsqueda de la justicia. A partir de ahora, en el siglo XV, las sátiras sociales serán cada vez más violentas; a veces descaradamente directas, como en el caso de las *Coplas del Provincial,* a veces intelectualizadas y "decoradas", como en el caso de los poetas del *Cancionero de Baena* o de los de la segunda mitad del cuatrocientos. La *Danza de la Muerte,* en todo caso, sirve de nexo entre una época y otra, y constituirá una gráfica enciclopedia de la crítica social para los siguientes cien años, y aún más, si tenemos en cuenta su influencia en la literatura erasmista y renacentista del siglo XVI (cf. especialmente Marcel Bataillon, *Erasmo y España. Estudios sobre la historia espiritual del siglo XVI,* México, 1950, dos vols.; Eugenio Asensio, "El erasmismo y las corrientes espirituales afines", *Revista de Filología Española,* 1952, pp. 31-99; A. Domínguez Ortiz, "Citas tardías de Erasmo", *Revista de Filología Española,* 1955, pp. 344-350). La *Danza,* escrita a finales del siglo XIV o comienzos del XV, corresponde sin duda al reinado de Enrique III de Castilla (1393-1406), y puede considerarse como un documento que ayuda a comprender más correctamente la situación de crisis en que la organización social medieval había caído. En efecto, la realidad histórica de la época y el texto coinciden en muchos puntos. Los eclesiásticos intervienen en política, a veces violentamente, durante las tutorías de Enrique III y aun después; así sucede con don Juan García Manrique, arzobispo de Santiago, y más especialmente con don Pedro Tenorio, arzobispo de Toledo (cf. L. Suárez Fernández, "Don Pedro Tenorio, Arzobispo de Toledo", en *Estudios dedicados a Menéndez Pidal*, IV, Madrid, 1953, pp. 601-627). Como consecuencia grave, "de aquí se comenzó mucho a desgastar e desordenar el Regno" (*Crónica de Enrique III*, I, 24, BAE, LXVIII, p. 179). La Iglesia, por otra parte, interviene también en la administración de la justicia, según consta en las cortes de Tordesillas, 1401 (cf. Blanco-González, *Del cortesano...*, p. 276); previamente, en otro orden de cosas, Enrique III multaba a los sacerdotes de Sevilla en 1396 por mantener públicamente barraganas (Vicens Vives, *Historia...*, II, Barcelona, 1961, p. 173). Si el poema insiste en el problema de los impuestos excesivos, no es solamente porque utilice un tópico de la literatura de protesta medieval; fue precisamente Enrique el Doliente quien estableció una de las exacciones más odiadas, la llamada "alcabala veintena" (cf. *Crónica de Enrique III*, III, 22, ibidem, p. 216). Atendiendo a otro de los aspectos de la *Danza*, conviene recordar que el mismo monarca promulga en 1404 el famoso Ordenamiento de Alcalá contra la usura, viejo mal castellano; el anónimo autor precipita a su usurero en el infierno, mientras la Muerte exclama: "allá estaredes do está vuestro abuelo"... El reinado de Enrique III, en fin, si bien generalmente pacífico, se abrió y cerró con sendas guerras contra Portugal y Granada, respectivamente, guerras que, como siempre, contribuyeron a aumentar las complicaciones de la sociedad castellana.

10. ALFONSO ÁLVAREZ DE VILLASANDINO: *Al rey don Enrique... cuando estaba en tutorías*

Nacido entre 1340 y 1350, quizá en Villasandino (Burgos), vivió aproximadamente hasta 1425. Se conservan poemas suyos de 1375 a 1424, época que abarca los reinados de Enrique II, Juan I, Enrique III y Juan II, cuyos principales acontecimientos glosó poéticamente. Su técnica es varia, de acuerdo con los diferentes estilos que se sucedieron durante su vida, desde el galaico-trovadoresco hasta el alegórico-dantesco, incluyendo lo popular y lo erudito, lo obsceno y lo religioso, lo político y lo amoroso... Sus composiciones abarcan buena parte del *Cancionero de Baena*, en el que sobrepasan el centenar. Personaje popularísimo, fue elogiado hasta por los intelectuales de la categoría del marqués de Santillana, pero, como señala Menéndez Pelayo, "tuvo la desgracia de sobrevivirse a sí mismo; en 1424 estaba positivamente anticuado" (*Antología...*, I, p. 379; cf. también pp. 377-381). Llegó a ser bufonesco "rey de la faba" y personaje inevitable en la corte castellana, siempre en busca de una dádiva o un favor de los nobles para ir malviviendo. Cf. marqués de Pidal, notas a su edición del *Cancionero de Baena*, Buenos Aires, 1949, pp. 656-661; A. Valbuena Prat, *Historia de la literatura española*, I, Barcelona, 1963, pp. 208-214. También, J. V. Traveset, *Villasandino y su labor poética según el Cancionero de Baena*, Valencia, 1906. Según Blanco-González, *Del cortesano...*, pp. 186-197, Villasandino era hidalgo de bajísima categoría.

Texto según *Cancionero de Baena*, ed. cit., número 52.

El poema se refiere a la situación de Castilla por los años de 1391-1393, época de la menor edad de Enrique III el Doliente. El poeta habla amargamente de los tutores que rigen el país y de sus ambiciosas banderías; las consecuencias de esto son claras:

> *vuestros vasallos cuitados*
> *andan pobres e fambrientos.*

Los inquietos y aprovechados personajes son Alfonso de Villena, condestable; Gonzalo Núñez de Guzmán, maestre de Calatrava; Juan Alfonso, conde de Niebla, y Juan Hurtado de Mendoza, alférez mayor, amén de otros, y sobre todos ellos, Pedro Tenorio, arzobispo de Toledo, y Juan García Manrique, arzobispo de Santiago. Algunos, como don Fadrique, duque de Benavente, y don Alfonso, tío del rey, renunciaron a sus propósitos de regencia a cambio de una sustanciosa indemnización de un millón de maravedís... El testamento de Juan I comenzó a ser estudiado por juristas del reino, representantes de los dos bandos que se disputaban la regencia: Álvar Martínez de Villarreal, "grand letrado e doctor en leyes e en decretos", y Gonzalo González, obispo de Segovia, "que era el mayor doctor en leyes que estonce avía en Castilla" (*Crónica de Enrique III*, ed. cit., I, 30, p. 183). No es extraño que en tales circunstancias el poeta, voz del pueblo sin duda, exclame:

> *e poblaron de escribanos,*
> *Señor, muy bien vuestra casa:*
> *todos arden como brasa*
> *por bullir con las sus manos.*

Según el marqués de Pidal, las últimas estrofas se refieren al converso Juan Sánchez de Sevilla, contador mayor de Enrique III gracias a la influencia del duque de Benavente (cf. ed. *Cancionero de Baena*, notas, p. 667), pero la insistencia en señalar a un prelado, "ques en Osma heredado" parece indicar a don Pedro Fernández de Frías, obispo de Osma de 1379 a 1410 y cardenal desde 1394, el cual "non fue muy devoto nin onesto, nin tan limpio de su persona como a su dignidad se convenía. Vistíase muy bien, comía muy solemnemente, dáuase mucho a deleite e buenos manjares e finos olores. En la priuança que con el rey ovo, fueron muchos quexosos dél, especialmente grandes onbres, o porquél los trataua mal o porque por complazer al rey en su fazienda e renta les era contrario..." (Fernán Pérez de Guzmán, *Generaciones y semblanzas*, edición crítica de R. B. Tate, Londres, 1965, p. 36).

11. FRAY DIEGO DE VALENCIA: *Este decir como a manera de pregunta fizo a Gonzalo López de Guayanes, pidiéndolo que le declarase por qué son los fidalgos*

Franciscano nacido en Valencia de Don Juan, maestro de teología ya en 1407 y traductor del *Arbre des batailles*, de Honorato Bonet, para don Álvaro de Luna... (cf. marqués de Pidal, notas a su edición del *Cancionero de Baena*, p. 664).

Se encuentra en fray Diego de Valencia la dualidad típica del siglo XV —si bien ya con antecedentes en el arcipreste de Hita— expresada por Américo Castro de esta forma: "al ponerse al descubierto el panorama de la intimidad propia, a consecuencia de haberse desplazado el horizonte humano, la minoría culta de Castilla se lanzó por un tiempo a la orgía vital, con confusión y entremezcla de principios y clases..." ("Lo hispánico y el erasmismo", *Revista de Filología Hispánica*, 1942, p. 30, nota). Así, en fray Diego se halla al lado del moralismo humano, político y social, su adhesión a los placeres mundanales, su miedo —poco cristiano— a la muerte...

Texto según *Baena*, ed. cit., número 508.

Las preocupaciones de fray Diego de Valencia no son solamente políticas. En este pequeño poema el franciscano, siguiendo la moda poética de preguntas y respuestas, presenta una interesante cuestión: ¿por qué existen los hidalgos? No se trata de una pregunta más o menos retórica o erudita que sirva para demostrar el ingenio del que la hace, sino de algo muy concreto y fundamental dentro del contexto social. Fray Diego no puede comprender el porqué de las diferencias sociales basadas en la *sangre*,

*pues todos salimos de una raíz
fallida e menguada e muy pecatriz.*

El autor, como tantos otros de la época ante dudas y problemas semejantes, se escuda en citas y ejemplos antiguos y clásicos, pero insinúa bien a las claras su propósito al señalar las cualidades teóricas de un buen noble: liberalidad, "decir e fazer", no mentir... Fray Diego debía recordar el texto de las *Partidas* donde se dice que los caballeros habrán de ser "homes de buen linage, porque se guardasen de facer cosa por que podiesen caer en vergüenza: et porque estos fueron escogidos de buenos logares et algo, que quiere tanto decir en lenguaje de España como bien, por eso los llamaron fijosdalgo, que muestra atanto como fijos de bien" (*Las Siete Partidas*, II, XXI, 2). Es evidente que entre este tipo ideal de hidalgo y el que veladamente critica fray Diego de Valencia hay bastante diferencia. B. Blanco-González en su importante obra tantas veces citada *Del cortesano al discreto...* (pp. 16-48), aduce textos medievales con interesantes alusiones al concepto de hidalguía, pero no hay en ellos nada semejante a esta inquietante pregunta de fray Diego de Valencia. Desgraciadamente, en el *Cancionero de Baena* no aparece la respuesta de Gonzalo López de Guayanes, a quien fray Diego dedica su poema. Quizá en ella encontraríamos una ampliación de tan sugerente tema.

12. FERRÁN MANUEL DE LANDO: *Cuando la reina doña Catalina mandó fazer en Valladolid un torneo muy grande e muy famoso por el nascimiento del rey nuestro señor el día de la fiesta de Santo Tomás de Aquino*

Texto según *Baena*, ed. cit., número 286.
Descendiente de Pedro de Lando, uno de los franceses de las Compañías Blancas de Beltrán Duguesclín a sueldo de Enrique de Trastamara; doncel de Juan I; asistente a la coronación de Fernando de Antequera (Zaragoza, 1414). Era ya anciano en esta ocasión, según él mismo declara. Santillana (*Carta al condestable de Portugal*, ed. cit. de Menéndez Pelayo, p. 28) dice de él: "honorable cavallero, escrivió muchas buenas cosas de poesía, imitó más que ninguno otro a Micer Francisco Imperial; fiço asimesmo algunas invectivas contra Alfonso Álvarez [de Villasandino], de diversas materias e bien ordenadas". Protegió, sin embargo, a Villasandino, pagando los gastos de éste en las fiestas de la coronación de Fernando de Antequera. Cf. marqués de Pidal, ed. *Can-*

cionero de Baena, notas, pp. 669-670. Estudios recientes señalan, por el contrario, la posibilidad de que Lando fuese un judío converso; cf. especialmente Ch. F. Fraker, *Studies on the Cancionero de Baena,* Chapel Hill, 1966, pp. 10-14 y 117-131.

Ferrán Manuel, buen conocedor sin duda de la corte de Enrique III —muchos de cuyos componentes intervendrán activa y violentamente durante el reinado de Juan II para lograr sus propios e interesados fines— hace en este poema octosilábico una animada e irónica sátira de los más conocidos caballeros del momento. El futuro Juan II nació en Toro en marzo de 1404; en el mes de mayo fue jurado como príncipe heredero en Valladolid, celebrándose grandes fiestas con tal motivo, y entre ellas este torneo. Una larga serie de nobles y grandes personajes aparecen aquí citados por sus nombres y acusados humorísticamente de una característica común: su cobardía. El final del poema es sangriento, al evocar el autor la vieja y gloriosa ascendencia "de los godos". Todo se asemeja grandemente a otro poema satírico muy conocido, las anónimas *Coplas de la Panadera* (cf. número 29 de esta colección), tanto en situación ambiental —en este caso la primera batalla de Olmedo— como en intención crítica. Siguiendo el orden del texto de Ferrán Manuel, los caballeros nombrados son los siguientes:

"Señor mariscal": Fernán García de Herrera, que tenía tan importante cargo en 1406; intervino en las campañas contra Granada de 1407 y 1431; en la primera de ellas rindió a los moros las fortalezas de Priego y Las Cuevas.

"Juan Furtado" de Mendoza (1351-1426): mayordomo mayor ya en 1393 y ayo de Enrique III durante las tutorías de éste, en cuyas conspiraciones y bandos actuó, así como más tarde en los problemas creados por la intervención de los infantes de Aragón en los asuntos castellanos. En 1420 fue arrestado, junto con otros partidarios del infante don Juan. Pérez de Guzmán dice que "en fecho de armas non oí dél ninguna obra señalada nin mengua alguna" (*Generaciones y semblanzas,* ed. cit. de R. B. Tate, p. 24).

"Pero Núñez" de Guzmán: copero mayor del infante don Fernando de Antequera durante algún tiempo.

"Juan de Heredia": Juan Fernández de Heredia, poderoso caballero aragonés, parcial de Fernando de Antequera en el Compromiso de Caspe —1410—. Tradujo por primera vez Plutarco a una lengua peninsular, el aragonés.

"Diego" López de Estúñiga: muerto en 1417, justicia mayor de Castilla. Nombrado ayo de Juan II en el testamento de Enrique III junto con Juan Fernández de Velasco, camarero mayor, fue hábilmente convencido por los dos tutores, doña Catalina de Lancaster y don Fernando de Antequera, con "doce mil florines de oro porque dexasen su porfía" (*Crónica de Enrique III*, ed. cit., XIX, p. 264). Pérez de Guzmán dice de él: "de su esfuerço non oí; esto creo porque en su tiempo non ovo grandes guerras nin batallas en que lo mostrase..." (*Generaciones...*, p. 16).

"Lope": quizá don Lope de Rojas, desterrado años después por don Álvaro de Luna, junto con el adelantado Pero Manrique.

"Juan de Luxana": Juan de Luján, maestresala de Juan II, puesto que pasará poco después de celebrado este torneo a poder de don Álvaro de Luna.

"Pero Ruiz" de Soto: comendador de Huélamo por la Orden de Santiago; en 1431, con las tropas del conde de Ledesma, Pedro de Estúñiga, en la campaña de Granada.

"Íñigo López" de Mendoza: primer marqués de Santillana, el famoso y noble poeta (cf. números 20-22 de esta colección). Nótese el interesante parecido en la caracterización que aquí se hace del marqués y aquella con la que aparece en las *Coplas de la Panadera*: "con fabla casi extranjera, / armado como francés".

"El segundo mayoral": quizá Pero González de Mendoza, mayordomo mayor del rey. Efectivamente, este puesto puede considerarse como de segunda importancia en la escala de valores cortesanos; el primero correspondería al de condestable.

"Pero Manuel": señor de Cintra y Cascaes, conde de Montalegre, de la rama portuguesa de la propia familia del autor.

"Rodrigo" de Perea: camarero mayor de Enrique III, adelantado de Cazorla, muerto en 1438 en Baza, en una escaramuza contra los granadinos.

"El cardenal": sin duda Pedro Fernández de Frías, obispo de Osma, cardenal de España desde 1394. Cf. notas al número 10 de esta colección.

"Alfonso Ferrandes": Alonso Fernández de Córdoba, señor de Cañete, Aguilar, Priego y Montilla; alcaide de Alcalá la Real.

No he podido identificar a "Gonzalo López" y "Juan de Ajofrín"; "Ferrando Porto Carrero" es posible que sea Martín Fernández Portocarrero, caballero que ya en 1336 intervino en las paces entre Navarra y Castilla.

"Pero Coco": nombre con toda probabilidad imaginado, lo mismo que el personaje que lo lleva; en todo caso, buena ilustración del propósito ridiculizador del autor, al igualar a los caballeros que cita, en importancia y falta de valor, con este supuesto campesino.

"Garci Sánchez del Varado": Garci Sánchez de Alvarado, caballero de la casa de Pedro Fernández de Velasco, conde de Haro. Intervino en la guerra de Granada, 1431; en 1432 fue encarcelado por orden de don Álvaro de Luna junto con don Gutierre, arzobispo de Toledo, el conde de Alba, Fernán Pérez de Guzmán... Fue "muerto por justicia" (*Generaciones...*, p. 48), es decir, por orden del condestable Luna.

"Juan de Perea"; maestresala de Juan II y uno de sus hombres de confianza.

"Lope Sánchez" y "Alfonso de las Eras", personajes no identificados.

"Don Pedro": acaso el conde de Trastamara, pariente cercano de Enrique III como nieto de Alfonso XI, y a quien en documentos y crónicas se le denomina simplemente como en este poema, Don Pedro. Gran revolvedor durante las tutorías de Enrique III, hasta 1394, Pérez de Guzmán le dedicó uno de sus retratos, en el cual se lee que "non ovo fama de muy esforçado, non sé si fue por su defecto o si porque non ovo de lo provar" (*Generaciones...*, p. 36).

13-14. RUY PÁEZ DE RIBERA

Sevillano, de la familia de Perafán de Ribera, adelantado de Andalucía, una de las más nobles de la región; vivió bajo Enrique III y Juan II. Es otro autor de origen hidalgo atormentado por la miseria, como parecen demostrar varios de sus poemas, de acento bíblico. Blanco-González se pregunta ante los poemas de Páez de Ribera (anotando cuidadosamente las desgracias que produce la pobreza y tronando al mismo tiempo contra la riqueza mal administrada u opresiva): "¿Un caso? ¿Una voz aislada? ¿O el vocero de toda una situación?" (*Del cortesano...*, p. 185; cf. también Menéndez Pelayo, *Antología...*, I, pp. 400-402). Conviene recordar que Páez es autor de tres apasionados poemas sobre la pobreza (*Baena,* números 289, 290, 291).

13. *Proceso que hubieron en uno la dolencia e la vejez e el destierro e la pobreza...*

Texto según *Baena,* número 290. He incluido solamente lo referente a la pobreza, parte final del poema.

Estas coplas de arte mayor hay que relacionarlas con el estilo alegórico-dantesco de Francisco Imperial, también vecino de Sevilla (1400-1450): en un valle "espantable, cruel, temoroso" y "acerca de un lago firviente, espantoso", el poeta se encuentra con cuatro doncellas que discuten acerca del poder respectivo que sobre el hombre ejercen; son Dolencia, Vejez, Destierro y Pobreza. Tras escuchar las diferentes razones, Páez de Ribera, sin dudarlo, otorga el premio a la Pobreza, concluyendo su poema de forma que no admite duda:

> *yo nunca vi pobre que fuese donoso;*
> *tampoco vi rico que fués desdonado.*

El alegorismo se une con el más crudo realismo; éstos son los efectos de Dolencia en el cuerpo humano:

> *...Los ojos sumidos, nariz afilada,*
> *la barbilla aguda e el cuello delgado,*
> *angostos los pechos, la cara chupada,*
> *el vientre finchado, la pierna delgada,*
> *las rodillas gruesas, los muslos delgados,*
> *los brazos muy luengos e descoyuntados,*
> *costillas salidas, oreja colgada.*
>   *Los dientes terrosos, la lengua engordida,*
> *color amarillo, los ojos jaldados...*

Con todo, nadie puede competir con Pobreza, ni siquiera Destierro. Ruy Páez, seguramente hablando por propia experiencia, exclama:

> *e el ques fidalgo, si tiene muy poco,*
> *mejor le sería morir que penar.*

El contraste riqueza/pobreza se ve ya en el *Libro de Buen Amor* y en el *Rimado de Palacio*; en *Elena y María* constan ya referencias a la pequeña hidalguía, pero ahora todo tiene un nuevo aspecto: "¿No es curioso este estallido contra el Dinero y la Riqueza justo en la coyuntura en la que es ya totalmente visible el ascenso de los burgueses y de los comerciantes, del patriciado urbano, y el descenso de la clase militar hidalga, que es la suya, la de Páez mismo?" (Blanco-González, *op. cit.*, p. 184).

14. *Decir a la reina doña Catalina*

Texto según *Baena*, número 297.

Decir escrito durante las tutorías de Juan II (1406-1419) y antes de la muerte de la reina madre doña Catalina (1418). Amarga descripción de la tumultuosa época en la cual los magnates pugnan por apoderarse de la voluntad de la reina y del rey niño; el autor nombra a las grandes casas de Castilla, las cuales actualmente y en conjunto, "un figo / non valen en buen mercado": condes de Castro (Diego Gómez de Sandoval, adelantado ya en 1411; cf. Pérez de Guzmán, *Generaciones...*, p. 28), de Lara (Pedro Manrique, adelantado de León; ibidem, p. 27); señores de Vizcaya (Fernández de Velasco, conde de Haro; ibidem, p. 49); Perafán de Ribera (adelantado de Andalucía; ibidem, p. 23); Diego López de Estúñiga (justicia mayor de Enrique III, ayo de Juan II en 1415; ibidem, p. 16); Ruy López Dávalos (condestable de Castilla, uno de los favoritos de Enrique III; ibidem, p. 13). El poeta lanza su ira contra quienes abandonan guerras de reconquista y deberes feudales; todo el reino, en fin, está a pique de destrucción. Y una vez más Ruy Páez de Ribera, el pequeño hidalgo, habla de la condición de su clase social:

> *Desechados e perdidos*
> *andan muchos fijosdalgo,*
> *que non dan por ellos algo*
> *e los traen mal traídos.*

Pero ahora el autor no se limita a esto (cf. número 13), sino que hace algo verdaderamente innovador y revolucionario: utiliza también la triste situación del campesinado como ejemplificación de los desastres causados por las discordias de los poderosos, y asimila a la misma causa las desgracias de unos y otros, de hidalgos y campesinos:

> *Despechados e vendidos*
> *son muy muchos labradores:*
> *cohechados de arrendadores*
> *los traen muy apremidos...*
> *Defendidos e guardados*
> *deben ser según derecho,*
> *pues pertenesce tal fecho*
> *a caballeros armados.*

(Esto es técnicamente cierto; cf. *Las Siete Partidas*, edición Gregorio López, II, 21-14, tomo I, Barcelona, 1843, p. 850: "señaladamente son establecidos [los caballeros] por defender la tierra e acrescentalla").

La situación campesina aparece gráficamente retratada en esta descripción hecha durante las cortes celebradas en Guadalajara, 1390 —algunos años antes de la época a que se refiere Páez de Ribera—: "Por las enemistades e malquerencias que acaecen entre los prelados e ricos omnes e órdenes e fijosdalgo e cavalleros e otras personas... que prenden e matan e fieren a los labradores e vasallos de aquellos contra quien han las enemistades... e les derriban e queman sus casas, e les toman sus bienes e les fazen otros muchos males e dannos e desaguisados" (lo tomo de Vicens Vives, *Historia...*, II, p. 234). Por otro lado, está bien justificado el interés de Ruy Páez por los campesinos, pues los pequeños hidalgos se sostenían económicamente gracias al trabajo de aquéllos; incluso muchas veces los mismos hidalgos se dedicaban a faenas del campo; cf. Vicens Vives, ibidem, pp. 134-150. La consecuencia es clara, y en la p. 139 de la historia citada aparece señalada: la pequeña nobleza "fue, en definitiva, una de las clases más vapuleadas por el juego político, social y económico de la época". Ruy Páez de Ribera parece ser un buen ejemplo de ello.

15. GONZALO MARTÍNEZ DE MEDINA: *Decir que fue fecho sobre la justicia e pleitos e de la gran vanidad deste mundo*

"Escudero gentil sevillano", según Ferrán Manuel de Lando (*Baena*, número 280), hijo del tesorero mayor de Andalucía, veinticuatro de Sevilla en 1402, hermano de otro poeta, Diego Martínez de Medina, y judío converso, al parecer; cf. Ch. F. Fraker, *op. cit.*, pp. 29-30. Perteneciente a la escuela alegórica de Francisco Imperial, y, según Menéndez Pelayo, el mejor de sus discípulos (*Antología...*, I, p. 402), su poesía es siempre de tono serio y moralista, preocupada tanto por los problemas políticos como por los de la condición humana, y siempre en versos de arte mayor.

Es éste quizá uno de los más conocidos poemas del *Cancionero de Baena*. Aparece con el número 340, pp. 399-406; las siete siguientes estrofas hasta la p. 407 no pertenecen a este decir, sino a una pregunta de amores que, equivocadamente, ha sido unida al mismo. Consta también en NBAE, XIX, número 31, pp. 200-202, como de Juan de Mena: las últimas cuatro estrofas, según esta versión, coinciden exactamente con las correspondientes del poema número 24 de esta antología, dedicado a Juan Hurtado de Mendoza. Sigo el texto de Baena, teniendo a la vista el de la NBAE; suprimo las siete estrofas amorosas finales.

La diatriba es violentísima, ensañándose el autor no sólo en ricos y poderosos y en grandes eclesiásticos, como es costumbre, sino muy especialmente en alcaldes, notarios, oidores, abogados, alguaciles y procuradores: los instrumentos visibles de la opresión política, social y económica. La intención crítica contra la curia y sus leguleyos se observa cuando cita irónicamente las autoridades jurídicas consultadas y alegadas más generalmente: Barto (Bártulo), jurisconsulto italiano, 1313-1357, discípulo de Chino (Cino de Pistoia, 1270-1348), amigo de Dante y Petrarca; el *Digesto,* la famosa colección justiniana de derecho romano; Juan Andrés, Baldo y Enrique, juristas italianos del siglo XIV... La indignación del autor llega a su límite tres estrofas después de la comentada:

> *En tierra de moros un solo alcalde*
> *libra lo civil e lo criminal...*

De esta forma tan poco burocratizada, no hacen falta abogados, textos ni pleitos, "salvo discreción e buena doctrina", sin acudir a Azo o Azón (otro jurista italiano del siglo XIII) ni a Ruberto (de la misma escuela), ni siquiera a las *Decretales* (las cartas papales sobre asuntos litigiosos) o a las *Clementinas* (la colección de constituciones apostólicas compilada por Clemente V, 1305; cf. *Quijote,* II, XXVI: "entre los moros no hay 'traslado a la parte, a prueba y estése', como entre nosotros"). La solución contra el monopolio de la vida pública y privada por los leguleyos de todo tipo, es doble; una, práctica, que se halla en las manos del rey, pues el país

> *es maravilla non ser asolado*
> *si el Señor Rey non quiebra estas lías;*

otra, más teórica y muy conocida, el desprecio del mundo y la invocación a la muerte liberadora y democratizante, pues

> *los que visten oro e visten armuna*
> *todos desnudos pasan por su suerte,*
> *e non se excusan de recibir muerte*
> *también el mancebo como niño en cuna.*

16-17. FERRÁN SÁNCHEZ DE CALAVERA

Comendador de Villarrubia por la Orden de Calatrava en tiempos del maestre Luis González de Guzmán, que lo fue de 1407 a 1443. Para el problema de la lectura *Calavera* o *Talavera,* cf. Menéndez Pelayo, *Antología...,* I, p. 382, y Dámaso Alonso, *Poesía de la Edad Media y poesía de tipo tradicional,* Buenos Aires, 1942, p. 549. Calavera fue poeta cortesano de Enrique III y Juan II, enamorado y procaz, pero también hombre seriamente preocupado por diferentes temas fundamentales; por sus versos "pasan ráfagas de escepticismo, de pesimismo y aun de fatalismo. Él fue quien propuso a los demás trovadores la terrible cuestión de *predestinados y precitos...*" (Menéndez Pelayo, *Antología...*, I, p. 382; se trata del poema número 517 del *Cancionero de Baena*, uno de los más profundos de toda la colección, precedente de las discusiones sobre el libre albedrío en nuestro Siglo de Oro). Recientemente se estudia la poesía de Calavera como producto intelectual típico de un judío converso, precisamente por su preocupación por difíciles cuestiones teológicas, su racionalismo "averroísta" y su crítica social (cf. Ch. F. Fraker, *op. cit.*, pp. 14-20 y 34-51).

16. *Pregunta que fizo*

Texto según *Baena*, núm. 529.

Contenido y expresión muy semejantes al número 13 de esta antología, de Páez de Ribera, a propósito de la pobreza de los hidalgos y de las diferencias sociales y económicas. La anécdota con que comienza este poema de arte mayor pudo tener lugar al finalizar las fiestas de 1435, en las que Juan II apadrinó el bautizo de un hijo de don Álvaro de Luna en Madrid, partiendo seguidamente para Buitrago y Segovia (*Crónica de Juan II*, ed. cit., XXIX, 4-8, pp. 524-525). Ante la prosaica pérdida de su mula, Ferrán Sánchez prorrumpe en quejas contra el destino y la mala suerte, que se ceba especialmente en los pobres; la constatación y comparación es bien dolorosa y no exenta de lirismo:

> *De todos los bienes las casas llenas,*
> *en muy ricas camas con sus paramentos*
> *se fuelgan, e yo, con aguas e vientos*
> *andando caminos por casas ajenas...*

Son tiempos de confusión, y el espíritu del autor estalla:

> *a los servidores veo señores,*
> *e los señores son servidores:*
> *azores grajean e los cuervos cazan.*

Como Páez de Ribera, también Calavera encuentra soluciones: en la segunda parte del poema, no incluida en esta antología, aparecen la ayuda directa del rey, el recuerdo de la pobreza de Cristo, el misterio de los juicios divinos; el hombre es "fechura de su santa mano", "podrido gusano" que debe resignarse a esperar la vida eterna. A pesar de todo —la enseñanza es evidente— el sistema social es también obra de Dios. Como señala Blanco-González (*Del cortesano...*, p. 200), "lo innegable es que hay pobres y poderosos, y que estos poderosos viven en una abundancia material que proviene, no de la guerra, no de actividades hidalgas, sino de trabajos villanos y de tareas mercenarias".

17. *Este decir fizo e ordenó... cuando murió en Valladolid el honroso e famoso caballero Ruy Díaz de Mendoza...*

Texto según *Baena*, número 530.

En 1452 Ruy Díaz de Mendoza todavía vivía, interviniendo en la prisión de don Álvaro de Luna. Había sido ayo de Enrique III y mayordomo mayor de Castilla; gran justador, en la *Crónica de Juan II* aparece varias veces como tal, especialmente en 1428 y 1440.

Dámaso Alonso (*Poesía de la Edad Media...*, p. 549), considera el poema como obra de Calavera, basándose en razones ideológicas y estilísticas, en contra de la opinión del marqués de Pidal (edición del *Cancionero de Baena*, notas, pp. 730 y 732), pues el hecho de que Calavera no aparezca citado después de 1443 como comendador de Villarrubia no significa necesariamente hubiera muerto (cf. mi trabajo *Fray Íñigo de Mendoza y sus Coplas de Vita Christi*, Madrid, Gredos, 1968, capítulo I: Ruy Díaz era tío-abuelo paterno de Fray Íñigo de Mendoza).

De nuevo el *ubi sunt?*, mucho más cerca ahora de las conocidas *Coplas* de Jorge Manrique, con las que hay semejanzas, a veces literales; el tema estaba en el ambiente y Jorge Manrique, por fin, lo llevó a su expresión más delicada y perfecta (cf. número 39 de esta antología; consúltese Menéndez Pelayo, *Antología*, II, pp. 383 y 385, y A. Valbuena Prat, *Historia...*, I, p. 218, por ejemplo). El regusto fúnebre del autor es de gran efectismo:

> *Todos aquestos que aquí son nombrados,*
> *los unos son fechos ceniza e nada;*
> *los otros son huesos la carne quitada*
> *e son derramados por los fonsados;*
> *los otros están ya descoyuntados,*
> *cabezas sin cuerpos, sin pies e sin manos;*
> *los otros comienzan comer los gusanos;*
> *los otros acaban de ser enterrados.*

Recuerda a los poderosos muertos —el conde de Cabra (no "duque"), el almirante Enríquez...— con ecos solemnemente bíblicos y retórica brillante y profunda, bien adecuada al arte mayor. Nótese que se señala precisamente el paso de todo lo noble y rico: emperadores, papas, reyes, prelados, duques, condes, caballeros "famados"; imperios, poderes, reinos, rentas, señoríos, "los orgullos, las famas e bríos". Por vez primera la muerte no iguala a los de arriba con los de abajo: simplemente elimina de raíz a los primeros y a los símbolos de su *status*. Criterio puramente social y melancolía angustiosamente humana son las características fundamentales de este importante y significativo poema.

18-19. FERNÁN PÉREZ DE GUZMÁN

Emparentado con las grandes familias de la época, Fernán Pérez de Guzmán, señor de Batres, era sobrino del canciller Ayala y tío del marqués de Santillana. Nació al parecer entre 1376 y 1379; murió a finales de 1460, ya octogenario. Hasta 1432 intervino en los problemas políticos de Castilla, lo mismo con Enrique III —de quien fue embajador en Aragón— que con Juan II. Gran enemigo de don Álvaro de Luna, como toda su familia y la nobleza nueva representada por los Mendoza, en dicho año de 1432 fue encarcelado durante ocho meses por orden del condestable, así como otros varios nobles; a partir de ese momento parece dejó la corte y la política, para dedicarse de lleno a sus afanes intelectuales. Pérez de Guzmán es un humanista preocupado siempre por el aspecto moral de la condición humana, y una de las típicas muestras del senequismo castellano; su biblioteca es un buen ejemplo de sus intereses en este sentido, así como su amistad con el erudito converso Alonso de Cartagena. Sus versos, aunque interesantes —morales, religiosos, amorosos, históricos como los conocidos *Loores de los claros varones de España*— palidecen ante su prosa, *Mar de historias* y, especialmente, *Generaciones y semblanzas*, de 1450. En toda su obra hay varias características comunes; así, "en el contexto político, la virtud más repetidamente alabada es la lealtad y el sacrificio propio en bien de la *respública*; el vicio más condenado el del orgullo y servicio del propio interés, 'la avaricia que en Castilla es entrada e la posee' " (R. B. Tate, edición crítica de las *Generaciones y semblanzas*, página XIX). También le interesa el tema de la caída de príncipes y el de la muerte niveladora; cf. NBAE, XIX, números 294 y 295. Cf. Menéndez Pelayo, *Antología...*, 51-76; Valbuena Prat, *Historia...*, I, pp. 287-291; J. L. Romero, "F. P. de G. y su actitud histórica", *Cuadernos de Historia de*

España, 1945, pp. 117-151; F. López Estrada, "La retórica en las *Generaciones y semblanzas* de F. P. de G.", *Revista de Filología Española*, 1946, pp. 310-352; C. Clavería, "Notas sobre la caracterización de la personalidad en las *Generaciones y semblanzas*", *Anales de la Universidad de Murcia*, 1951-1952, pp. 481-526, y especialmente R. B. Tate, edición citada.

18. *Coplas de vicios y virtudes*

Texto según NBAE, XIX, número 268. El poema completo consta de 463 estrofas octosilábicas y de arte mayor.

Ya viene de antiguo el tomar una autoridad reconocida para afirmar poéticamente una verdad peligrosa; recuérdese el caso del arcipreste de Hita refugiándose en Aristóteles para explicar su realista opinión de las necesidades humanas. En este caso, Pérez de Guzmán toma el nombre de Dante para afirmar algo verdaderamente inquietante:

> *que do la virtud se muda*
> *non remane gentileza.*

(Cf. *Il Convivio*, tratado IV: "Riprovando il giudicio falso e vile / di que', che voglion che di Gentilezza / sia principio richezza", y "E Gentilezza dovunque è virtute"; ed. Pietro Fraticelli, Florencia, 1879, pp. 240 y 244; cf. también la prosa explicativa, pp. 314-317). Y más adelante, bajo la protección de Séneca:

> *Si de la sangre la virtud descendiese,*
> *esto bastaba a ser buena la gente.*

Conviene relacionar estas ideas con las ya conocidas de Calavera y Páez de Ribera; en los poemas incluidos de estos dos autores se hace un sangriento análisis de la situación actual de la hidalguía o, como señala técnicamente Pérez de Guzmán, de la *Gentileza*; en efecto, en el código de *Las Siete Partidas* se explica que esta palabra "muestra atanto como nobleza de bondat, porque los gentiles fueron nobles homes et buenos, et vevieron más ordenadamente que las otras gentes"; a la gentileza puede llegarse de tres formas, "la una por linage, la segunda por saber, et la tercera por bondat de armas et de costumbres et de maneras" (*Partida II*, III, 2, ed. cit.). Lo que Pérez de Guzmán hace, pues, es retomar el viejo texto y rehumanizarlo de acuerdo con el nuevo espíritu de su inquieta época.

Ya aludí más arriba al hecho de que el vicio más fustigado por Pérez de Guzmán es el de la avaricia, y esto no solamente porque se trate de un problema moral, sino también porque dicho vicio constituye, además, un pecado de insolidaridad cristiana y social: las *Coplas de vicios y virtudes* están empedradas de ataques contra avaros, ricos y poderosos poco liberales, etc. Naturalmente, la Biblia y los Evangelios proporcionan preciosos y útiles ejemplos: Lázaro y Epulón, el camello y el ojo de la aguja, la pobreza misma de Cristo, Abraham, David, José, Job... Pérez de Guzmán llega más lejos en su preocupación social; la copla 184 de este poema está dedicada a las "personas vagabundas e baldías":

*hombre seglar sin oficio
e sin claustro religioso:
más parece monstruoso
este que natural vicio.*

Coronamiento de toda esta problemática es el papel de "quién debe regir e quién servir", vieja idea platónica que aparecerá en varios poetas de la época, especialmente en fray Íñigo de Mendoza y su *Vita Christi* (cf. número 32 de esta colección). Cómo deben ser los buenos reyes es también motivo de preocupación. Las últimas siete estrofas anotadas bajo el epígrafe *De Concordia e Justicia*, se abren con dos referencias religiosas, una a David (Salmo 85-11) y otra al evangelio de San Mateo (12-15); tras ellas, Pérez de Guzmán, sin ningún respeto humano, lleno de noble indignación y amargura, truena violentamente:

*¡Oh, provincia infortunada,
muy digna de reprehensión,
tú más que otra nación
de aquestos vicios tocada
eres, y contaminada,
discordia en tus naturales,
e de príncipes reales
sin justicia administrada!*

En efecto: "¿quién bastará a relatar e contar el triste e doloroso proceso de la infortunada España e de los males en ella acaescidos?" (*Generaciones...*, p. 48). "E de aquí quantos daños, insultos, movimientos, prisiones, destierros, confiscaciones de bienes, muertes e general destruición de la tierra, usurpaciones de dignidades, turbación de paz, injusticias, robos, guerras de moros, se siguieron e vinieron, ¿quién lo bastará a lo relatar nin escriuir, como sea notorio que en treinta años, non digo por intervalo o interposición de tiempo mas continuamente, nunca cesaron males e daños?" (ibidem, pp. 47-48). Pérez de Guzmán, como colofón, acudirá una vez más a la Biblia: "por pecados del pueblo faze Dios reinar al ipócrita" (ibidem, p. 44).

19. *Confesión rimada*

Texto según NBAE, XIX, número 271; son, en total, 189 estrofas de arte mayor. Cf. A. Soria, "La *Confesión rimada* de Fernán Pérez de Guzmán", *Boletín de la Real Academia Española,* 1960, pp. 191-263.

Pérez de Guzmán pone algunas notas interesantes de originalidad en esta *Confesión,* obra que pertenece en parte a un género típicamente medieval. Pero ahora interesa ya poner de relieve no los pecados individuales, sino aquellos que atentan contra la colectividad histórica y social. Así, en la parte del poema titulada "De los siete pecados mortales. De Soberbia", el autor escribe:

> *De aquí comenzaron decir* tuyo e mío
> *los que antes solían decir* nuestro e nos.

Influencia clásica, sin duda, de Ovidio y Virgilio, pero también sentimiento humanista y social, como en el conocido discurso de la Edad de Oro pronunciado por Don Quijote (I-XI: "entonces, los que en ella vivían ignoraban estas dos palabras de *tuyo* y *mío*. Eran en aquella santa edad todas las cosas comunes..."). La soberbia es, por lo tanto, un vicio contra la colectividad social, origen de los demás, y muy especialmente del más atacado por Pérez de Guzmán, el de la avaricia, como se ha visto en el poema 18 de esta antología. Aquí aparecen bien gráficamente representados los gastos de los grandes señores de Castilla en convites, juglares, bufones, sedas y brocados, joyas; los prelados en aves y perros de caza, y, por otro lado, muy humanamente, la explotación de los campesinos por medio de impuestos y robos declarados. El propio rey, Juan II, daba ejemplo; Pérez de Guzmán habla de su "cobdicia de allegar tesoros, a la qual él se dava con todo deseo, mas no de rigir sus reinos nin restaurar e reparar los males e daños en ellos venidos en quarenta e siete años que él tovo nonbre e título de rey" (*Generaciones...,* ed. cit., p. 42). Finalmente, "en conclusión, a Castilla posee oy e la enseñorea el interese, lançando della la virtud e humanidat" (ibidem, p. 35).

Inspirándose sin duda en este poema, fray Íñigo de Mendoza compondrá más adelante uno de los pasajes más airados de su *Vita Christi* (cf. número 32).

20-22. ÍÑIGO LÓPEZ DE MENDOZA, MARQUÉS DE SANTILLANA

1398-1458. Su vida es fundamental para la política y la literatura de la época. Hijo del almirante Diego Hurtado de Mendoza y sobrino del canciller Ayala, señor de grandes dominios y posesiones, jefe de la poderosa casa de los Mendoza, ramificada por todo el reino; frontero en Ágreda —1429— y Jaén —1438—, donde mostró sus habilidades guerreras y literarias; enemigo mortal de don Álvaro de Luna, en cuya caída participó y cuya muerte cantó en dos poemas... Pero más difícil que compendiar una breve biografía del señor de Hita y Buitrago "es resumir en unas líneas la tarea de Santillana como patrocinador de la empresa cultural más importante de su tiempo: la propagación del saber humanístico" (Rafael Lapesa, *La obra literaria del Marqués de Santillana*, Madrid, 1957, p. 309). En efecto, además de reunir una biblioteca importantísima en Guadalajara, de ser el primer crítico literario español con su *Carta al Condestable de Portugal*, de hacer traducir al castellano la *Ilíada*, Platón, Ovidio, Cicerón, Séneca, Dante, Boccaccio, de rodearse de sabios e intelectuales, tuvo tiempo y capacidad para escribir numerosas obras poéticas, clasificadas por Lapesa en lírica menor, decires narrativos, sonetos y obras morales, políticas y religiosas. Por todo ello, su fama contemporánea fue inmensa; su muerte dio ocasión a varias composiciones de los autores del momento. Cf. *Obras*, ed. de J. Amador de los Ríos, Madrid, 1852, con una biografía del marqués todavía valiosa; Mario Schiff, *La bibliothèque du marquis de Santillane*, París, 1905; F. Rubio Álvarez, "El Marqués de Santillana visto por los poetas de su tiempo", *La Ciudad de Dios*, 1958, pp. 419-443; V. Gaos, *Temas y problemas de la literatura española*, Madrid, 1959, y especialmente la citada obra de R. Lapesa. Buenos estudios de conjunto son los de Menéndez Pelayo, *Antología...*, II, pp. 77-137, y Valbuena Prat, *Historia...*, I, pp. 255-273.

20. *Doctrinal de privados*...

Texto según ed. cit. de Amador de los Ríos, pp. 221-239.

Ampliación de tono más mesurado de otro poema anterior de igual asunto, *Coplas contra don Álvaro de Luna*, de conocido y simbólico comienzo:

> *De tu resplandor, oh Luna,*
> *te ha privado la Fortuna.*

(Número 166, NBAE, XIX.)

Don Álvaro de Luna —1390-1453—, condestable de Castilla y maestre de Santiago, favorito de Juan II, es, sin duda, la figura más interesante y discutida del siglo XV castellano (cf., entre otros estudios, César Silió, *Don Álvaro de Luna y su tiempo*, Madrid, 1935, y J. Gutiérrez Gili, *Don Álvaro de Luna*, Barcelona, 1957). Los modernos historiadores no coinciden sobre el papel histórico representado por el Condestable; para unos, como Antonio Ballesteros, "es el enemigo de la prepotencia nobiliaria, el genuino defensor de los prestigios monárquicos, y esta es la valía que su actuación tiene en la Historia. En este sentido, es el verdadero precursor de los Reyes Católicos" (*Historia de España y su influencia en la historia universal*, III, Barcelona, 1948, p. 438); para otros, como B. Blanco-González, "no da muestras de una sola idea, de una sola actitud, de hombre de estado; en treinta años de gran influencia sobre el monarca, no deja huellas de un solo pensamiento, de una sola motivación que vaya más allá de la pequeña intriga palaciega... el no proponer a Castilla alguna meta, un proyecto, reduce esta conducta al mero y minúsculo plano de sus propios intereses" (*Del cortesano...*, pp. 280-281).

Las 39 primeras estrofas de este poema octosilábico se dedican a las causas que motivaron la caída de don Álvaro, que Santillana resume en dos: avaricia desmedida y abuso de poder. Como ejemplo de lo primero puede tomarse la copla número tres:

> *Casa a casa, ¡guay de mí!,*
> *e campo a campo allegué;*
> *cosa ajena non dejé:*
> *tanto quise cuanto vi...*

Y Pérez de Guzmán escribe: "Fue cobdicioso en un grande estremo de vasallos e de tesoros, tanto que así como los idrópigos nunca pierden la sed, ansí él nunca perdía la gana de ganar e aver, nunca recibiendo fartura su insaciable cobdicia... deseando lo mucho non desdeñava lo poco. Non se podría dizir nin declarar la grande cobdicia suya. Ca, quedando después de la muerte de su padre pobre e desnudo de toda sustancia e aviendo el día que murió más de veinte mil vasallos, sin el maestrazgo de Santiago e muchos oficios del Rey e grandes quantías de maravedís en sus libros, ansí que se cree que subíen sus rentas acerca de cient mill doblas..." (*Generaciones...*, p. 45). En cuanto al poder del Condestable, Santillana le hace decir:

> *Ca todos los que privaron*
> *con señores e con reyes*
> *non usaron tales leyes*
> *como yo, nin dominaron*
> *por tal guisa, nin mandaron*
> *en civil nin criminal*
> *a todos en general,*
> *nin pienso que lo pensaron.*

Lo mismo dice Pérez de Guzmán: "Así lo tenporal e spiritual todo era en su mano. Toda la abtoridad del Rey era firmar las cartas, mas la hordenança e esecución dellas en el Condestable era..." (ibidem, p. 40).

En su propia crónica, en fin, se le llama "mayor señor sin corona" (*Crónica de don Álvaro de Luna*, ed. J. Mata Carriazo, Madrid, 1940, p. 428; debe consultarse esta obra para conocer el otro punto de vista sobre don Álvaro).

Las últimas catorce estrofas son una "Confesión" puesta también en boca del Condestable y según la ya conocida tradición medieval. Aquí es donde la enemiga de Santillana alcanza su punto máximo, pues nos presenta al Condestable poco menos que como un anticristo. Lo interesante, sin embargo —y este es otro punto de contacto entre Santillana y Pérez de Guzmán—, es la acusación de "pecado social" que el marqués hace contra don Álvaro:

> *Pasos, puentes, hospitales,*
> *donde fuera menester*
> *se quedaron por fazer,*
> *paresce por las señales.*

Ni siquiera en su hagiográfica *Crónica*, donde aparecen todas las bondades ciertas o supuestas del favorito de Juan II, consta nada sobre este asunto. (Fray Íñigo de Mendoza, en la primera versión de su *Vita Christi* —cf. número 32— utilizará también el artificio de hacer narrar al Condestable su propia historia).

En la copla penúltima, no incluida aquí, se habla del Maestro d'Espina". Se trata del franciscano fray Alonso de Espina, maestro de teología, notorio converso que se distinguió algunos años después de este de 1453 por ser "el más cruel e intolerante enemigo de su propia sangre" (cf. Amador de los Ríos, *Historia social, política y religiosa de los judíos de España y Portugal*, Madrid, 1960, p. 14; cf. también pp. 627-630 y 679-681), y por haber dado a luz el famoso libro titulado *Fortalitium Fidei*, en el que se recogen las más absurdas calumnias antisemitas de la época.

21. *Soneto XVII: El actor se queja de algunos que en estos fechos de Castilla fablaban mucho e fazian poco...*

Texto según *Obras*, ed. cit., p. 282; cf. también A. Vegué y Goldoni, *Los sonetos "al itálico modo" de don Íñigo López de Mendoza, Marqués de Santillana. Estudio crítico y nueva edición de los mismos*, Madrid, 1911.

Otros sonetos de Santillana dedicados a temas políticos son los números 2, 10, 13, 15, 31, 32, 34.

Sobre Roma y sus hechos como modelos de la historia humana para los intelectuales pre-renacentistas del siglo XV castellano, cf. R. B. Tate, ed. cit. de la *Generaciones y semblanzas*, prólogo, pp. XV-XXI.

22. *Otro soneto... quejándose de los daños deste reino*

Texto según *Obras*, ed. cit., p. 289; cf. también A. Vegué y Goldoni, ed. cit.

Téngase en cuenta todo lo dicho en la nota al número 20-22 sobre la época y circunstancias del autor. A pesar de tratarse en este caso de una composición política, no social, su sinceridad y emoción son evidentes; este soneto constituye una buena ilustración del triste aspecto que ofrecía Castilla durante el reinado de Juan II. Cf. p. 42 de la *Explicación* al frente de esta antología.

23-24. JUAN DE MENA

1411-1456. Nacido en Córdoba, de padres de mediano estado, Juan de Mena era de ascendencia conversa (cf. María Rosa Lida de Malkiel, "Para la biografía de Juan de Mena", *Revista de Filología Hispánica*, 1941, pp. 150-154, y Américo Castro, *La realidad histórica de España*, México, 1962, pp. 81 y siguientes). Estudiante en Salamanca por los años de 1434, estuvo posteriormente en Roma; este viaje fue fundamental en la vida y obra de Mena, pues le puso en contacto directo con el ambiente humanista y renacentista de Italia. Fue veinticuatro de Córdoba, cronista y secretario real de cartas latinas, siendo protegido por don Álvaro de Luna y Juan II; del primero hace gran apología en el *Laberinto de Fortuna*. Consiguió enorme fama en su época, siendo admirado incluso por Santillana, enemigo político suyo y del Condestable. Alonso de Cartagena, el conocido obispo de Burgos, dijo de Mena: "trahes magrescidas las carnes por las grandes vigilias tras el libro, mas no durescidas ni callosas de dormir en el campo: el vulto pálido, gastado del estudio, mas no roto ni recosido por encuentros de lança" (en la *Vita Beata* de Juan de Lucena, ed. de "Bibliófilos Españoles", Madrid, 1889, p. 131). Este retrato presenta al Mena intelectual, aislado o poco menos de las agitaciones políticas y sociales del momento, aunque, como se sabe por su obra, vivió intensa y preocupadamente tales problemas; según J. M. Blecua, incluso las retóricas y complicadas *Trescientas* son, en parte, "protesta encendida y apasionada contra su época" (ed. del *Laberinto de Fortuna*, Clásicos Castellanos, CXIX, p. LXVII; cf. también María Rosa Lida de Malkiel, *Juan de Mena, poeta del prerrenacimiento español*, México, 1950, conclusión final). Mena es un espíritu humanista y renacentista conocido especialmente por la latinización a que sometió la lengua castellana, hecho sólo comparable a lo que más tarde haría Góngora (cf. Dámaso Alonso, *La lengua poética de Góngora*, Madrid, 1935). Su enorme erudición clásica aparece en el citado *Laberinto* —de corte alegórico-dantesco, con influencias de Virgilio, Lucano y Ovidio, sobre todo— y en la *Coronación del Marqués de Santillana*; en esta última obra destacan la "constante alusión a los personajes clásicos, a las fábulas griegas, el hipérbaton violento, la utilización de los latinismos puros" (Blecua, *op. cit.*, p. XXXVIII). Pero Mena es también un poeta de cancionero y un poeta doctrinal y moralista; en ambos casos y en numerosas ocasiones, el refinado intelectual no desdeña tratar de los preocupantes hechos políticos del día, de las injusticias e inmoralidades que le rodean. A estos temas se refieren los poemas aquí incluidos. La condición de converso "consciente" nos explica algo de este interés por la realidad circundante. (Cf., además de las obras citadas, Ch. R. Post, *Mediaeval Spanish Allegory*, Cambridge, Mass., 1915, pp. 149-173; F. Street, "La vida de Juan de Mena", *Bulletin Hispanique*, 1953, pp. 149-173, y el número especial dedicado a Mena por el *Boletín de la Real Academia de Ciencias, Bellas Letras y Nobles Artes de Córdoba*, 1957.)

23. *Coplas contra los pecados mortales*

Texto según NBAE, XIX, número 13, pp. 125-126, 128-129 y 132-133.

Alegórica composición octosilábica que, interrumpida por la muerte de Mena, fue continuada por Gómez Manrique (cf. número 25 de esta antología), Pero Guillén de Segovia y Jerónimo de Olivares. Mena alcanzó a redactar las discusiones de la Razón contra la Soberbia, Avaricia, Lujuria e Ira. Habría que relacionar este tipo de controversia moral cuatrocentista —que seguirá con Gómez Manrique, fray Íñigo de Mendoza y otros varios autores— con los primitivos debates medievales de origen francés, como el del *Alma y el Cuerpo*.

Como en los casos ya vistos de Páez de Ribera, Manuel de Lando, etc., Juan de Mena —sin duda perteneciente a la clase social media, pero con el problema converso añadido— critica la soberbia de los poderosos, pues la *gentileza* es algo que no debe fundamentarse únicamente en la ascendencia familiar:

> *No solamente no basta*
> *que vengas de noble gente;*
> *la bondad de la simiente*
> *tu soberbia te la gasta...*

Lo mismo sucede con los religiosos y sacerdotes; el hábito, evidentemente, no hace al monje:

> *¡Oh, vil, triste hipocresía,*
> *oh, doble cara dañosa,*
> *red de sombra religiosa,*
> *encubierta tiranía!*

(Cf. con la *Vita Christi* de fray Íñigo de Mendoza, donde aparecen semejanzas literales.) Pero la dolencia "desta comuna" castellana es algo ya conocido, la avaricia. Mena considera insuficiente lo dicho contra este vicio social por otros poetas —arpía, loba...— y buscará una comparación más exótica:

> *Cocatriz es sola una*
> *animalia que te toca,*
> *que tiene grande la boca*
> *y salida no ninguna.*

Cocatriz o cocodrilo; cf., por ejemplo, *The Bestiary. A book of Beasts,* bestiario latino-inglés del siglo XII traducido y editado por T. H. White, Nueva York, 1960, p. 169. En la p. 245 el editor cita una interesante frase de San Agustín que explica bien la importancia simbólica de los animales, sean éstos reales o fantásticos: "Nos quidquid illud significat faciamus et quam sit verum non laboremus". Lo curioso es que un autor ya renacentista utilice todavía ejemplificaciones medievales primitivas.

24. *Razonamiento que faze con la Muerte*

Texto según NBAE, XIX, número 35, y R. Foulché-Delbosc, "Razonamiento que faze Juan de Mena con la Muerte", *Revue Hispanique,* 1902, pp. 252-254.

"Diálogo conciso, seco, muy castellano, muy de filosofía moral, que alcanza una sobria expresión y se adelanta a conceptos y aun frases de Jorge Manrique, mientras que, por otra parte, se relaciona con las ideas y técnica de la danza macabra" (Valbuena Prat, *Historia...,* I, p. 248). Mena parece experimentar cierto placer al retomar el viejo tópico y recordar a los poderosos su final:

> *caídos son en pobreza;*
> *no les vale la riqueza,*
> *ni tesoros mal ganados,*

pues

> *tú los fazes ser iguales*
> *con los simples labradores.*

Ya no se trata de un oscuro poeta; es Juan de Mena, el culto y erudito humanista, quien utiliza conscientemente el fúnebre artificio, con afán igualador y democratizante.

25-28. GÓMEZ MANRIQUE

1412?-1490. Nacido en Amusco, fue quinto hijo del adelantado Pedro Manrique, sobrino del marqués de Santillana y tío de Jorge Manrique. Como toda su familia —era hermano del inquieto Rodrigo Manrique, conde de Paredes, que disputaba el cargo de maestre de Santiago a don

Álvaro de Luna— fue enemigo declarado del Condestable: las crónicas de éste y de Juan II están llenas de referencias en este sentido. Su vida continuó agitada bajo Enrique IV: en 1458 llegó a desnaturalizarse de Castilla con otros grandes señores; en 1465 formaba entre los parciales del infante don Alonso en la guerra civil contra el rey Enrique; muerto el joven rebelde, continúa Gómez Manrique su política anti-enriquista, ahora en favor de la futura Isabel la Católica; en 1468 figura en la concordia de los Toros de Guisando, protege a Fernando de Aragón cuando éste viene a Castilla a casarse... Como premio a su fidelidad recibe en 1477 la regiduría de Toledo, ciudad donde muere.

Aunque de menor cultura humanista que su tío Santillana, su biblioteca no era despreciable (cf. Menéndez Pelayo, *Antología...*, II, pp. 360-361). Es más conocido como autor teatral que como poeta, a pesar de los esfuerzos de Menéndez Pelayo. Sus composiciones líricas —de las que se conservan más de cien— pertenecen en gran parte al manido género cancioneril amoroso, satírico y ligero, pero también supo utilizar el noble alegorismo en el *Planto de las virtudes e poesía*, dedicado a la muerte de Santillana, 1458, así como el moralismo al continuar las *Coplas contra los pecados mortales* de Juan de Mena. Preocupado por la terrible situación de Castilla —situación que él mismo contribuyó a crear, dicho sea de paso— es autor también de algunos poemas dedicados a la misma, explicando en otros sus ideas sobre el gobierno y la administración pública. En este sentido, el *Regimiento de Príncipes*, compuesto cuando todavía no eran reyes de Castilla ni de Aragón Fernando e Isabel, contiene un buen resumen de sus ideas. (Cf. C. Rodríguez, "El teatro religioso de Gómez Manrique", *Razón y Fe*, 1934, pp. 327-342; C. Palencia Flores, *El poeta Gómez Manrique, corregidor de Toledo*, Toledo, 1943; especialmente Menéndez Pelayo, *Antología...*, II, pp. 339-378. Para la gestión regidora de Gómez Manrique, cf. también Eloy Benito Ruano, *Toledo en el siglo XV. Vida política*, Madrid, 1961, pp. 124-128. Su cancionero fue publicado por A. Paz y Melia en dos volúmenes, Madrid, 1885.)

25. *Continuación de las Coplas contra los pecados mortales de Juan de Mena*

Texto según NBAE, XIX, número 13, pp. 137, 138-139, 150-152. El texto completo en pp. 133-152.

Manrique utiliza aquí idéntico metro y estilo que Juan de Mena (cf. número 23), continuando con el alegorismo referente a Gula, Envidia y Pereza. A vueltas del tópico moralismo, el autor hace una inquietante pregunta en la segunda estrofa de las anotadas: si todos los hombres nacen iguales, "de una masa", ¿por qué no lo son en realidad? Naturalmente, la respuesta será tan vaga y contradictoria como la dada por Ferrán Sánchez de Calavera a problema semejante (número 16): una mezcla de conformidad, senequismo y referencia final a los inescrutables designios de Dios, los cuales, además, no se deben intentar comprender. Y sin embargo... ¿Hasta qué punto Gómez Manrique es sincero al indicar tal solución? En cierto momento de su administración de Toledo tuvo que hacer frente a una conspiración que pretendía —ante las instigaciones del arzobispo Alonso Carrillo— entregar la ciudad al rey de Portugal, Alfonso V, en guerra contra los Reyes Católicos a causa de la discusión de la legitimidad de la Beltraneja. Otro de los motivos de inquietud era el hecho de que conversos y gentes de no muy conocido linaje habían obtenido puestos y oficios en la vida pública de la ciudad. Gómez Manrique, en noble y emocionado discurso, se refiere así a la cuestión (según la versión de Hernando del Pulgar en la *Crónica de los Reyes Católicos*, BAE, LXX, cap. LXXIX, pp. 333-336; el mismo texto figura en una carta dirigida por Pulgar *A un su amigo de Toledo*, Clásicos Castellanos, XCIX, edición de J. Domínguez Bordona, pp. 69-74. Para su atribución a Manrique, cf. Menéndez Pelayo, *Antología...*, II, pp. 353-354): "Mirad agora cuánto yerra el apasionado deste error: porque dexando de decir cómo yerra contra la ley de natura, *pues todos somos nacidos de una padre e de una masa*, e ovimos un principio noble: y especialmente contra aquella clara virtud de la caridad que nos alumbra el camino de la felicidad verdadera... Vemos por experiencia algunos homes destos que juzgamos nacidos de baxa sangre, forzarlos su natural inclinación a dexar los oficios baxos de sus padres, e aprender sciencia e ser grandes letrados... También vemos los fijos e descendientes de muchos reyes e notables homes escuros e olvidados, por ser inhábiles e de baxa condición... *E habéis de creer que Dios fizo homes, e no fizo linajes* en que escogiesen. A todos fizo nobles en su nacimiento". El problema continúa, naturalmente, dentro de un marco religioso, pero totalmente humanizado. Así, la contradicción más grave del intelectual del siglo XV halla una digna vía de solución.

El poema continúa con el alegorismo sobre la Envidia, por la cual "son encendidas / en Castilla grandes flamas", y, finalmente, el autor da consejos para bien vivir "a todos los tres estados", religiosos, reyes y nobles, campesinos.

26. *Pregunta a Pedro de Mendoza*

Texto según NBAE, XXII, número 352.

Pedro de Mendoza, señor de Almazán, guarda mayor de Juan II y de su Consejo Real, era un segundón de los poderosos Mendoza de Guadalajara, cuya línea política siguió durante los reinados de Juan II y Enrique IV; las crónicas le citan repetidamente desde 1420 hasta después de 1465. Fue encarcelado algunas veces durante estos azarosos tiempos. El poema —una pregunta octosilábica— es típico de la literatura cancioneril, pero algo le aparta del prosaísmo y vulgarismo que muchas veces se encuentra en el género; me refiero a la sincera preocupación que expresan las dos primeras estrofas: el autor no puede dedicarse a los menesteres intelectuales, sino a los guerreros:

> *que las horas y candelas*
> *que se gastaban leyendo,*
> *agora gasto poniendo*
> *rondas, escuchas y velas.*

La contienda de las armas y las letras, ya presente en cierto modo en *Elena y María,* alcanza ahora una angustiada actualidad debido a la situación de Castilla. La respuesta de Pedro de Mendoza corresponde, sin duda, al punto de vista del soldado, mientras que la pregunta misma de Manrique indica ya una dolorosa dualidad.

27. *Exclamación e querella de la gobernación*

Texto según NBAE, XXII, número 369.

Coplas octosilábicas "escritas en forma casi popular, y en tono como de refranes, exornadas con imágenes y comparaciones tomadas de la vida común, [que] tenían todas las condiciones necesarias para llegar al alma de la muchedumbre y ser aprendidas de memoria; y no hay duda que lo fueron" (Menéndez Pelayo, *Antología...,* II, pp. 374-375). Este decir fue glosado por el doctor Pedro Díaz de Toledo, oidor de Juan II, converso, gran erudito, traductor y comentador de los *Proverbios* de Séneca (edición de Zamora, Centenera, 1482), en obra dedicada al arzobispo Alonso Carrillo; en la introducción explica el porqué de su trabajo: "Me fue dicho que en presencia de la muy noble e muy reverendísima paternidad vuestra ouo fablas de diversas opiniones cerca de un dezir o coplas quel noble caballero Gómez Manrique ouo compuesto;

algunos, interpretando la sentencia e palabras de algunas de las coplas a no sana parte, en manera de reprehensión; otros, afirmando ser verdad lo en las coplas contenido, e non aver cosa que calupniar en ellas" (NBAE, XXII, número 415, pp. 130-131; la glosa, hasta p. 147). Poema objeto de controversia, pues, precisamente por su agudeza crítica de una situación obsesionante para el autor, según se trasluce en ésta y en las otras obras suyas incluidas aquí. La ciudad aludida, naturalmente, es simbólica de todo el país. Para la ejemplificación con la historia y grandes hechos de Roma, cf. número 21.

28. *Coplas para el señor Diego Arias Dávila...*

Texto según NBAE, XXII, número 377.

Diego Arias Dávila, converso al parecer de baja extracción, llegó a ser favorito de Enrique IV siendo éste todavía príncipe. Fue presentado ante la corte por don Álvaro de Luna, y contra el propio condestable conspiraría activamente. Ya rey el hijo de Juan II, Diego Arias llegó a ser contador mayor de Castilla, lo que le proporcionó un poder económico ilimitado; al propio tiempo se aseguró por todos los medios posibles la confianza de don Enrique. Su encumbramiento personal fue extraordinario: casó con nieta del marqués de Santillana y uno de sus hijos, Juan Arias Dávila, fue obispo de Segovia. El contador murió en 1466. Desde su alto cargo en la hacienda real, "era a Diego Arias forzoso autorizar sus insolencias y desmanes [de los cortesanos menores, recaudadores, etc.] dando así ocasión a represibles cohechos, robos y desafueros" (J. Amador de los Ríos, *Historia social...*, p. 626; cf. también pp. 623-625). Es en esta época del gran poder de Diego Arias cuando Gómez Manrique le dedica estas punzantes coplas de pie quebrado, antecedente en muchos aspectos de las más famosas de su sobrino Jorge —y con precedente en otras de Sánchez de Calavera—; para Dámaso Alonso, en algún momento "casi las excede en belleza de imagen y precisión de concepto" (*Poesía de la Edad Media...*, pp. 551-552).

Los temas de Gómez Manrique en este poema son fundamentales: Fortuna, Muerte, Justicia; todos ellos hábilmente utilizados y combinados, constituyen un ataque directo contra el abuso de poder y la opresión, representados ambos en Diego Arias Dávila. Gómez Manrique llega a recordar al favorito del rey el caso ejemplar de don Álvaro de Luna y de otros muchos caballeros caídos, pues

que vicios, bienes, honores
que procuras
pásanse como frescuras
de las flores.

29. COPLAS DE LA PANADERA

Texto según Bartolomé José Gallardo en *Ensayo de una biblioteca española de libros raros y curiosos*, I, Madrid, 1863, cols. 613-617, y Miguel Artigas, "Nueva redacción de las *Coplas de Ay Panadera* según un manuscrito de la Biblioteca Menéndez Pelayo", en *Estudios In Memoriam de A. Bonilla y San Martín*, I, Madrid, 1927, pp. 75-89. Hay edición reciente del texto de Artigas, por Vicente Romano García, Madrid, Aguilar, 1963. Existen, pues, dos versiones, que he utilizado; la más completa es la publicada por Artigas, que consta de seis coplas más que la anterior —46 octavas en total— además de la estrofa introductoria que da nombre al poema. Asimismo, la segunda se conserva con unas notas manuscritas explicativas de los personajes aludidos en el texto, notas no siempre acertadas; se trata de aclaraciones posteriores.

Las *Coplas de la Panadera* se han atribuido, sin demostración fehaciente, a Rodrigo de Cota, a Juan de Mena y al mariscal de Castilla Íñigo de Estúñiga; una disputa poética entre los dos últimos parece aludir a la autoría del poema; cf. NBAE, XIX, número 52, o Artigas, "Nueva redacción...", p. 89; también J. M. Azáceta, *El cancionero de Gallardo*, Madrid, 1962, pp. 83-98. Sin embargo, hasta el momento deben considerarse como anónimas. Estas coplas alcanzaron gran difusión en Cataluña, como lo demuestra la existencia de tres poemas satíricos del siglo XV, de tipo personal, en los cuales el estribillo es siempre el mismo: "la Panadera". Cf. Martín de Riquer, *Història de la Literatura Catalana*, III, Barcelona, 1964, pp. 93-95.

La batalla de Olmedo —que tuvo lugar el día miércoles, 19 de mayo de 1445— fue un verdadero acontecimiento peninsular. Juan II de Castilla y su condestable, don Álvaro de Luna, junto con los caballeros que les siguen, se enfrentan con Juan I de Navarra —y futuro II de Aragón— hijo de Fernando de Antequera, con su hermano el infante don Enrique y con una serie de nobles castellanos que se apoyan en las ambiciones de los dos primeros para intentar eliminar a don Álvaro de Luna. La batalla de Olmedo constituyó la culminación del proceso de banderías y guerras civiles —con intervención de Navarra y Aragón— entre las diferentes facciones de la nobleza que se disputaban el poder; incluso los ahora partidarios de Luna lo son por conveniencia momentánea, como el marqués de Santillana. El resultado será la victoria del partido de don Álvaro y el afianzamiento de éste en el poder, aunque con ello no conseguirá Castilla una paz efectiva.

Las *Coplas de la Panadera* narran la batalla bien irónicamente, y en ellas salen mal librados tanto los caballeros anti-Luna como los que luchan por el condestable, no solamente aquellos "que combatieron contra su Rey", como afirma el marqués de Pidal (*Cancionero de Baena,* ed. cit., p. LXXVI); el denominador común de todos ellos es la cobardía. Las coplas se refieren así a algo cierto; la propia *Crónica de Juan II* (ed. cit., 1445, VI, p. 628) indica que "la batalla se dio, créese, sin voluntad de los unos ni de los otros". La lectura de lo sucedido en el combate, según la misma crónica, revela el afán conspiratorio que domina a ambos bandos hasta el último momento y evidencia el escaso deseo de llegar a hechos más concretos y violentos. Solamente don Álvaro de Luna y el rey de Castilla aparecen tratados dignamente en las *Coplas;* de la ironía no se libra ni el príncipe don Enrique, el hijo de Juan II. Los más importantes e inquietos nobles de uno y otro lado aparecen alegremente ridiculizados por el autor, sin duda sincero partidario del condestable y buen conocedor de los entresijos de la triste historia castellana del momento. La *Crónica de don Álvaro de Luna,* que también debe ser consultada, relata así el aspecto de los caballeros al entrar en batalla: "E otros iban ende que llevaban cencerras de oro e de plata con gruesas cadenas a los cuellos de los caballos. E algunos había ende que llevaban bullones sembrados de perlas, e de piedras de mucha valía, por cercos de las celadas... Nin fallescieron allí gentes que sacaron plumajes como alas, que se tendían contra las espaldas... E como ya fuese tarde e el sol fería de través, e los arneses iban limpios, e relucían las armas, parescían muy bien todos" (*Crónica...,* ed. Mata Carriazo, Madrid, 1940, p. 166). La guerra ya es, básicamente, un espectáculo, y el guerrero se ha transformado en cortesano. Los viejos valores han desaparecido. En la copla penúltima del poema se busca, con todo, un motivo "divinal" para explicar el resultado de la batalla, acusándose al rey de Navarra de destructor y profanador de iglesias. El hecho está comprobado según documento de Juan II de Castilla, con referencia a la invasión navarra de la Rioja en 1443-1444: "E fue quemada por los navarros la eglesia della [la villa de La Gran] con el cuerpo de Nuestro Senyor e con las reliquias e cosas sagradas que en ella stauan...", apud E. Benito Ruano, *op. cit.,* p. 26, nota. La crónica no habla de esto, pero sí de "muertes o robos o quemas o despoblamientos de cibdades o villas en estos reinos" producidos por la guerra civil instigada y animada por el de Navarra (*Crónica*..., loc. cit.).

Los enemigos del condestable, en fin, son desbaratados, algunos muertos —entre éstos el infante don Enrique, hermano del rey de Navarra— y otros hechos prisioneros; el resto huye. Cf. además de las crónicas citadas, el interesante documento publicado por don Julián Paz, "Versión oficial de la batalla de Olmedo (1445)", en *Homenaje a Menéndez Pidal*, I, Madrid, 1925, pp. 839-842. Siguiendo el orden de las *Coplas*, he aquí una lista de los personajes citados en ellas:

El príncipe don Enrique, heredero del trono de Castilla.

El rey Juan II de Castilla.

Diego López de Estúñiga, primo del conde de Plasencia, Pedro de Estúñiga.

Lope Barrientos, obispo de Cuenca desde muy poco antes de la batalla; anteriormente lo fue de Ávila.

Juan de Luna, arzobispo de Toledo ya en 1435; hermano del condestable.

Alonso Carrillo, obispo de Sigüenza; arzobispo de Toledo desde 1446. Hasta aquí, todos en las huestes del condestable.

Alonso de Pimentel, conde de Benavente; anti-Luna.

Rodrigo Manrique, comendador de Segura y conde de Paredes; maestre de Santiago desde 1474; hermano de Gómez Manrique y padre de Jorge Manrique; anti-Luna.

Fernando de Rojas, adelantado de Castilla; anti-Luna.

Ruy Díaz de Mendoza, mayordomo mayor de Juan II.

Fernán López de Saldaña, contador de Juan II.

Mosén López de Angulo, mariscal de Navarra, según las anónimas notas.

Luis de la Cerda, conde de Medinaceli, uno de los grandes enemigos del condestable.

Pedro de Mendoza, guarda mayor de Juan II, señor de Almazán.

Juan de Tovar, señor de Berlanga y Astudillo; anti-Luna.

Manuel —o Diego— de Benavides, señor de Jabalquinto y después marqués; anti-Luna.

Enrique Enríquez, señor de Bembibre y Bolaños; hermano del almirante Fadrique Enríquez; afincado en Zamora, donde poseía grandes mansiones; con Enrique IV, conde de Alba de Liste. Cayó prisionero del condestable.

Gutierre de Sotomayor, maestre de Alcántara.

Garci Sánchez —o Suárez— de Alvarado, guarda del rey, mayordomo mayor del conde de Haro; cayó prisionero de las tropas del condestable.

Pedro de Quiñones, merino mayor de Asturias, conde de Cangas y Tineo; anti-Luna.

El relator Pero González de Ávila, oidor y referendario del rey, según la *Crónica de Juan II* (según las notas editadas por Artigas, se trataría de Hernán Díaz de Toledo, compañero del anterior).

Alonso Pérez de Vivero, contador mayor del rey.

"El segundo contador" es muy probablemente Diego Arias Dávila, que llegó a contador mayor con Enrique IV; cf. número 28 de esta antología.

Pero Fernández de Velasco, conde de Haro, camarero mayor de Juan II.

Pero Sarmiento, repostero mayor de Juan II, conde de Salinas.

El condestable don Álvaro de Luna.

El "nuevo noble marqués" es el de Santillana, Íñigo López de Mendoza; cf. números 20-22 de esta antología.

Don Juan Pacheco, mayordomo mayor del príncipe Enrique y ya su favorito; futuro marqués de Villena y maestre de Santiago; hermano del no menos poderoso Pedro Girón, maestre de Calatrava también con Enrique IV. Aquí la ironía es sangrienta: "el buen hidalgo Pacheco" era descendiente del judío Ruy Capón, médico de doña Urraca, la hija de Alfonso VI de Castilla (cf. Amador de los Ríos, *Historia social...*, pp. 309 y 573; también, número 32 de esta antología).

Fernando Álvarez de Toledo, primer conde de Alba.

Pedro García de Herrera, mariscal de Castilla; suegro del hijo bastardo del condestable, Pedro de Luna.

Rodrigo de Villandrando, conde de Ribadeo.

Pedro de Acuña, primo de don Álvaro de Luna, primer conde de Buendía y señor de Dueñas.

Payo de Ribera, mariscal de Castilla, hijo de Pero Afán de Ribera, adelantado de Andalucía.

Juan Ramírez de Guzmán, comendador mayor de Calatrava, señor de Teba y Ardales.

"El conde chiquito": quizá Juan de Pimentel, conde de Mayorga. Le sucedió en el condado su hermano Alonso de Pimentel, ya visto.

Juan de Silva, alférez mayor de Juan II, señor de Cifuentes.

Juan I de Navarra, futuro Juan II de Aragón.

Infante don Enrique, hermano del anterior; murió poco después de la batalla de resultas de sus heridas.

Diego Gómez de Sandoval, conde de Castrogeriz, canciller y adelantado; fue hecho prisionero por las tropas del condestable.

Fadrique Enríquez, almirante de Castilla; también cayó prisionero del condestable.

Fernando Quiñones, hermano del merino mayor de Asturias, ya citado; prisionero también, murió poco después a causa de sus heridas.

Pero Sarmiento, repostero mayor, ya citado.

Dos personajes no han podido ser identificados: el que aparece nombrado únicamente como "el viejo" y "el mayor caballerizo".

30. COPLAS DE MINGO REVULGO

Texto según J. Domínguez Bordona, Clásicos Castellanos, XCIX, pp. 157-252. Editado junto con la glosa de Hernando del Pulgar. Cf. también la edición facsímil y paleográfica del códice de la Biblioteca Nacional de Madrid por Luis de la Cuadra Escrivá de Romaní, Madrid, 1963. Este último incluye una especie de glosa en verso a cada una de las coplas del poema; cito aquí una pequeña muestra de estas glosas:

> *Caballeros y prelados*
> *y comunes por sus yerros*
> *a muertes, prisiones, fierros,*
> *ya van muchos condenados.*
> *Es escondido secreto*
> *a que no basta decreto,*
> *ni gastemos más consejas,*
> *que en las Escrituras Viejas*
> *muestra haber mayor aprieto.*

(Copla IV)

> *Las ciudades son tornadas*
> *rastros de degolladeros;*
> *los caminos y senderos*
> *en despojos a manadas.*
> *Los menudos van perdidos,*
> *los corazones caídos;*
> *dan señal y maravilla,*
> *en España y su cuadrilla*
> *grandes daños son venidos.*

(Copla V)

> *En cada ciudad y villa*
> *días ha questá delgada*
> *la justicia y usurpada*
> *tanto que non sé decilla;*
> *échanla de posesión*
> *el agravio y turbación*
> *tal que no puesta consejo:*
> *cada ruin en concejo*
> *faze fuerza e sinrazón.*

(Copla XIV)

Se ha discutido largamente sobre el posible autor de las *Coplas de Mingo Revulgo*, pensándose en Rodrigo de Cota, Juan de Mena, Hernando del Pulgar —que las comentó— y Alonso de Palencia; sin embargo, parece muy posible que sean obra de Fray Íñigo de Mendoza, conocido especialmente por su famosa *Vita Christi* (cf. mi trabajo "Sobre el autor de las *Coplas de Mingo Revulgo*", en *Homenaje a Rodríguez Moñino*, II, Madrid, 1966, pp. 131-142; presentado previamente, en forma más abreviada, al II Congreso de la Asociación Internacional de Hispanistas, Holanda, 1966, cf. número 32 de esta antología).

El artificio simbólico de las *Coplas* es bien sencillo: dos pastores, Mingo Revulgo y Gil Arribato, platican sobre la terrible situación de los ganados, mal gobernados por Candaulo —Enrique IV— y atacados continuamente por los lobos —nobles y poderosos, entre los que destaca el favorito Beltrán de la Cueva—, los cuales,

> *Abren las bocas rabiando*
> *de la sangre que han bebido.*

Proféticamente, se anuncia la llegada de "las tres rabiosas lobas", hambre, peste y guerra; esta última, en efecto, hizo su aparición violenta en 1465 con la sublevación del infante don Alonso, hermano del rey. Previamente, Justicia, Fortaleza y Templanza, guardianas del ganado, habían sido aniquiladas (cf. la *Explicación* al frente de esta antología, y Menéndez Pelayo, *Antología...*, II, pp. 296-302). El poema, con todo, no es antimonárquico; como observa Pulgar en su glosa a la copla número 8, "de su negligencia [de Enrique IV] en la justicia proceden injusticias, pero no vemos que acusa su persona de tirano ni de cruel", aunque sí alude a otras características del rey. Como resumen de la situación de Castilla en época tan revuelta, véase lo que dice Amador de los Ríos, que coincide con la opinión tradicional de la crítica histórica: "Jamás el suelo de Castilla fue presa de tan desapoderadas ambiciones; jamás la autoridad real, con tanta frecuencia contrariada por los magnates, se vio tan amancillada y deprimida; nunca, en fin, padeció la justicia tan negros eclipses, ni se vieron tan miserablemente burladas las leyes. Don Enrique el Impotente, tras una lucha de veintiún años, bajaba a la tumba deshonrado por su esposa, vendido por sus favoritos, declarado como indigno del trono por sus prelados y sus próceres y desheredado por sus hermanos" (*Historia social...*, pp. 615-616; cf. también la *Explicación* citada. Entre la numerosa bibliografía, cf. J. B. Sitges, *Enrique IV y la Excelente Señora... Juana la Beltraneja*, Madrid, 1912; A. Paz y Melia, *El cronista Alonso de Palencia*, Madrid, 1914; G. Marañón, *Ensayo biológico sobre Enrique IV de Castilla y su tiempo*, Madrid, 1930; A. Ballesteros y Beretta, *Historia de España...*, III, pp. 445-449... Para una semblanza moderna de Enrique IV y su tiempo, B. Blanco-González, *Del cortesano...*, pp. 313-339. Cf. también notas al poema 32 de esta antología).

La fama de las *Coplas* fue grande, como lo demuestran las ediciones conservadas —unas cuarenta—, manuscritos y glosas. La imitación más interesante fue hecha durante el reinado de los Reyes Católicos, antes de 1490: *Coplas que se hicieron en Xerez de la Frontera en vida del Rey Don Fernando y de la Reyna Doña Isabel sobre la gobernación del Reyno*. Cf. marqués de Pidal, p. LXXVI de su edición del *Cancionero de Baena*, donde se dice que se trata de "una enérgica composición llena de alusiones punzantes y atrevidas contra los abusos del gobierno y contra los principales ministros del rey, pero disfrazado todo bajo la alegoría de pastores, perros y rebaños". El marqués afirma haber visto estas coplas en varias colecciones; publica siete estrofas. La obra completa ha sido publicada recientemente; cf. A. David Kossoff, "Herrera, editor de un poema", en *Homenaje a Rodríguez Moñino*, I, Madrid, 1966, pp. 283-290.

Para más detalles sobre el valor histórico de *Mingo Revulgo*, remito al lector interesado a mi trabajo citado "Sobre el autor...".

31. COPLAS DEL PROVINCIAL

Texto según R. Foulché-Delbosc en *Revue Hispanique*, 1898, pp. 255-266, teniendo en cuenta las "Notes sur las *Coplas del Provincial*" del mismo crítico, *Revue Hispanique*, 1899, pp. 417-446. Incluyo en la antología solamente las 97 primeras coplas de 149 de que consta la versión completa; he suprimido las estrofas referentes únicamente a mujeres por ser de menor valor histórico y tener, en cambio, más carácter panfletario. El poema está compuesto en cuartetas octosilábicas de rima —en general— *abab* y *abba*.

Como en el caso de los anteriores poemas satíricos, estas coplas han sido atribuidas a diversos autores, sin fundamento demostrativo: Alonso de Palencia, Rodrigo de Cota y Antón de Montoro. De los citados, el converso Cota parece ser el más idóneo (cf. Foulché-Delbosc, "Notes sur...", pp. 427-428). Otro poeta, Juan Álvarez Gato, dirigió unos versos "a los maldicientes que hicieron las coplas del Provincial" (NBAE, XIX, número 98), de donde puede deducirse haber sido varios los autores, y, en efecto, Menéndez Pelayo dice que "parece notarse en ellas dos estilos diversos, puesto que al paso que hay algunas que no carecen de gracia dentro de su género brutal, y pueden tener cierto valor como epigramas aislados, hay otras en sumo grado insípidas y chabacanas..." (*Antología...*, II, p. 296). En fin, en el manuscrito conservado en la Biblioteca Nacional de París, el título reza así: "La sátira del Provincial, cuyo primer autor dicen ser don M. de Acuña, en el tiempo del rey don Enrique el Cuarto..." (Foulché-Delbosc, ibidem, p. 428).

La fecha de composición ha sido fijada entre 1465 y 1474: en la obra se cita a Beltrán de la Cueva como duque de Alburquerque, título que consiguió en 1465; el condestable Miguel Lucas de Iranzo, también citado como todavía vivo, fue asesinado en Jaén en 1473. La sátira refleja, pues, los nueve últimos años del reinado de Enrique IV. (Cf. Menéndez Pelayo, *Antología...*, II, pp. 288-296, y *Explicación* a esta colección. Ya en el siglo XVI apareció un *Provincial Segundo,* que amplía el texto del primero con referencias a la época de Carlos V; cf. Foulché-Delbosc, ibidem, pp. 418 y 428-446.)

La fama de las *Coplas del Provincial* llegó a ser enorme; la Inquisición y las familias criticadas quisieron terminar con todos los ejemplares existentes sin conseguirlo. El resultado fue que "estuvieron en un tiempo tan acreditadas estas *Coplas del Provincial* que no sólo hicieron embarazo a grandes familias en los consejos de la Inquisición y de las Órdenes, sino que muchas casas se recataron de mezclarse con aquellas que se hallaban ofendidas de tan livianos fundamentos... Muchos años en Castilla no se gobernó el crédito por otro norte" (Foulché-Delbosc, ibidem, pp. 418 y 419). Cf. número 29 de esta colección, donde ya aparecen varios de los nobles aquí citados, así como número 32. Conviene señalar que una de las obsesiones del autor o autores de las *Coplas* es la limpieza de sangre; muchos de los atacados son acusados de tener origen judío.

La corte y los cortesanos aparecen representados en estas coplas como un convento religioso que recibe la visita de su Provincial, el cual descubre —o se los cuentan— los vicios, inmoralidades y tachas de los supuestos frailes. Los personajes que han podido ser identificados son éstos, siguiendo el orden del texto:

Enrique IV de Castilla, "capellán mayor", y tres de sus favoritos: Pero García de Herrera, mariscal del reino, Andrés de Cabrera, mayordomo mayor (luego marqués de Moya con los Reyes Católicos), y Beltrán de la Cueva, conde de Ledesma, duque de Alburquerque, amante de la reina Juana, esposa de Enrique IV, y muy posible padre de la desgraciada Juana la Beltraneja (nacida en 1462).

El "condestable sin provecho" es Miguel Lucas de Iranzo, "conde sin condado", ya que aunque "el Rey al tiempo de nombrarle Condestable le dio las villas de Ágreda, Vozmediano y Veratón, éstas se le resistieron a ser enajenadas de la Corona" (Foulché-Delbosc, ibidem, p. 425). Iranzo, converso él mismo y, por lo tanto, "villano probado", fue asesinado en marzo de 1473 durante los tumultos antisemitas ocurridos en Jaén.

La siguiente acusación de adulterio puede muy bien ir dirigida contra Rodrigo Manrique (el padre de Jorge): María de Sandoval, viuda de Diego Manrique, hermano del maestre, vivió amancebada diez años con el conde de Miranda; finalmente fue robada violentamente por el citado Rodrigo y entregada al cuidado de Pedro Manrique de Sandoval, conde de Treviño, hijo de la andariega señora. Este último, dicho sea de paso, casó con Guiomar de Castro, la famosa amante portuguesa de Enrique IV.

Beltrán de la Cueva, ya citado, fue hecho conde de Ledesma por favoritismo personal de Enrique IV; el *Provincial,* haciéndose eco de la voz popular, señala las relaciones que unían al conde con el monarca y con la mujer de éste, doña Juana. Estaba casado con una hija del segundo marqués de Santillana y primer duque del Infantado. La infanta aludida es, naturalmente, la hermana del rey, la futura Isabel la Católica.

Rodrigo de Pimentel, conde de Benavente; la abadesa muy posiblemente es Catalina de Sandoval, amante más o menos efectiva de Enrique IV, a quien éste encerró en 1459 en San Pedro de las Dueñas haciéndola abadesa del convento. Otro de los citados es Gómez de Benavides, mariscal del reino y señor de Frómista.

Rodrigo de Villandrando, conde de Ribadeo ya con Juan II; según Hernando del Pulgar, fue hijo de un escudero "fijodalgo" de Valladolid, es decir, de mediana sangre y origen.

Juan de Rojas, señor de Cabra y Monzón; aparece acusado de proceder de familia de boticarios judíos; en todo caso, era converso.

Pedro Manrique de Sandoval, conde de Treviño; ya citado más arriba, así como la aventurera vida de su madre, doña María de Sandoval.

Quizá se trate de Íñigo de Molina, alcaide de Quesada; el duque es el de Medinasidonia, Enrique de Guzmán; Juan de Mendoza parece ser el hijo del marqués de Santillana.

Álvaro Pérez de Orozco es uno de los "personajes levantados por Enrique IV a las honras y dignidades del Estado, y que gozaron favor en la corte, trayendo su origen más o menos inmediato de la raza hebrea" (Amador de los Ríos, *Historia social...*, p. 622).

Fernando de Silva, de la familia de los condes de Cifuentes, grandes protectores de los conversos; cf. Amador, *op. cit.*, pp. 632-633.

Juan de Zúñiga o de Estúñiga, quizá el señor de Castro del Rey; cf. Amador, ibidem, p. 622.

Es difícil averiguar a qué adelantado pueden referirse estos versos; quizá a Pero López de Padilla, que ostentaba tal cargo todavía en 1468; el "prior de León" parece ser el de San Marcos de León, Gómez de Miranda, de la Orden de Santiago: consiguió tal dignidad a fuerza de intrigas y violencias. Alonso de Aguilar: hermano de Gonzalo Fernández de Córdoba, el futuro *Gran Capitán*, muy protector de los conversos antes y durante las asonadas anti-hebreas de 1473 en la ciudad de Córdoba (cf. Amador de los Ríos, ibidem, pp. 637-639).

Pedro Girón, maestre de Calatrava, hermano de otro de los grandes favoritos del rey, Juan Pacheco, marqués de Villena. Girón murió repentinamente en 1465 cuando proyectaba casarse con la infanta Isabel.

Una vez más aparece Beltrán de la Cueva, ya citado.

Juan de Valenzuela, prior de San Juan, converso, era hijo de un platero judío; de ahí el nombre de "Cristóbal Platero" (para el significado del nombre "Cristóbal", cf. notas a la copla 10 de *Mingo Revulgo* por Hernando del Pulgar, ed. Domínguez Bordona, Clásicos Castellanos, XCIX).

Álvar Pérez de Castro, otro de los personajes de oscuro origen encumbrados por Enrique IV (cf. Amador de los Ríos, *Historia social...*, p. 622).

Diego Arias Dávila, converso, contador mayor de Enrique IV; cf. número 28 de esta antología y Amador de los Ríos, *op. cit.*, p. 625.

Quizá Juan de Torres, alcaide de los alcázares de Jaén.

En 1470, "de dos fortalezas que eran del arzobispo de Toledo e se las habían hurtado se hacían grandes robos, la una llamada Canales, que tenía Cristóbal Bermúdez, e la otra Perales, que tenía Vasco de Contreras; a los cuales el Rey mucho favorecía" (Diego de Valera, *Memorial de diversas hazañas,* ed. J. Mata Carriazo, Madrid, 1941, p. 180).

Según las "Notes..." publicadas por Foulché-Delbosc, p. 425, el "buen hermano rico en lanas" es, otra vez, Enrique IV.

La casa de Guzmán es la de los duques de Medinasidonia, ya citados.

Nueva referencia a Juan de Valenzuela, prior de San Juan, ahora criticado por otros motivos bien diferentes.

Fernán Álvarez de Toledo, conde de Alba, de cuya casa se vuelve a hacer mención más adelante.

Diego López de Ayala, fue doncel de Juan II; señor de Villalba; yerno de García Álvarez, señor de Oropesa.

De nuevo Juan de Mendoza, hijo del marqués de Santillana; evidentemente, un tipo donjuanesco.

El doctor Juan Gómez de Zamora, converso, fiscal del Consejo Real; cf. Amador de los Ríos, *op. cit.,* p. 588.

Juan de Ulloa, señor de Villabarba y Cirajas, pariente del converso Juan Alonso de Toro, del Consejo Real (cf. Amador, *loc. cit.*). A Juan de Ulloa "llamaron el trasquilado, y fue contador mayor del rey don Enrique IV, procedió deslealmente con aquel príncipe y a los Católicos ofendió mucho en el principio de su reinado, siguiendo a don Alonso, rey de Portugal, y entregándole la ciudad de Toro..." (Foulché-Delbosc, "Notes...", p. 423).

Lope de Valdivielso, maestresala de Enrique IV.

Hernando de Tovar, otro converso encumbrado por el rey, lo mismo que Pedro Méndez; cf. Amador de los Ríos, *op. cit.,* p. 622.

Diego de Llanos, oidor de Valladolid, famoso por su dureza en el desempeño de su cargo.

Juan de Vivero, hijo de Alonso Pérez de Vivero, contador mayor asesinado por don Álvaro de Luna.

Juan Sarmiento, conde de Santa Marta.

Pedro de Bobadilla, converso favorecido por Enrique IV; cf. Amador de los Ríos, *op. cit.,* p. 622.

"Francisco Comendador" aparece en otras versiones como "el Franco Comendador": sin duda relacionado con el famoso judío "contador de cuentas" de Juan II y regidor de Valladolid, Garci-Franco.

El hijo de "un honrado labrador" es, de nuevo, el condestable Miguel Lucas de Iranzo.

"Los de Toledo" y "Valdecorneja": la casa de Alba, motejada de origen judío a través de Hernán Álvarez, "que fue rabino en su ley". Del conde Fernán Álvarez de Toledo ya se ha hecho mención más arriba.

Para el significado de las cuatro últimas coplas, cf. Foulché-Delbosc, "Notes...", p. 427, coplas relacionadas con la autoría del poema.

Como bibliografía sobre el ambiente y los personajes citados, cf. la *Crónica de Enrique IV* de Enríquez del Castillo, BAE, LXX; los *Claros Varones de Castilla* de Hernando del Pulgar, tomo XLIX de Clásicos Castellanos, edición de J. Domínguez Bordona; A. Paz y Melia, *El Cronista Alonso de Palencia*, Madrid, 1914; Diego de Valera, *Memorial de diversas hazañas*, edición de J. Mata Carriazo, Madrid, 1941.

32. FRAY ÍÑIGO DE MENDOZA: *Coplas de Vita Christi*

Texto según la primera versión conservada (Biblioteca Nacional de París, ms. Esp.-305), de hacia 1467-68, y la "oficial", NBAE, XIX, número 1.

1425?-1507? Nacido muy probablemente en Burgos, segundón de dos importantes y características familias castellanas del siglo XV, los nobles Mendoza y los conversos Santa María (como bisnieto de Juan Hurtado de Mendoza, mayordomo mayor de Juan II, y del obispo Pablo de Cartagena). Dentro de su orden franciscana llegó a alcanzar puestos de alguna responsabilidad, ya al final de su vida. Siguió la corte de Enrique IV y la de los Reyes Católicos. Al primero de los reinados citados pertenecen sus famosas *Coplas de Vita Christi*; al segundo, otras obras políticas dedicadas a Fernando e Isabel. Ferviente partidario de la nueva política de la reina, llegó a ser predicador de su corte. Es autor de varias obras religiosas y morales, todas las cuales alcanzaron gran popularidad. (Cf. mi trabajo, ya citado, *Fray Íñigo de Mendoza y sus Coplas de Vita Christi*, así como Menéndez Pelayo, *Antología...*, III, pp. 41-56, y F. Cantera Burgos, *Álvar García de Santa María. Historia de la judería de Burgos y de sus conversos más egregios*, Madrid, 1952, pp. 558-570. También la *Explicación* al frente de esta antología).

Se ha venido considerando a fray Íñigo como poeta religioso del tiempo de los Reyes Católicos, pero este poema, el más importante y ambicioso de los suyos, fue compuesto en pleno reinado de Enrique IV y con una intención social y política mayor que la moral y religiosa. La *Vita Christi*, en efecto, intercala numerosos y extensos pasajes en que su autor alude a hechos y personas concretas, sin omitir al propio monarca. La violencia de estos ataques hizo que fray Íñigo se viese obligado a redactar una segunda versión, en la que suprimió —ante la intimidación de los afectados— las alusiones personales y los nombres, pero no el tono duro y violento, reflejando siempre el malestar del pueblo y la inquietud del momento, poniendo continuamente como ejemplificación social la pobreza del nacimiento de Cristo. En las notas a las *Coplas de Mingo Revulgo* (número 30 de esta antología) ya he señalado la relación de ese poema con la *Vita Christi* y la posibilidad de que ambas obras pertenezcan al mismo autor.

La *Vita Christi* consta de casi 500 quintillas dobles, un romance y una "desfecha" al mismo; una de las partes del poema es, en realidad, un primitivo auto teatral precedente clarísimo de los de Juan del Encina en muchos aspectos (cf. Charlotte Stern, "Fray Íñigo de Mendoza and Mediaeval Dramatic Ritual", *Hispanic Review,* 1965, pp. 197-245). En los fragmentos aquí anotados se incluyen las estrofas críticas más significativas.

El primero, "Reprende las pompas y regalos...", se abre con una retórica y efectista imprecación contra los poderosos. El primer personaje citado, Enrique IV, aparece, precisa y únicamente, por sus riquezas, históricamente ciertas, pues como dice Enríquez del Castillo, "labraba ricas moradas y fortalezas; era señor de grandes tesoros, amigo y allegador de aquéllos..." *(Crónica de Enrique IV,* BAE, LXX, I, p. 101), pero también de acuerdo con Mendoza, Galíndez de Carvajal dice que "el Rey naturalmente era caritativo" *(Crónica de los Reyes Católicos,* edición Torres Fontes, Murcia, 1946, p. 390). En Segovia, por otro lado, la ciudad favorita de Enrique IV, es donde éste guardaba su tesoro; cf. Galíndez, *op. cit.,* p. 190.

Siguiendo el orden de las coplas, aparece el arzobispo de Toledo y primado de las Españas, Alonso Carrillo, personaje básico en el desorden político y social de la época. El "duque" tan poco especificado no puede ser otro que el de Valencia de don Juan, Juan de Acuña, que lo fue desde 1465, el único "mucho quisto" del rey, excepto los de Alburquerque y Plasencia, citados después. Las represiones continúan muy genéricamente, de forma semejante a las de Gómez Manrique en las *Coplas contra los pecados mortales* (número 25 de esta antología); como dice J. Huizinga, "junto a la Pasión y los Novísimos era, ante todo, la condenación del lujo y de la vanagloria el tema con que los predicadores populares conmovían tan profundamente a su auditorio" *(El Otoño de la Edad Media,* Madrid, 1930, p. 17). Fray Íñigo, más adelante, vuelve a los ataques personales, comenzando ahora con Pedro Girón, maestre de Calatrava, muerto en 1466 (al que se dedican 17 coplas en el manuscrito de París); siguiendo el modelo de Santillana en su *Doctrinal de privados* (número 20 de esta colección), iguala a Girón con don Álvaro de Luna, tanto en pecados político-sociales como en sus funestas consecuencias. Critica sus desorbitadas riquezas —"catorce cuentos"—, abuso de poder e inmoralidades de todo género. Unido a Pedro Girón se halla su "hermano el marqués", es decir, Juan Pacheco, marqués de Villena, no menos poderoso y revolvedor. Aparece también don Beltrán de la Cueva, duque de Alburquerque, pero fray Íñigo le critica únicamente por sus riquezas y posición dominante, y no por otros motivos más escandalosamente conocidos. ¿Razones? Durante la guerra civil de 1465-68 don Beltrán fue defensor de Enrique IV, y para una mentalidad como la del fraile Mendoza esto es suficiente. En efecto, los nobles ya citados, excepto Acuña, duque de Valencia de don Juan, así como el siguiente, Álvaro de Estúñiga, conde de Plasencia y señor de La Vera, formaron el equipo que preparó la sublevación del príncipe don Alonso, hermano del rey y de la princesa Isabel. Casi todos ellos intervinieron en el destronamiento "en efigie" de Enrique IV (Ávila, 5 de junio, 1465): "el arzobispo de Toledo, don Alonso Carrillo, subió en el cadahalso y quitóle la corona de la cabeza, como primado de Castilla, y el marqués de Villena, don Juan Pacheco, le quitó el cetro real de la mano...; y el conde de Plasencia, don Álvaro de Estúñiga, le quitó el espada, como justicia mayor de Castilla..." (Diego de Valera, *Memorial...*, pp. 98-99). El fragmento termina con unos consejos prácticos contra los tres vicios que, según fray Íñigo, corroen a los poderosos, lujuria, codicia y soberbia, recordando que todos los hombres nacen iguales. (La referencia al marqués de Santillana, puesta en boca del maestre de Calatrava, procede de la *Comedieta de Ponza*.)

El segundo fragmento presenta un cuadro de la situación general de Castilla no muy lejano del que aparece en el *Rimado de Palacio*. Especialmente original es el metaforismo de la circuncisión espiritual con propósitos cristiano-sociales (cf. *Hechos de los Apóstoles*, 7-51, y *Romanos*, 2-29; de aquí el tema pasará a San Agustín, San Bernardo...) unido al simbolismo ya conocido de las *Coplas de Mingo Revulgo* acerca de Justicia, Fortaleza y Templanza (cf. número 30 de esta colección y, especialmente, mi trabajo "Sobre el autor de las *Coplas de Mingo Revulgo*", allí citado).

En el tercero y último de los fragmentos incluidos, "reprende y declara el idolatrar de los cristianos" castellanos, señalando sus dioses verdaderos: "lujurias, gulas, rencores, / envidias, iras, estados...", siguiendo el texto evangélico.

Los privados y nobles; la corte de Enrique IV y sus inmoralidades de todo género; la sublevación del príncipe don Alonso; la situación de la Iglesia y de la religión, bien lejos de las primitivas virtudes cristianas; la justicia corrompida; los oficios de los incipientes burgueses corroídos ya por el afán de lucro; los robos de todo estilo; los miedos y temores de época tan revuelta; la vida, en fin, del pueblo sencillo, dominado tiránicamente por sus señores... todo esto presenta fray Íñigo de Mendoza en sus *Coplas de Vita Christi*, así como sus propias ideas para la eficaz cura de tanto mal.

Fray Íñigo dedica otras obras, puramente políticas, a los Reyes Católicos: *Dechado... a la muy excelente señora doña Isabel nuestra soberana señora; Sermón trobado... al... rey don Fernando... sobre el yugo y coyundas que su alteza trae por divisa*, y *Coplas... al... rey don Fernando... e a la... reina doña Isabel... en que declara cómo por el advenimiento destos muy altos señores es reparada nuestra Castilla.* (Cf. NBAE, XIX, números 2, 4 y 5, así como mi edición del *Cancionero* de Mendoza, de inmediata aparición en Clásicos Castellanos.

33-36. JUAN ÁLVAREZ GATO

1440?-1510? Madrileño de origen converso, servidor de Enrique IV, mayordomo de la reina Isabel. Protegido de don Beltrán de la Cueva, entró posteriormente al servicio de los poderosos Arias Dávila, también conversos, y al de los Mendoza de Guadalajara. Poeta elogiado por sus contemporáneos, de extraordinario interés: a su primera época profana y amorosa —en la que no retrocede ante las más violentas hipérboles erótico-religiosas— sucedió otra preocupada por las cuestiones políticas y sociales, que se une, finalmente, con una religiosidad sincera, dentro de la cual lo más interesante es su utilización "a lo divino" de motivos líricos populares. Siempre usando el arte menor, Álvarez Gato llegó a expresar muy humana y finamente la problemática acuciante de la segunda mitad del siglo XV castellano, con una sensibilidad agudizada por su condición de judío converso (como en el caso de fray Íñigo de Mendoza, con quien tantos puntos de contacto tiene). Así, busca "la raíz de las tiranías y discordias que afligían al reino" y "eleva la sátira a la dignidad de función social" (Menéndez Pelayo, *Antología...*, II, pp. 333-334). Cf. J. Artiles, "Juan Álvarez Gato, poeta madrileño del siglo XV...", *Revista de la Biblioteca, Archivo y Museo del Ayuntamiento de Madrid*, 1927, pp. 15-37 y 209-212; Mario Ruffini, *Observaciones filológicas sobre la lengua poética de Álvarez Gato*, Sevilla, 1953, y F. Márquez Villanueva, *Investigaciones sobre Juan Álvarez Gato*, Madrid, 1960, Anejo IV del *Boletín de la Real Academia Española*.

33. *Al tiempo que fue herido Pedrarias por mandado del rey don Enrique...*

Texto según NBAE, XIX, número 93. Para éste y los restantes poemas citados de Álvarez Gato, he tenido también en cuenta la edición de *Obras Completas* preparada por J. Artiles, Madrid, 1928 (tomo IV de la Colección de Clásicos Olvidados). Este pequeño poema se refiere a uno de los más escandalosos sucesos del reinado de Enrique IV, ocurrido en 1466. Pedro Arias Dávila, sucesor de su padre el converso Diego Arias Dávila en el puesto de contador real y fiel servidor del monarca, fue herido en un atentado preparado por éste, y subsecuentemente encarcelado, todo ello debido a las intrigas cortesanas del marqués de Villena. Puesto finalmente en libertad, Pedrarias conspiró abiertamente contra Enrique IV, a quien nunca perdonó su acción; en 1467-68 entregó Segovia a los partidarios del príncipe don Alonso. Como señala Álvarez Gato, algunos caballeros se apartaron del rey por este motivo. (Cf. Enríquez del Castillo, *Crónica de Enrique IV*: "E de aquesta prisión muy alterados así fueron los del bando del rey como los del otro; señaladamente los criados e servidores del Rey, visto lo que así se hacía con los que lealmente servían, e cómo el Rey daba lugar a tal fealdad... ¡O qué mal exemplo de Rey! ¡O qué desonesta hazaña de Príncipe! ¡O qué feo consentimiento y desoluta licencia! El que había de ser defendedor de sus servidores, hacerse perseguidor de ellos, el que avía de amparar su hechura leal, mandalla prender, e dar lugar a su muerte" —LXXXIX, p. 158, ed. cit. Cf. también Amador de los Ríos, *Historia social...*, pp. 644-645.)

34. *Al rey, porque daba muy ligeramente lo de su corona real*

Texto según NBAE, XIX, número 94.

Las mercedes concedidas por Enrique IV —que a veces le fueron meramente arrancadas— superaron ampliamente las de los otros generosos Trastamaras. Atendiendo solamente a los condados: Enrique II creó 12; Juan I, 4; Enrique III, 3; Juan II, 16; Enrique IV, 24 (cf. Blanco-González, *Del cortesano...*, p. 275). Enrique IV, en fin, "tuvo muchos privados, a quien con larga mano dio muy grandes dádivas" (Diego de Valera, *Memorial...*, p. 295). La anécdota siguiente es bien significativa: "E como sus realezas e magnificencias fuesen muchas e señaladas de contino, acaesció un día que Diego Arias, su contador mayor e tesorero, queriendo pagar sueldo a todas estas gentes, le dixo:

'Ciertamente Vuestra Alteza tiene mil excesivos gastos e sin provecho... e sería bien que se diese otra forma, y es que solamente sean pagados los que sirven, e no los que son sin provecho'. A lo qual el Rey como magnánimo príncipe y liberal, respondió: 'Vos habláis como Diego Arias, e yo tengo de obrar como Rey...' " (Enríquez del Castillo, *Crónica de Enrique IV*, XX, p. 111, ed. cit.). Como señala Márquez Villanueva (*Investigaciones*..., p. 21, nota), "el que una respuesta arrogante y despectiva a un contador haya pasado como rasgo de admirable grandeza de ánimo, constituye todo un tema de meditación acerca del sentido hispánico de la personalidad".

35. *Coplas en defensa del mozo de espuelas Mondragón*

Texto según NBAE, XIX, número 96.

El interés humanista de Álvarez Gato aparece bien expresado en este poema, en su título, y en la carta en prosa que le acompaña, explicativa de los versos y a la cual pertenecen estos párrafos: "En esta pecadora vida, por condición errada de lo ciegos que somos, la mísera y corrida pobreza no deja lucir la virtud y la tiene encogida y ofuscada..." (NBAE, XIX, p. 244). Por ello, Álvarez Gato sale en defensa del criado Mondragón, servidor de don Alonso de Velasco (gran señor sevillano, hermano del conde de Haro, y muerto en 1477). El problema mayor en este mundo es el de la injusticia y diferenciación social: "...para que huyamos de atribuir virtud o discrección al favorecido o al rico si no la alcanza, y negarla al corrido y cuitado del pobre si la tiene... Nuestro Redentor y Salvador, que quiso nacer en una pobrecilla cueva y morar en esta vida, él y su bendita madre, sin tener dónde meter la cabeza, más miserablemente que ninguno, y así todos los apóstoles y los que han seguido y siguen la doctrina evangélica..." (ibidem). Álvarez Gato, debido sin duda a su origen converso, había experimentado la angustia de la discriminación; ahora se identifica con los humildes y despreciados, encarnados en la figura —real y simbólica al propio tiempo— del mozo Mondragón. La tesis del poema, finalmente, "es que do quiera que la bondad o cualquiera virtud se halle, allí se mire y se honre, que la virtud exenta se ha de mirar como precio de sí misma; que gran corrimiento es nuestro que un tan ligero bien como las riquezas temporales nos dé causa a ser pregoneros de lisonjera virtud, y si ella, fortunado y pobre varón la tuviere, se la nieguen y callen" (ibidem). Bien sintomático es que Álvarez Gato cite al poeta Antón de Montoro y se sirva del "ropero" y converso para sus argumentos en pro de la igualdad y la justicia. Hay que convenir con Márquez Villanueva en que "se equivocó Artiles cuando dijo que en materia moral no había nada que aprender en estos trataditos de Álvarez Gato" (*Investigaciones...*, p. 292).

36. *Al pie de un crucifijo que está en Medina...*

Texto según NBAE, XIX, número 107.

Este pequeño poema de sólo once versos octosílabos está íntimamente unido con el anterior en cuanto a la problemática ideológica. Álvarez Gato insiste aquí —pero ahora a vueltas con el viejo tema de la muerte democratizante— en la igualdad de los seres humanos: "somos todos de una masa". El terrible efectismo de la fúnebre pared presenta una variante no menos macabra en otra versión conservada en un manuscrito del Museo Británico: en este caso se trata de un osario de cierta iglesia. Para las relaciones de Álvarez Gato con Medina del Campo, cf. Márquez Villanueva, *Investigaciones...*, p. 247, nota. (Cf. también la *Explicación* al frente de esta antología, p. 48, y compárese lo allí dicho con el contenido del poema número 25.)

37. HERNÁN MEXÍA: *En el tiempo del rey don Enrique, que estaban estos reinos envueltos en tiranías y discordias, hizo estas coplas al mundo y enderezólas a Juan Álvarez.*

Texto según NBAE, XIX, número 149, pp. 269-271: no incluyo las nueve últimas coplas, en las que el autor, inevitablemente, acude al ejemplo de la historia de Roma para aleccionar a los castellanos. De la respuesta de Álvarez Gato he eliminado las siete estrofas primeras, pedantesca introducción genérica al verdadero tema de dicha respuesta: la situación de Castilla.

El capitán Hernán Mexía, veinticuatro de Jaén, fue gran amigo y protector de Álvarez Gato, hasta el punto de que es imposible hablar del uno sin hacerlo del otro. El hecho más señalado de su vida forma parte de la revuelta historia de la época: en 1468 y de acuerdo con el marqués de Villena, intenta asesinar al condestable Miguel Lucas de Iranzo. Fue un coplero tradicional, antifeminista declarado, pero también, como este poema muestra, supo preocuparse seria y dignamente por los males del país. En Sevilla y en 1492 publicó un tratado de heráldica, el *Nobiliario Vero*.

El poema pertenece a los últimos años del reinado de Enrique IV, en "que estaban estos reinos envueltos en tiranías y discordias", según reza objetivamente el título. Por medio de retóricas y continuas preguntas —que recuerdan otras muy semejantes de uno de los sonetos del marqués de Santillana (cf. número 22 de esta antología)—, Hernán Mexía pasa revista implacable a la situación en que Castilla se encuentra, situación que él mismo, en mayor o menor medida, contribuyó a ennegrecer. Según Mexía, de reyes a labradores, nadie cumple con su deber social; las virtudes se han volatilizado, incluso la amistad; son, en fin, tiempos de confusión en que no puede hallarse "lo blanco sin lo prieto". Pero no es menos pesimista —o realista— la visión de Álvarez Gato en su respuesta, y, como señala Márquez Villanueva, "interesa comprobar que en ella no se considera ya al Rey como único responsable de aquel estado de cosas..., pues con intuición aguda y moderna opina que el mal aqueja a todo el cuerpo social —a 'todos estados'—, y se debe especialmente a una visible pérdida de sentido moral en aquellos que estarían más obligados a mantenerlo: señores y clero. Así, 'por tales obras vienen tales tiempos y s'esperan peores', comenta desalentado, sin ver remedio más que en una improbable penitencia universal" (*Investigaciones...*, p. 29).

Sobre Hernán Mexía, cf. Menéndez Pelayo, *Antología...*, II, pp. 334-337; para la amistad con Álvarez Gato, Márquez Villanueva, *op. cit.*, pp. 161-163.

38. FRAY AMBROSIO MONTESINO: *Tratado de la vía y penas que Cristo llevó a la cumbre del Gólgota, que es el Monte Calvario...*

Texto según su *Cancionero*, Toledo, 1508 (edición facsímil, Cieza, 1964, tomo XII de la colección "El ayre de la almena. Textos literarios rarísimos").

Nacido en Huete (Cuenca), franciscano, en 1512 llegó a ser obispo electo de Sarda, en Albania; murió ese mismo año o quizá el siguiente. Predicador favorito de la reina Isabel, junto con Fray Íñigo de Mendoza, con el cual su obra tanta semejanza tiene. Tradujo al castellano la famosa *Vita Christi* del cartujano Lodulfo de Sajonia (Alcalá de Henares, 1502-1503).

Autor de varias prosas religiosas, las dos colecciones básicas de sus poemas se publicaron hacia 1485 (Toledo, *Coplas sobre diversas devociones...*) y 1508 (Toledo, *Cancionero*). Como ha dicho Dámaso Alonso, "en sus momentos más felices su manera de decir candorosa, delicada y pintoresca, su sentido del color, su golosa sensualidad, su acierto en la interpretación de lo popular; en fin, la intensidad de su fervor y la frescura de su verso hacen de él un poeta sólo excedido hacia 1508.. por... un Gil Vicente" (*Poesía de la Edad Media...*, p. 553). Cf. Menéndez Pelayo, *Antología...*, pp. 56-72; M. Bataillon, "Chanson pieuse et poésie de dévotion. Fray Ambrosio Montesino", *Bulletin Hispanique*, 1925, pp. 228-238, y Erna R. Berndt, "Algunos aspectos de la obra poética de Fray Ambrosio Montesino", *Archivum* (Oviedo), 1959, páginas 56-71.

Estrofas de nueve versos octosilábicos y el décimo de pie quebrado. La relación de este poema de Montesino con la obra de Fray Íñigo de Mendoza es obvia. Como en el caso de la *Vita Christi*, se trata de un fragmento profano y severamente crítico de las realidades contemporáneas del autor, insertado en un contexto de tema religioso. La semejanza llega a ser literal, si bien en Fray Íñigo el pretexto para su criticismo es la pobreza de Cristo, mientras que en Fray Ambrosio son los dolores de Cristo en su pasión. Ambos franciscanos fustigan el poder y riqueza de los grandes señores; los vicios de doncellas y damas; las inmoralidades del clero, regular y secular; de las monjas, pendientes de las "redes parleras"... La novedad de Montesino a este respecto se halla en los ataques dirigidos contra maestres y comendadores, que llevan

> ...*como alquilados*
> *la cruz por sólo interese*
> *en la ropa señalados*
> *y en la renta sublimados;*

los ejemplos máximos de Juan Pacheco, maestre de Santiago, y Pedro Girón, maestre de Calatrava, así como el más lejano pero espectacular de don Álvaro de Luna, debían estar presentes en la mente de fray Ambrosio al redactar estos versos. Todo parece indicar que el franciscano toma como referencia los calamitosos años últimos del reinado de Enrique IV, aunque sus consecuencias alcanzaran a la primera época de los Reyes Católicos.

39. JORGE MANRIQUE: *Coplas por la muerte de su padre*

Texto según su *Cancionero*, edición de Augusto Cortina en Clásicos Castellanos, XCIV. (El texto completo consta de 40 estrofas de pie quebrado, de dos estancias de seis versos cada una.) Nacido muy probablemente en 1440, Jorge Manrique murió en 1479 en el asalto al castillo de Garci-Muñoz, siguiendo el bando de los Reyes Católicos frente al de Juana la Beltraneja, en esta ocasión representada por el marqués de Villena. Cuarto hijo de Rodrigo Manrique, conde de Paredes y maestre de Santiago; sobrino de Gómez Manrique... Valbuena Prat compara, evocadoramente, la melancólica figura de Jorge Manrique con la del estilizado *Doncel de Sigüenza*.

Jorge Manrique es autor de pequeños poemas típicos de cancionero, con temas básicos —amor y muerte—, pero estas coplas dedicadas a su padre, fallecido en 1476, constituyen la cima de la poesía castellana medieval. Su fama fue enorme; glosas y ediciones se sucedieron desde muy temprano. Uno de sus mayores valores, si no el más alto, es su *temporalidad*. Si la poesía, como ha dicho Antonio Machado, no es otra cosa sino la palabra en el tiempo, aquí se llega a la perfección poética y temporal. Partiendo del tema concreto de la muerte de su padre, Jorge Manrique llega al comentario profundamente dolorido de la circunstancia humana en la vida y ante la muerte. Para mejor caracterizar esa circunstancia, Jorge Manrique medita sobre el paso del tiempo, que une con la muerte inevitable y —cómo no— democrática:

> *allegados, son iguales*
> *los que viven por sus manos*
> *y los ricos:*

"nueva y feliz expresión sintética a la idea del poder igualitario de la muerte de tanto éxito en la Edad Media... Lo que en ellas [las *Danzas de la Muerte*] está prolijamente desarrollado con exagerado rasgueo, y con toques semigrotescos, lo aprieta Jorge Manrique en unas cuantas frases en que se hermanan la intensidad de efecto espiritual y la severa nobleza de tono" (Pedro Salinas, *Jorge Manrique o tradición y originalidad*, Buenos Aires, 1952, pp. 147-148). Todo pasa: hermosura, juventud, incluso linaje y nobleza; cuando

> *...vemos el engaño*
> *y queremos dar la vuelta,*
> *no hay lugar.*

Así, papas, emperadores y prelados han sido igualados con miserables pastores de ganados. A Jorge Manrique no le importa lo ocurrido en Troya ni en Roma, abstractamente llegado hasta él a través de lecturas librescas; le importa recordar, angustiadamente, lo más inmediato: "vengamos a lo de ayer". Don Juan II; los infantes de Aragón —don Alfonso, don Juan, don Enrique— causantes de tantos males, ¿qué se hicieron? ¿dónde están ahora? ¿Y las damas, no ya de antaño, como en Villon, sino de ayer mismo? Enrique IV y sus tesoros, "¿dónde iremos a buscallos?" ¿Y el infante don Alonso, inocente arrastrado por el viento de las ambiciones de nobles y poderosos? Don Álvaro de Luna, "tan privado"; los hermanos Pedro Girón y Juan Pacheco, maestres de Calatrava y Santiago, tan inquietos; duques, marqueses, condes, barones... Todos han desaparecido y solamente ahora reina, omnipotente y fría, la muerte. Debe notarse que Jorge Manrique, llevado de su afán moralizador —y no solamente desde un punto de vista religioso— presenta únicamente a grandes y poderosos; la alusión a pastores o a "los que viven por sus manos" tiene, pues, un mero carácter de comparación democratizante, no señalado muchas veces por la crítica tradicional. Cf. como antecedentes de estas coplas los poemas 17, 24 y 28 de esta antología. (Cf. A. Cortina, prólogo a su edición citada; Ana Krause, "Jorge Manrique and the Cult of Death in the Cuatrocientos", *Publications of the University of Los Angeles in Languages and Literature*, 1937, núm. 3, pp. 79-176; Pedro Salinas, *Jorge Manrique...*, Buenos Aires, 1952; Américo Castro, "Cristianismo, Islam, poesía en Jorge Manrique", *Papeles de Son Armadans*, 1958, pp. 121-140; A. Pérez Gómez, "Notas para la bibliografía de fray Íñigo de Mendoza y de Jorge Manrique", *Hispanic Review*, 1959, pp. 30-41; T. Navarro Tomás, "Métrica de las *Coplas* de Jorge Manrique", *Nueva Revista de Filología Hispánica*, 1961, pp. 169-179, y el reciente estudio de Antonio Serrano de Haro, *Personalidad y destino de Jorge Manrique*, Madrid, Gredos, 1966).

40. JUAN DE PADILLA: *Los doce triunfos de los doce apóstoles*

Texto según NBAE, XIX, número 160, triunfo V, capítulo VII.

Juan de Padilla, fraile cartujo, nació en Sevilla en 1468; murió hacia 1522; muy poco más es conocido de su vida. Es el último cultivador del arte mayor, tanto en su *Retablo de la vida de Cristo* (Sevilla, 1513), como en *Los doce triunfos de los doce apóstoles* (Sevilla, 1521). La segunda de estas obras es un extensísimo poema en estrofas de nueve versos dodecasílabos; es, "en primer lugar, un simbolismo astrológico, en el que el Sol representa a Cristo y los signos del Zodíaco a los Apóstoles; en segundo, una *cosmografía* o descripción de todas las tierras en que predicaron los Apóstoles; y finalmente, un viaje al Infierno y al Purgatorio en que San Pablo sirve de guía al poeta, como Virgilio había servido al Dante" (Menéndez Pelayo, *Antología...*, III, pp. 85-86; sobre Padilla en conjunto, pp. 77-101). En medio de tan desatado alegorismo y cultismo —la influencia de Mena es patente—, Juan de Padilla recuerda algunos temas históricos castellanos: el traidor don Opas, don Rodrigo, Pelayo, Bellido Dolfos, Santo Domingo de Guzmán... Las alusiones al siglo XV pertenecen casi todas al reinado de Enrique IV; las dos coplas incluidas en esta antología resumen la opinión del autor. Por medio del fino simbolismo del juego infantil, recuerda la guerra civil entre don Enrique y su hermano don Alonso, señalando significativamente, como hiciera también Jorge Manrique, a los verdaderos causantes de tanto desafuero: los señores que actuaron

> *por interese de propia ganancia*
> *y no de las pobres comunes compañas.*

Sin embargo, Padilla escribe ya cuando el escándalo de estos y otros sucesos semejantes se ha acallado por el paso del tiempo y los cambios políticos; por eso no cita directamente a los interesados, al contrario de lo que hicieron otros autores, señaladamente fray Íñigo de Mendoza. Los tiempos han cambiado, y en otro lugar de su poema Padilla habla "del invictísimo quinto Hernando" y de la conquista de Granada; de la "mucha prudencia" de Isabel y de la expulsión de los judíos... (Triunfo V, cap. IV, coplas 15-16, p. 355. Cf. Menéndez Pelayo, *op. cit.*; B. Sansiventi, *I primi influssi del Dante, del Petrarca e del Boccaccio sulla letteratura spagnuola*, Milán, 1902, pp. 224-239; Ch. R. Post, *Mediaeval Spanish Allegory*, Cambridge, Mass., 1915, pp. 265-269; J. Gimeno, "Sobre el Cartujano y sus críticos", *Hispanic Review*, 1961, pp. 1-14).

41. JUAN DEL ENCINA: *Égloga representada en la noche postrera de Carnal que dicen de Antruejo o Carnestolendas...*: *Villancico*

1468?-1529? Nacido en Salamanca o quizá en la vecina aldea de igual nombre que su patronímico, Encina. Su vida es, en cierto modo, característica del converso de baja extracción —su padre fue zapatero— que por méritos personales consigue romper el cerco de los intereses creados frente a tal circunstancia. Bachiller en leyes por la universidad de Salamanca, músico de la catedral, comenzó siendo protegido por el duque de Alba. La fecha es histórica: en la navidad de 1492 comienzan sus representaciones teatrales en el palacio de dicho noble en Alba de Tormes. Hace varios viajes a Roma y vive en esta ciudad protegido por los papas Julio II y León X. Fue arcediano de Málaga y prior de la catedral de León; en 1519 viajó a Tierra Santa.

La poesía de Juan del Encina es varia: religiosa, alegórica de arte mayor, amorosa, burlesca y popular, esta última en forma de deliciosas canciones, villancicos y romances. Encina es también autor de un muy interesante *Arte de trovar*. Pero su importancia literaria reside en su teatro, tanto en el religioso como en el profano, de ideología este último declaradamente renacentista; sus églogas inician el teatro moderno castellano. (Cf. E. Cotarelo y Mori, "Juan del Encina y los orígenes del teatro español", en *Estudios de historia literaria de España*, Madrid, 1901, pp. 103-181; R. Espinosa Maeso, "Nuevos datos biográficos de Juan del Encina", *Boletín de la Real Academia Española*, 1921, pp. 640-656; G. Cirot, "Le théâtre religieux d'Encina", *Bulletin Hispanique*, 1941, pp. 5-35; M. García Blanco: "Juan del Encina como poeta lírico", *Revista de la Universidad de Oviedo*, 1944, números 19-20, pp. 5-36; muy especialmente, J. Richard Andrews, *Juan del Encina. Prometheus in Search of Prestige*, Berkeley, 1959).

Texto según *Cancionero...*, fol. CX. Se trata del villancico final de dicha égloga, representada ante el duque de Alba en 1495, cuando "se sonaba que el duque su señor se había de partir a la guerra de Francia".

El asunto que originó el villancico es, pues, el conflicto entre España y Francia: en febrero de dicho año, Carlos VIII entra en Nápoles, y en marzo Fernando el Católico consigue formar la Liga Santa contra Francia, cuyo rey se retira de Italia en mayo. El famoso Gran Capitán comienza así su carrera triunfal. Pero debemos ver en este villancico algo más. La instalación de la reina Isabel en el trono de Castilla no había sido pacífica; la guerra interior contra la nobleza sublevada —herencia de Enrique IV— se había complicado con la intervención portuguesa y con la enemiga de Francia; la conquista de Granada y su campaña, aunque popular, también había gravitado pesadamente sobre el pueblo castellano... Encina en 1495 conocía bien las consecuencias de las luchas apuntadas. Pero no hay que olvidar que Encina es un converso, y en sus obras, como señala Américo Castro, aparece "el ansia por suprimir el conflicto religioso-social entre los viejos y nuevos cristianos" (*La Celestina como contienda literaria*, Madrid, 1965, p. 72). La paz, material y espiritual, era una necesidad acuciante para muchos españoles de la época, especialmente para aquellos marcados por el dedo acusador e injusto de la discriminación. En estos sencillos versos octosílabos, Encina expresa de forma sincera y emocionada ese deseo. El pacifismo —que ya había aparecido en ocasiones anteriores, como en el *Rimado de Palacio* o en las *Coplas de la Panadera*— surge de nuevo de forma digna y humana en este delicado villancico.

ÍNDICES

ÍNDICE DE AUTORES Y OBRAS ANÓNIMAS

 |Págs.
---|---

SIGLO XIII

1. *Debate de Elena y María*   61
2. Gonzalo de Berceo. *De los signos que aparescerán antes del Juicio*   70

SIGLO XIV

3. Juan Ruiz, arcipreste de Hita. *Libro de Buen Amor*   72
4. *Poema de Alfonso Onceno*   76
5. Sem Tob, rabino de Carrión. *Proverbios Morales*   80
6. Pedro López de Ayala, canciller de Castilla. *Rimado de Palacio*   82
7. *Libro de miseria de omne*   98
8. *Proverbios de Salomón*   101

SIGLO XV

9. *La Danza de la Muerte*   102
10. Alfonso Álvarez de Villasandino. *Al rey don Enrique... cuando estaba en tutorías*   125
11. Fray Diego de Valencia. *Este decir como a manera de pregunta fizo a Gonzalo López de Guayanes, pidiéndolo que le declarase por qué son los fidalgos*   129

		Págs.
12.	Ferrán Manuel de Lando. *Cuando la reina doña Catalina mandó fazer en Valladolid un torneo por el nascimiento del rey nuestro señor*	130
13.	Ruy Páez de Ribera. *Proceso que hubieron en uno la dolencia e la vejez e el destierro e la pobreza*	135
14.	Ruy Páez de Ribera. *Decir a la reina doña Catalina*	139
15.	Gonzalo Martínez de Medina. *Decir que fue fecho sobre la justicia e pleitos e de la gran vanidad deste mundo*	142
16.	Ferrán Sánchez de Calavera. *Pregunta que fizo.*	148
17.	Ferrán Sánchez de Calavera. *Este decir fizo e ordenó... cuando murió en Valladolid el honroso e famoso caballero Ruy Díaz de Mendoza*	150
18.	Fernán Pérez de Guzmán. *Coplas de vicios y virtudes*	153
19.	Fernán Pérez de Guzmán. *Confesión rimada* ...	160
20.	Íñigo López de Mendoza, marqués de Santillana. *Doctrinal de privados*...	161
21.	Íñigo López de Mendoza, marqués de Santillana. *Soneto XVII: el actor se queja de algunos que en estos fechos de Castilla fablaban mucho e fazían poco*...	166
22.	Íñigo López de Mendoza, marqués de Santillana. *Otro soneto... quejándose de los daños deste reino*	167
23.	Juan de Mena. *Coplas contra los pecados mortales*	167
24.	Juan de Mena. *Razonamiento que faze con la Muerte*	172
25.	Gómez Manrique. *Continuación de las Coplas contra la muerte de Juan de Mena*	174
26.	Gómez Manrique. *Pregunta a Pedro de Mendoza*	181

		Págs.
27.	Gómez Manrique. *Exclamación e querella de la gobernación*	183
28.	Gómez Manrique. *Coplas para el señor Diego Arias Dávila*...	187
29.	*Coplas de la Panadera*	197
30.	*Coplas de Mingo Revulgo*	207
31.	*Coplas del Provincial*	215
32.	Fray Íñigo de Mendoza. *Coplas de Vita Christi.*	225
33.	Juan Álvarez Gato. *Al tiempo que fue herido Pedrarias por mandado del rey don Enrique*...	242
34.	Juan Álvarez Gato. *Al rey, porque daba muy ligeramente lo de su corona real*	243
35.	Juan Álvarez Gato. *Coplas en defensa del mozo de espuelas Mondragón*	244
36.	Juan Álvarez Gato. *Al pie de un crucifijo que está en Medina*...	248
37.	Hernán Mexía. *En el tiempo del rey don Enrique, que estaban estos reinos envueltos en tiranías y discordias, hizo estas coplas al mundo y enderezólas a Juan Álvarez*	249
38.	Fray Ambrosio Montesino. *Tratado de la vía y penas que Cristo llevó a la cumbre del Gólgota, que es el monte Calvario*	255
39.	Jorge Manrique. *Coplas por la muerte de su padre*	260
40.	Juan de Padilla. *Los doce triunfos de los doce apóstoles*	265
41.	Juan del Encina. *Égloga representada en la noche postrera de Carnal que dicen de Antruejo o Carnestolendas: Villancico*	265

ÍNDICE ALFABÉTICO DE AUTORES Y OBRAS ANÓNIMAS

	Núms.
Alfonso Onceno, Poema de	4
Álvarez de Villasandino, Alfonso	10
Álvarez Gato, Juan	33-36
Berceo, Gonzalo de	2
Coplas de Mingo Revulgo	30
Coplas del Provincial	31
Coplas de la Panadera	29
Danza de la Muerte, La	9
Debate de Elena y María	1
Encina, Juan del	41
Libro de miseria de omne	7
López de Ayala, Pedro, canciller de Castilla	6
López de Mendoza, Íñigo, marqués de Santillana	20-22
Manrique, Gómez	25-28
Manrique, Jorge	39
Manuel de Lando, Ferrán	12
Martínez de Medina, Gonzalo	15
Mena, Juan de	23-24
Mendoza, Fray Íñigo de	32

	Núms.
Mexía, Hernán	37
Montesino, Fray Ambrosio	38
Padilla, Juan de	40
Páez de Ribera, Ruy	13-14
Pérez de Guzmán, Fernán	18-19
Proverbios de Salomón	8
Ruiz, Juan, arcipreste de Hita	3
Sánchez de Calavera, Fernán	16-17
Tob, Sem, rabino de Carrión	5
Valencia, Fray Diego de	11

ÍNDICE GENERAL

 |Págs.
---|---
Explicación histórica y literaria ... ... | 8-58
Textos ... ... | 59-266
Notas a los textos ... ... | 267-338
Índice de autores y obras anónimas ... ... | 341-343
Índice alfabético de autores y obras anónimas ... ... | 345-346

BIBLIOTECA ROMÁNICA HISPÁNICA

Director: DÁMASO ALONSO

I. TRATADOS Y MONOGRAFÍAS

1. Walther von Wartburg: *La fragmentación lingüística de la Romania*. Agotada.
2. René Wellek y Austin Warren: *Teoría literaria*. Con un prólogo de Dámaso Alonso. Cuarta edición. 432 págs.
3. Wolfgang Kayser: *Interpretación y análisis de la obra literaria*. Cuarta edición revisada. 594 págs.
4. E. Allison Peers: *Historia del movimiento romántico español*. Segunda edición. 2 vols.
5. Amado Alonso: *De la pronunciación medieval a la moderna en español*.
   Vol. I: Segunda edición: 382 págs.
   Vol. II: En prensa.
6. Helmut Hatzfeld: *Bibliografía crítica de la nueva estilística aplicada a las literaturas románicas*. Segunda edición, en prensa.
7. Fredrick H. Jungemann: *La teoría del sustrato y los dialectos hispano-romances y gascones*. Agotada.
8. Stanley T. Williams: *La huella española en la literatura norteamericana*. 2 vols.
9. René Wellek: *Historia de la crítica moderna (1750-1950)*.
   Vol. I: *La segunda mitad del siglo XVIII*. 396 págs.
   Vol. II: *El Romanticismo*. 498 págs.
   Vol. III: En prensa.
   Vol. IV: En prensa.
10. Kurt Baldinger: *La formación de los dominios lingüísticos en la Península Ibérica*. 398 págs. 15 mapas. 2 láminas.
11. S. Griswold Morley y Courtney Bruerton: *Cronología de las comedias de Lope de Vega (Con un examen de las atribuciones dudosas, basado todo ello en un estudio de su versificación estrófica)*. 694 págs.

II. ESTUDIOS Y ENSAYOS

1. Dámaso Alonso: *Poesía española (Ensayo de métodos y límites estilísticos)*. Quinta edición. 672 págs. 2 láminas.
2. Amado Alonso: *Estudios lingüísticos (temas españoles)*. Tercera edición. 286 págs.

3. Dámaso Alonso y Carlos Bousoño: *Seis calas en la expresión literaria española (Prosa-poesía-teatro)*. Tercera edición aumentada. 400 págs.
4. Vicente García de Diego: *Lecciones de lingüística española (Conferencias pronunciadas en el Ateneo de Madrid)*. Tercera edición. 234 págs.
5. Joaquín Casalduero: *Vida y obra de Galdós (1843-1920)*. Segunda edición ampliada. 278 págs.
6. Dámaso Alonso: *Poetas españoles contemporáneos*. Tercera edición aumentada. 424 págs.
7. Carlos Bousoño: *Teoría de la expresión poética*. Premio "Fastenrath". Cuarta edición muy aumentada. 618 págs.
8. Martín de Riquer: *Los cantares de gesta franceses (Sus problemas, su relación con España)*. Agotada.
9. Ramón Menéndez Pidal: *Toponimia prerrománica hispana*. Segunda edición, en prensa.
10. Carlos Clavería: *Temas de Unamuno*. Agotada.
11. Luis Alberto Sánchez: *Proceso y contenido de la novela hispanoamericana*. Segunda edición, en prensa.
12. Amado Alonso: *Estudios lingüísticos (Temas hispanoamericanos)*. Tercera edición. 360 págs.
13. Diego Catalán: *Poema de Alfonso XI. Fuentes, dialecto, estilo*. Agotada.
14. Erich von Richthofen: *Estudios épicos medievales*. Agotada.
15. José María Valverde: *Guillermo de Humboldt y la filosofía del lenguaje*. Agotada.
16. Helmut Hatzfeld: *Estudios literarios sobre mística española*. Segunda edición corregida y aumentada. 424 págs.
17. Amado Alonso: *Materia y forma en poesía*. Tercera edición. 402 págs.
18. Dámaso Alonso: *Estudios y ensayos gongorinos*. Segunda edición. 624 págs. 17 láminas.
19. Leo Spitzer: *Lingüística e historia literaria*. Segunda edición. Primera reimpresión. 308 págs.
20. Alonso Zamora Vicente: *Las sonatas de Valle Inclán*. Segunda edición. 190 págs.
21. Ramón de Zubiría: *La poesía de Antonio Machado*. Tercera edición. 268 págs.
22. Diego Catalán: *La escuela lingüística española y su concepción del lenguaje*. Agotada.
23. Jaroslaw M. Flys: *El lenguaje poético de Federico García Lorca*. Agotada.
24. Vicente Gaos: *Poética de Campoamor*. Segunda edición, en prensa.
25. Ricardo Carballo Calero: *Aportaciones a la literatura gallega contemporánea*. Agotada.

26. José Ares Montes: *Góngora y la poesía portuguesa del siglo XVII.* Agotada.
27. Carlos Bousoño: *La poesía de Vicente Aleixandre.* Segunda edición, en prensa.
28. Gonzalo Sobejano: *El epíteto en la lírica española.* Agotada.
29. Dámaso Alonso: *Menéndez Pelayo, crítico literario. Las palinodias de Don Marcelino.* Agotada.
30. Raúl Silva Castro: *Rubén Darío a los veinte años.* 296 págs. 4 láminas.
31. Graciela Palau de Nemes: *Vida y obra de Juan Ramón Jiménez.* Segunda edición, en prensa.
32. José F. Montesinos: *Valera o la ficción libre (Ensayo de interpretación de una anomalía literaria).* Agotada.
33. Luis Alberto Sánchez: *Escritores representativos de América.* Primera serie. La segunda edición ha sido incluida en la sección VII, *Campo Abierto*, con el número 11.
34. Eugenio Asensio: *Poética y realidad en el cancionero peninsular de la Edad Media.* Agotada.
35. Daniel Poyán Díaz: *Enrique Gaspar (Medio siglo de teatro español).* 2 vols. 10 láminas.
36. José Luis Varela: *Poesía y restauración cultural de Galicia en el siglo XIX.* 304 págs.
37. Dámaso Alonso: *De los siglos oscuros al de Oro.* La segunda edición ha sido incluida en la sección VII, *Campo Abierto*, con el número 14.
39. José Pedro Díaz: *Gustavo Adolfo Bécquer (Vida y poesía).* Segunda edición corregida y aumentada. 486 págs.
40. Emilio Carilla: *El Romanticismo en la América hispánica.* Segunda edición revisada y ampliada. 2 vols.
41. Eugenio G. de Nora: *La novela española contemporánea (1898-1960).* Premio de la Crítica.
Tomo I: (1898-1927). Segunda edición. 622 págs.
Tomo II: (1927-1939). Segunda edición corregida. 538 págs.
Tomo III: (1939-1960). Segunda edición, en prensa.
42. Christoph Eich: *Federico García Lorca, poeta de la intensidad.* Segunda edición, en prensa.
43. Oreste Macrí: *Fernando de Herrera.* Agotada.
44. Marcial José Bayo: *Virgilio y la pastoral española del Renacimiento.* Agotada.
45. Dámaso Alonso: *Dos españoles del Siglo de Oro (Un poeta madrileñista, latinista y francesista en la mitad del siglo XVI. El Fabio de la "Epístola moral": su cara y cruz en Méjico y en España).* 258 págs.
46. Manuel Criado de Val: *Teoría de Castilla la Nueva (La dualidad castellana en la lengua, la literatura y la historia).* Segunda edición, en prensa.

47. Ivan A. Schulman: *Símbolo y color en la obra de José Martí*. 544 págs.
48. José Sánchez: *Academias literarias del Siglo de Oro español*. Agotada.
49. Joaquín Casalduero: *Espronceda*. Segunda edición. 280 págs.
50. Stephen Gilman: *Tiempo y formas temporales en el "Poema del Cid"*. Agotada.
51. Frank Pierce: *La poesía épica del Siglo de Oro*. Segunda edición revisada y aumentada. 396 págs.
52. E. Correa Calderón: *Baltasar Gracián. Su vida y su obra*. 422 págs.
53. Sofía Martín-Gamero: *La enseñanza del inglés en España (Desde la Edad Media hasta el siglo XIX)*. 274 págs.
54. Joaquín Casalduero: *Estudios sobre el teatro español (Lope de Vega, Guillén de Castro, Cervantes, Tirso de Molina, Ruiz de Alarcón, Calderón, Moratín, Larra, Duque de Rivas, Valle Inclán, Buñuel)*. Segunda edición aumentada. 304 págs.
55. Nigel Glendinning: *Vida y obra de Cadalso*. 240 págs.
56. Álvaro Galmés de Fuentes: *Las sibilantes en la Romania*. 230 págs. 10 mapas.
57. Joaquín Casalduero: *Sentido y forma de las novelas ejemplares*. 274 págs.
58. Sanford Shepard: *El Pinciano y las teorías literarias del Siglo de Oro*. Agotada.
59. Luis Jenaro MacLennan: *El problema del aspecto verbal (Estudio crítico de sus presupuestos)*. 158 págs.
60. Joaquín Casalduero: *Estudios de literatura española ("Poema de Mío Cid", Arcipreste de Hita, Cervantes, Duque de Rivas, Espronceda, Bécquer, Galdós, Ganivet, Valle-Inclán, Antonio Machado, Gabriel Miró, Jorge Guillén)*. Segunda edición muy aumentada. 362 págs.
61. Eugenio Coseriu: *Teoría del lenguaje y lingüística general (Cinco estudios)*. Segunda edición. 328 págs.
62. Aurelio Miró Quesada S.: *El primer virrey-poeta en América (Don Juan de Mendoza y Luna, marqués de Montesclaros)*. 274 págs.
63. Gustavo Correa: *El simbolismo religioso en las novelas de Pérez Galdós*. 278 págs.
64. Rafael de Balbín: *Sistema de rítmica castellana*. Premio "Francisco Franco" del C. S. I. C. Segunda edición aumentada. 402 págs.
65. Paul Ilie: *La novelística de Camilo José Cela*. Con un prólogo de Julián Marías. 240 págs.
66. Víctor B. Vari: *Carducci y España*. 234 págs.
67. Juan Cano Ballesta: *La poesía de Miguel Hernández*. 302 págs.
68. Erna Ruth Berndt: *Amor, muerte y fortuna en "La Celestina"*. 206 págs.

69. Gloria Videla: *El ultraísmo (Estudios sobre movimientos poéticos de vanguardia en España)*. 246 págs. 8 láminas.
70. Hans Hinterhäuser: *Los "Episodios Nacionales" de Benito Pérez Galdós*. 398 págs.
71. Javier Herrero: *Fernán Caballero: un nuevo planteamiento*. 346 páginas.
72. Werner Beinhauer: *El español coloquial*. Con un prólogo de Dámaso Alonso. Segunda edición corregida, aumentada y actualizada. 460 págs.
73. Helmut Hatzfeld: *Estudios sobre el barroco*. Segunda edición. 492 págs.
74. Vicente Ramos: *El mundo de Gabriel Miró*. 478 págs. 1 lámina.
75. Manuel García Blanco: *América y Unamuno*. 434 págs. 2 láminas.
76. Ricardo Gullón: *Autobiografías de Unamuno*. 390 págs.
77. Marcel Bataillon: *Varia lección de clásicos españoles*. 444 págs. 5 láminas.
78. Robert Ricard: *Estudios de literatura religiosa española*. 280 págs.
79. Keith Ellis: *El arte narrativo de Francisco Ayala*. 260 págs.
80. José Antonio Maravall: *El mundo social de "La Celestina"*. Premio de los Escritores Europeos. Segunda edición revisada y aumentada. 182 págs.
81. Joaquín Artiles: *Los recursos literarios de Berceo*. Segunda edición corregida. 272 págs.
82. Eugenio Asensio: *Itinerario del entremés desde Lope de Rueda a Quiñones de Benavente (Con cinco entremeses inéditos de Don Francisco de Quevedo)*. 374 págs.
83. Carlos Feal Deibe: *La poesía de Pedro Salinas*. 270 págs.
84. Carmelo Gariano: *Análisis estilístico de los "Milagros de Nuestra Señora" de Berceo*. 234 págs.
85. Guillermo Díaz-Plaja: *Las estéticas de Valle Inclán*. 298 págs.
86. Walter T. Pattison: *El naturalismo español. Historia externa de un movimiento literario*. 192 págs.
87. Miguel Herrero García: *Ideas de los españoles del siglo XVII*. 694 págs.
88. Javier Herrero: *Ángel Ganivet: un iluminado*. 346 págs.
89. Emilio Lorenzo: *El español de hoy, lengua en ebullición*. Con un prólogo de Dámaso Alonso. 180 págs.
90. Emilia de Zuleta: *Historia de la crítica española contemporánea*. 454 págs.
91. Michael P. Predmore: *La obra en prosa de Juan Ramón Jiménez*. 276 págs.
92. Bruno Snell: *La estructura del lenguaje*. 218 págs.
93. Antonio Serrano de Haro: *Personalidad y destino de Jorge Manrique*. 382 págs.

94. Ricardo Gullón: *Galdós, novelista moderno.* Nueva edición. 326 páginas.
95. Joaquín Casalduero: *Sentido y forma del teatro de Cervantes.* 290 págs.
96. Antonio Risco: *La estética de Valle-Inclán en los esperpentos y en "El Ruedo Ibérico".* 278 págs.
97. Joseph Szertics: *Tiempo y verbo en el romancero viejo.* 208 págs.
98. Miguel Batllori, S. I.: *La cultura hispano-italiana de los jesuitas expulsos (Españoles - Hispanoamericanos - Filipinos. 1767-1814).* 698 págs.
99. Emilio Carilla: *Una etapa decisiva de Darío (Rubén Darío en la Argentina).* 200 págs.
100. Miguel Jaroslaw Flys: *La poesía existencial de Dámaso Alonso.* En prensa.
101. Edmund de Chasca: *El arte juglaresco en el "Cantar de Mio Cid".* 350 págs.
102. Gonzalo Sobejano: *Nietzsche en España.* 688 págs.
103. José Agustín Balseiro: *Seis estudios sobre Rubén Darío.* 146 págs.
104. Rafael Lapesa: *De la Edad Media a nuestros días (Estudios de historia literaria).* 310 págs.
105. Giuseppe Carlo Rossi: *Estudios sobre las letras en el siglo XVIII (Temas españoles. Temas hispano-portugueses. Temas hispano-italianos).* 336 págs.
106. Aurora de Albornoz: *La presencia de Miguel de Unamuno en Antonio Machado.* 374 págs.
107. Carmelo Gariano: *El mundo poético de Juan Ruiz.* 262 págs.
108. Paul Bénichou: *Creación poética en el romancero tradicional.* 190 págs.
109. Donald F. Fogelquist: *Españoles de América y americanos de España.* 348 págs.
110. Bernard Pottiers: *Lingüística moderna y filología hispánica.* 246 páginas.
111. Josse de Kock: *Introducción al Cancionero de Miguel de Unamuno.* 198 págs.
112. Jaime Alazraki: *La prosa narrativa de Jorge Luis Borges (Temas - Estilo).* 246 págs.
113. Andrew P. Debicki: *Estudios sobre poesía española contemporánea (La generación de 1924-1925).* 334 págs.
114. Concha Zardoya: *Poesía española del 98 y del 27 (Estudios temáticos).* 346 págs.
115. Harald Weinrich: *Estructura y función de los tiempos en el lenguaje.* 430 págs.
116. Antonio Regalado García: *El siervo y el señor (La dialéctica agónica de Miguel de Unamuno).* 220 págs.

III. MANUALES

1. Emilio Alarcos Llorach: *Fonología española*. Cuarta edición aumentada y revisada. Primera reimpresión. 290 págs.
2. Samuel Gili Gaya: *Elementos de fonética general*. Quinta edición corregida y ampliada. 200 págs.
3. Emilio Alarcos Llorach: *Gramática estructural*. Agotada.
4. Francisco López Estrada: *Introducción a la literatura medieval española*. Tercera edición renovada. 342 págs.
5. Francisco de B. Moll: *Gramática histórica catalana*. 448 págs. 3 mapas.
6. Fernando Lázaro Carreter: *Diccionario de términos filológicos*. Tercera edición corregida. 444 págs.
7. Manuel Alvar: *El dialecto aragonés*. Agotada.
8. Alonso Zamora Vicente: *Dialectología española*. Segunda edición muy aumentada. 588 págs. 22 mapas.
9. Pilar Vázquez Cuesta y Maria Albertina Mendes da Luz: *Gramática portuguesa*. Segunda edición, en prensa.
10. Antonio M. Badia Margarit: *Gramática catalana*. 2 vols.
11. Walter Porzig: *El mundo maravilloso del lenguaje (Problemas, métodos y resultados de la lingüística moderna)*. 508 págs.
12. Heinrich Lausberg: *Lingüística románica*.
    Vol. I: *Fonética*. 560 págs.
    Vol. II: *Morfología*. 390 págs.
13. André Martinet: *Elementos de lingüística general*. Segunda edición revisada, 276 págs.
14. Walther von Wartburg: *Evolución y estructura de la lengua francesa*. 332 págs.
15. Heinrich Lausberg: *Manual de retórica literaria (Fundamentos de una ciencia de la literatura)*.
    Vol. I: 382 págs.
    Vol. II: 518 págs.
    Vol. III: En prensa.
16. Georges Mounin: *Historia de la lingüística (Desde los orígenes al siglo XX)*. 236 págs.
17. André Martinet: *La lingüística sincrónica. (Estudios e investigaciones)*. 228 págs.

IV. TEXTOS

1. Manuel C. Díaz y Díaz: *Antología del latín vulgar*. Segunda edición aumentada y revisada. 240 págs.
2. María Josefa Canellada: *Antología de textos fonéticos*. Con un prólogo de Tomás Navarro. 254 págs.

3. Sánchez Escribano y A. Porqueras Mayo: *Preceptiva dramática española del Renacimiento y el Barroco.* 258 págs.
4. Juan Ruiz: *Libro de Buen Amor.* Edición crítica de Joan Corominas. 670 págs.
5. Julio Rodríguez-Puértolas: *Fray Iñigo de Mendoza y sus "Coplas de Vita Christi".* 634 págs.

V. DICCIONARIOS

1. Joan Corominas: *Diccionario crítico etimológico de la lengua castellana.* Tomos I, II y III, agotados. Tomo IV y último. 1226 páginas.
2. Joan Corominas: *Breve diccionario etimológico de la lengua castellana.* Segunda edición revisada. 628 págs.
3. *Diccionario de autoridades.* Edición facsímil. 3 vols.
4. Ricardo J. Alfaro: *Diccionario de anglicismos.* Recomendado por el "Primer Congreso de Academias de la Lengua Española". 480 págs.
5. María Moliner: *Diccionario de uso del español.* 2 vols.

VI. ANTOLOGÍA HISPÁNICA

1. Carmen Laforet: *Mis páginas mejores.* 258 págs.
2. Julio Camba: *Mis páginas mejores.* 254 págs.
3. Dámaso Alonso y José M. Blecua: *Antología de la poesía española.* Vol. I: *Lírica de tipo tradicional.* Segunda edición corregida. LXXXVI + 266 págs.
4. Camilo José Cela: *Mis páginas preferidas.* 414 págs.
5. Wenceslao Fernández Flórez: *Mis páginas mejores.* 276 págs.
6. Vicente Aleixandre: *Mis poemas mejores.* Tercera edición aumentada. 322 págs.
7. Ramón Menéndez Pidal: *Mis páginas preferidas (Temas literarios).* 372 págs.
8. Ramón Menéndez Pidal: *Mis páginas preferidas (Temas lingüísticos e históricos).* 328 págs.
9. José M. Blecua: *Floresta de lírica española.* Segunda edición corregida y aumentada. Primera reimpresión. 2 vols.
10. Ramón Gómez de la Serna: *Mis mejores páginas literarias.* 246 páginas. 4 láminas.
11. Pedro Laín Entralgo: *Mis páginas preferidas.* 338 págs.
12. José Luis Cano: *Antología de la nueva poesía española.* Segunda edición aumentada. 438 págs.

VII. CAMPO ABIERTO

1. Alonso Zamora Vicente: *Lope de Vega (Su vida y su obra)*. Agotada.
2. E. Moreno Báez: *Nosotros y nuestros clásicos*. 180 págs.
3. Dámaso Alonso: *Cuatro poetas españoles (Garcilaso - Góngora - Maragall - Antonio Machado)*. 190 págs.
4. Antonio Sánchez-Barbudo: *La segunda época de Juan Ramón Jiménez (1916-1953)*. 228 págs.
5. Alonso Zamora Vicente: *Camilo José Cela (Acercamiento a un escritor)*. 250 págs. 2 láminas.
6. Dámaso Alonso: *Del Siglo de Oro a este siglo de siglas (Notas y artículos a través de 350 años de letras españolas)*. Segunda edición. 294 págs. 3 láminas.
7. Antonio Sánchez-Barbudo: *La segunda época de Juan Ramón Jiménez (Cincuenta poemas comentados)*. 190 págs.
8. Segundo Serrano Poncela: *Formas de vida hispánica (Garcilaso - Quevedo - Godoy y los ilustrados)*. 166 págs.
9. Francisco Ayala: *Realidad y ensueño*. 156 págs.
10. Mariano Baquero Goyanes: *Perspectivismo y contraste (De Cadalso a Pérez de Ayala)*. 246 págs.
11. Luis Alberto Sánchez: *Escritores representativos de América*. Primera serie. Segunda edición. 3 vols.

13. Juan Ramón Jiménez: *Páginas escojidas (Prosa)*. 262 págs.
14. Juan Ramón Jiménez: *Páginas escojidas (Verso)*. Primera reimpresión. 238 págs.
15. Juan Antonio de Zunzunegui: *Mis páginas preferidas*. 354 págs.
16. Francisco García Pavón: *Antología de cuentistas españoles contemporáneos*. Segunda edición renovada. 454 págs.
17. Dámaso Alonso: *Góngora y el "Polifemo"*. Quinta edición muy aumentada. 3 vols.
18. *Antología de poetas ingleses modernos*. Con una introducción de Dámaso Alonso. 306 págs.
19. José Ramón Medina: *Antología venezolana (Verso)*. 336 págs.
20. José Ramón Medina: *Antología venezolana (Prosa)*. 332 págs.
21. Juan Bautista Avalle-Arce: *El inca Garcilaso en sus "Comentarios" (Antología vivida)*. 282 págs.
22. Francisco Ayala: *Mis páginas mejores*. 310 págs.
23. Jorge Guillén: *Selección de poemas*. 294 págs.
24. Max Aub: *Mis páginas mejores*. 278 págs.
25. Julio Rodríguez-Puértolas: *Poesía de protesta en la Edad Media castellana (Historia y Antología)*. 348 págs.

12. Ricardo Gullón: *Direcciones del modernismo*. 242 págs.
13. Luis Alberto Sánchez: *Escritores representativos de América*. Segunda serie. 3 vols.
14. Dámaso Alonso: *De los siglos oscuros al de Oro (Notas y artículos a través de 700 años de letras españolas)*. Segunda edición. 294 págs.
15. Basilio de Pablos: *El tiempo en la poesía de Juan Ramón Jiménez*. Con un prólogo de Pedro Laín Entralgo. 260 págs.
16. Ramón J. Sender: *Valle-Inclán y la dificultad de la tragedia*. 150 págs.
17. Guillermo de Torre: *La difícil universalidad española*. 314 págs.
18. Ángel del Río: *Estudios sobre literatura contemporánea española*. 324 págs.
19. Gonzalo Sobejano: *Forma literaria y sensibilidad social (Mateo Alemán, Galdós, Clarín, el 98 y Valle-Inclán)*. 250 págs.
20. Arturo Serrano Plaja: *Realismo "mágico" en Cervantes ("Don Quijote" visto desde "Tom Sawyer" y "El Idiota")*. 240 págs.
21. Guillermo Díaz-Plaja: *Soliloquio y coloquio (Notas sobre lírica y teatro)*. 214 págs.

VIII. DOCUMENTOS

1. Dámaso Alonso y Eulalia Galvarriato de Alonso: *Para la biografía de Góngora: documentos desconocidos*. 632 págs.

IX. FACSÍMILES

1. Bartolomé José Gallardo: *Ensayo de una biblioteca española de libros raros y curiosos*. Edición facsímil.